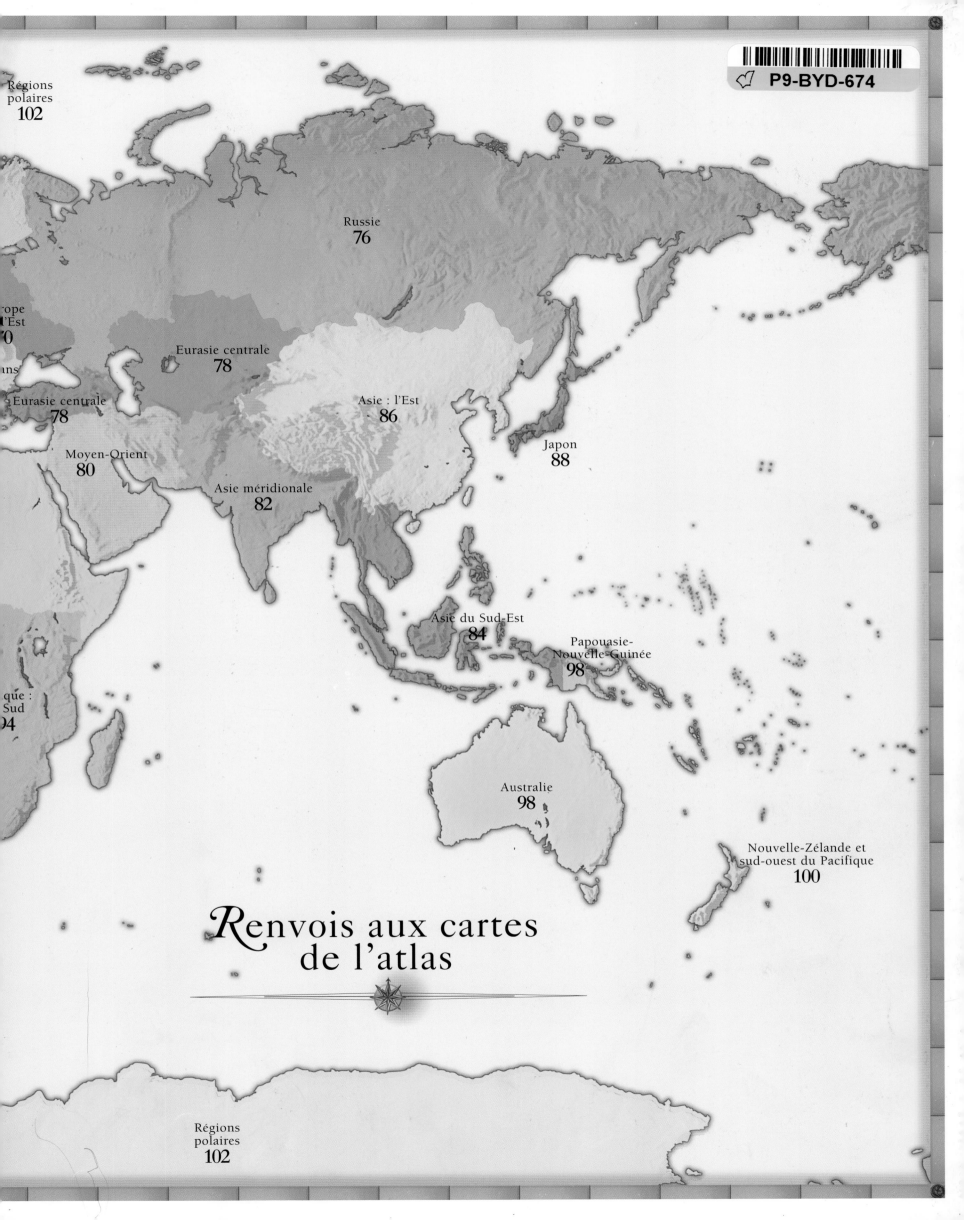

Régions
polaires
102

rope
l'Est
0

ns

Eurasie centrale
78

Eurasie centrale
78

Russie
76

Eurasie centrale
78

Asie : l'Est
86

Japon
88

Moyen-Orient
80

Asie méridionale
82

que :
Sud
04

Asie du Sud-Est
84

Papouasie-
Nouvelle-Guinée
98

Australie
98

Nouvelle-Zélande et
sud-ouest du Pacifique
100

Renvois aux cartes
de l'atlas

Régions
polaires
102

Mon Grand Atlas illustré

Mon Grand Atlas illustré

Cet ouvrage est l'adaptation française
de *The Reader's Digest Children's Atlas of the World*,
publié par Weldon Owen Pty Limited

Il a été réalisé sous la direction de l'équipe éditoriale de Sélection du Reader's Digest.
Directeur des éditions livres et magazine : Éric Jouan
Directrice adjointe : Elizabeth Glachant
Responsables de l'ouvrage : Christine de Colombel, Philippe Leclerc, Bénédicte Robbe
Correctrices : Béatrice Argentier, Catherine Decayeux, Emmanuelle Dunoyer
Couverture : Didier Pavois

Adaptation française des éditions précédentes :
Agence Media
Traduction : Franck Jouve, André Laurent, Patrick Restellini
Consultant (animaux) : Laurent Granjon
Lecture-correction : Carole Peyret
Montage PAO : Catherine Delille, Marie-Hélène Mateos

Illustrateurs : Susanna Addario, Andrew Beckett/illustration, André Boos, Anne Bowman, Greg Bridges, Danny Burke, Martin Camm, Fiammetta Dogi, Simone End, Giuliano Fornari, Chris Forsey, John Francis/Bernard Thornton Artists, R.-U., Jon Gittoes, Ray Grinaway, Terry Hadler/Bernard Thornton Artists, R.-U., Tim Hayward/Bernard Thornton Artists, R.-U., David Kirshner, Frank Knight, Mike Lamble, James McKinnon, Peter Mennim, Nicola Oram, Tony Pyrzakowski, Oliver Rennert, Barbara Rodanska, Claudia Saraceni, Michael Saunders, Peter Schouten, Stephen Seymour/Bernard Thornton Artists, R.-U., Marco Sparaciari, Sharif Tarabay/illustration, Steve Trevaskis, Thomas Trojer, Genevieve Wallace, Trevor Weekes, Rod Westblade, Ann Winterbotham
Cartes : Digital Wisdom Publishing Ltd
Drapeaux : Flag Society of Australia

Mise à jour de la présente édition : Valérie Lecoeur

ÉDITION ORIGINALE
Weldon Owen Pty Limited, 61 Victoria Street, McMahons Point, Sydney, NSW, 2060, Australie
Tous droits moraux de l'auteur réservés
This edition copyright © 2007 Weldon Owen Pty Limited

ÉDITION FRANÇAISE
© 2008 Sélection du Reader's Digest, SA,
1 à 7, avenue Louis-Pasteur, 92220 Bagneux
Site Internet : www.selectionclic.com
© 2008 Sélection du Reader's Digest, SA,
20, boulevard Paepsem, 1070 Bruxelles
© 2008 Sélection du Reader's Digest (Canada), Limitée
1 100, boulevard René-Lévesque Ouest, Montréal, Québec H3B 5H5
© 2008 Sélection du Reader's Digest, SA,
Räffelstrasse 11, « Gallushof », 8021 Zurich

Pour nous communiquer vos suggestions ou remarques sur ce livre,
utilisez notre adresse e-mail : editolivre@readersdigest.tm.fr

TROISIÈME ÉDITION, 1er tirage
Achevé d'imprimer : mai 2008
Dépôt légal en France : juin 2008
Dépôt légal en Belgique : D-2008-0621-55

Imprimé à Singapour
Printed in Singapore by Tien Wah Press

Mon Grand Atlas illustré

 **Sélection**
du Reader's Digest

PARIS • BRUXELLES • MONTRÉAL • ZURICH

TABLE DES MATIÈRES

AMÉRIQUE DU NORD 32

AMÉRIQUE DU SUD 48

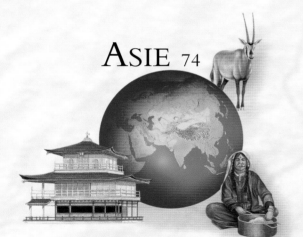

Comment utiliser cet atlas

AVEC *MON GRAND ATLAS ILLUSTRÉ*, tu pourras faire le tour du monde et te familiariser avec les différents continents. Avant de partir en voyage, lis attentivement les pages 8-9 et 10-11. Tu y découvriras plusieurs types de cartes, avec une explication de la façon dont elles ont été établies. Tu apprendras également à les lire et à les utiliser. Dans les pages suivantes, tu trouveras une présentation générale de notre planète, la Terre : sa place dans l'Univers, l'histoire de sa formation et de celle des continents, la variété de ses climats, de sa faune, de sa flore et de sa population. Le globe a été divisé en sept grands ensembles : Amérique du Nord, Amérique du Sud, Europe, Asie, Afrique, Australie et Océanie, régions polaires. Chacune de ces parties commence par une carte présentant les différents États et une autre montrant les principaux éléments du relief. Des cartes plus détaillées suivent, avec les régions, les villes, les ressources, les monuments, la flore et la faune... Tout autour, des informations et des activités pratiques permettent d'en savoir plus tout en s'amusant. À la fin de l'atlas se trouve un répertoire des données clés de chaque État. Tu trouveras aussi un glossaire de termes géographiques et un index des noms figurant sur les cartes de l'atlas, ainsi que leurs coordonnées.

CARTE GÉNÉRALE

Records
Tu trouveras des données chiffrées sur les records du continent.

Sommets et fleuves
Un schéma te permet de comparer entre eux les montagnes et les cours d'eau les plus importants du continent.

Carte politique
Elle montre les différents États.

Le continent Sa superficie, sa population et les États qui le composent sont présentés.

CARTE DÉTAILLÉE

Liste des États Les États qui figurent sur la carte sont mentionnés, avec leur population et leur capitale.

France

PLUS VASTE ÉTAT D'EUROPE (Russie exclue), la France offre une grande variété de paysages et de climats. À l'ouest d'une diagonale Biarritz-Luxembourg, le relief est peu élevé, le climat est doux et humide. À l'est, les reliefs sont plus hauts et les climats plus contrastés. 75 % de la population vit dans les villes. L'Île-de-France, où se trouve Paris, regroupe 18 % de la population sur à peine 2 % de la superficie du pays ; c'est également la première région industrielle.
Une grande partie du territoire est consacrée à l'agriculture ; la France est d'ailleurs le premier producteur agricole de la Communauté européenne. Céréales et betteraves sucrières dominent dans les riches plaines du Nord-Ouest, traversées par la Loire, la Seine et leurs affluents. Plus au sud et à l'est du pays, certains vignobles sont de réputation mondiale : la France est le deuxième producteur mondial de vin derrière l'Italie. De hautes chaînes de montagnes aux sommets enneigés délimitent les frontières avec l'Espagne au sud (Pyrénées) et l'Italie au sud-est (Alpes). Domaine des aigles, des chamois et des marmottes, elles accueillent également de nombreux skieurs. Vacanciers et touristes fréquentent chaque été plages et criques des stations balnéaires aménagées le long des côtes méditerranéennes et bretonnes. Proche de la frontière italienne, la principauté de Monaco, plus petit État du monde après le Vatican, est célèbre pour son casino et sa course de formule 1.

FRANCE
POPULATION : 62 713 926 • CAPITALE : Paris
MONACO
POPULATION : 32 671 • CAPITALE : Monaco

Le sais-tu ?
Cet encadré développe un fait intéressant ou curieux.

❖ LE SAIS-TU ? ❖

La France est aujourd'hui reliée à la Grande-Bretagne par un tunnel ferroviaire creusé sous la Manche. Sa construction a duré 7 ans et comprend deux tunnels séparés. La traversée en train dure 35 minutes. On peut ainsi se rendre de Paris à Londres en 2 heures 15 environ.

LE JEU DE BOULES
Le jeu de boules, ou pétanque, est très populaire en France. Il se joue avec des boules en métal sur une surface plane de terre.

Carte physique
Elle montre les principaux éléments du relief.

Bordure colorée
Une bordure de couleur différente te permet de distinguer chaque partie de l'atlas.

Coordonnées Les lettres et les chiffres inscrits dans la bordure te permettent de localiser un point sur la carte (voir page 10).

Idée Tu trouveras des instructions pour réaliser des objets ou des expériences en rapport avec la zone géographique traitée.

SYMBOLES CARTOGRAPHIQUES

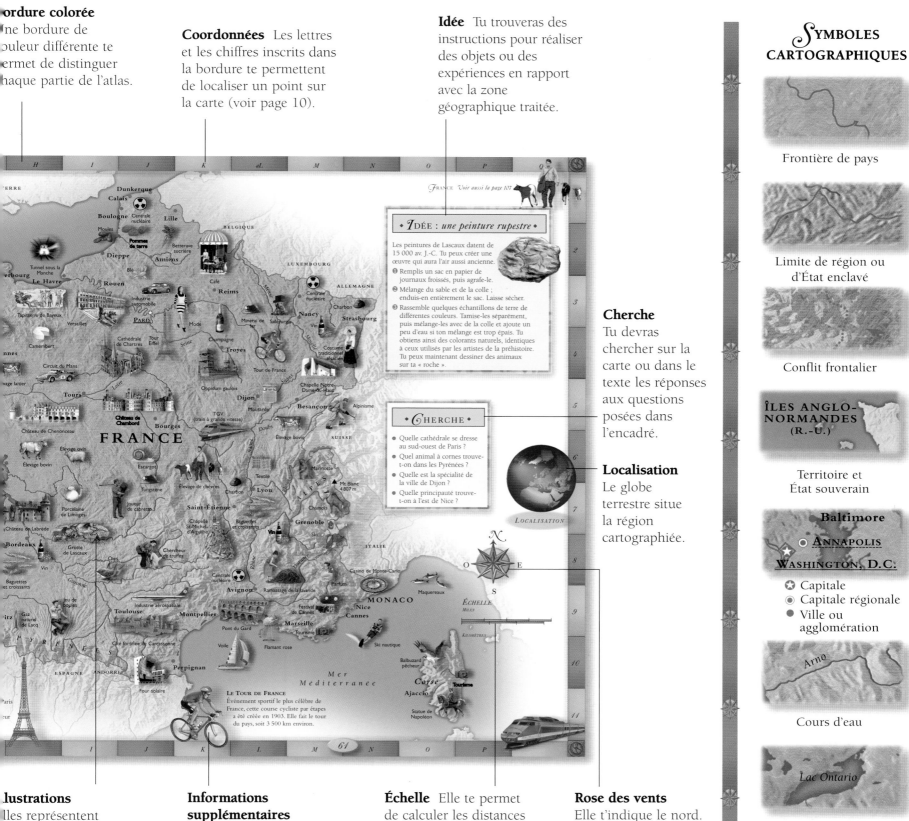

FRANCE Voir aussi la page 107

◆ IDÉE : une peinture rupestre ◆

Les peintures de Lascaux datent de 15 000 av. J.-C. Tu peux créer une œuvre qui aura l'air aussi ancienne.

❶ Remplis un sac en papier de journaux froissés, puis agrafe-le.

❷ Mélange du sable et de la colle ; enduis-en entièrement le sac. Laisse sécher.

❸ Rassemble quelques échantillons de terre de différentes couleurs. Tamise-les séparément, puis mélange-les avec de la colle et ajoute un peu d'eau si ton mélange est trop épais. Tu obtiens ainsi des colorants naturels, identiques à ceux utilisés par les artistes de la préhistoire. Tu peux maintenant dessiner des animaux sur ta « roche ».

Cherche
Tu devras chercher sur la carte ou dans le texte les réponses aux questions posées dans l'encadré.

◆ CHERCHE ◆

● Quelle cathédrale se dresse au sud-ouest de Paris ?
● Quel animal à cornes trouve-t-on dans les Pyrénées ?
● Quelle est la spécialité de la ville de Dijon ?
● Quelle principauté trouve-t-on à l'est de Nice ?

Localisation
Le globe terrestre situe la région cartographiée.

LE TOUR DE FRANCE
Événement sportif le plus célèbre de France, cette course cycliste par étapes a été créée en 1903. Elle fait le tour du pays, soit 3 500 km environ.

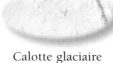

Illustrations
Elles représentent les habitants, les sites, la faune et la flore, les activités de la région.

Informations supplémentaires
Elles apportent des détails sur certaines illustrations de la carte.

Échelle Elle te permet de calculer les distances sur la carte. Tu trouveras plus d'informations sur les échelles page 11.

Rose des vents
Elle t'indique le nord. Regarde page 10 pour savoir comment l'utiliser.

LÉGENDE DES COULEURS DE LA CARTE

Désert ou zone aride   Forêt ou prairie   Toundra   Calotte glaciaire

Frontière de pays

Limite de région ou d'État enclavé

Conflit frontalier

ÎLES ANGLO-NORMANDES (R.-U.)

Territoire et État souverain

Baltimore
○ **ANNAPOLIS**
WASHINGTON, D.C.

✪ Capitale
◉ Capitale régionale
● Ville ou agglomération

Arno

Cours d'eau

Lac Ontario

Lac

 Ben Nevis
1 343 m

▲ Point culminant

Ⓓ Éléphants d'Afrique

Ⓓ Espèce en voie de disparition

*C*artes et cartographie

UNE CARTE EST UN DESSIN représentant un espace géographique (continent, pays, région, ville, etc.) vu généralement du dessus. Pour pouvoir reproduire des portions de territoire, les cartographes établissent des échelles qui permettent de réduire proportionnellement leurs dimensions. Si la zone à cartographier est de petite taille, on utilise une carte à grande échelle qui montre de nombreux détails. À l'inverse, pour un vaste territoire, l'échelle est petite ; la carte est donc moins détaillée. Les informations (frontières, reliefs, végétation...) sont symbolisées par des lignes, des couleurs et des signes conventionnels. Sur le plan d'une ville, par exemple, le tracé des rues est indiqué par de simples traits noirs et les zones d'habitation sont représentées par des figures géométriques colorées. Sur des cartes régionales ou nationales, les villes ne seront plus signalées que par de simples cercles noirs, les cours d'eau par un trait bleu.

Un recueil de cartes tel que celui que tu vas maintenant découvrir s'appelle un atlas : le monde entier y est représenté.

◆ *L*E SAIS-TU ? ◆

Atlas est le nom d'un héros de la mythologie grecque qui se révolta contre les dieux. Pour le punir, Zeus l'obligea à porter le monde sur ses épaules. Les premiers recueils de cartes, publiés au XVIᵉ siècle, présentent très souvent une illustration d'Atlas avec un globe sur les épaules. C'est sans doute pour cette raison que ce type d'ouvrage porte le nom... d'atlas.

PLANS ET CARTES

Ces trois cartes représentent le lieu où se trouve l'école de Crouy-sur-Cosson à des échelles différentes.

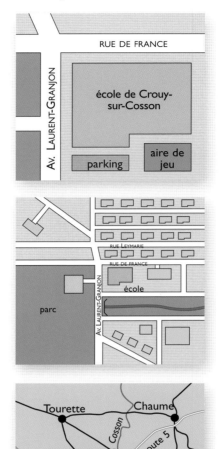

Sur ce plan couvrant un espace réduit, des formes simples, en couleurs, représentent l'école de Crouy-sur-Cosson, les rues voisines et les éléments proches de l'école (parking, aire de jeu).

Cette carte de la ville de Crouy-sur-Cosson couvre un espace plus large, donc moins détaillé. On voit les maisons, le parc et la rivière qui entourent l'école, mais le parking de l'école et l'aire de jeu ne sont plus représentés.

Cette carte représente la région environnante. La ville n'est plus indiquée que par une puce noire. L'école et les rues n'y figurent plus, mais on voit maintenant que Crouy-sur-Cosson est près de la mer et qu'il est relié à d'autres villes par un réseau de routes.

◆ *I*DÉE : *le plan de ton quartier* ◆

Pour faire le plan de ton quartier, tu dois situer chaque élément de l'espace (rues, rivières, espaces verts...), évaluer les distances qui les séparent et reproduire leur forme. Promène-toi afin de dresser une liste des éléments que tu souhaites représenter sur ton plan.

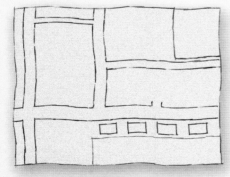

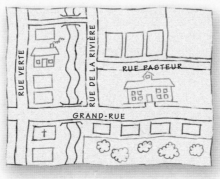

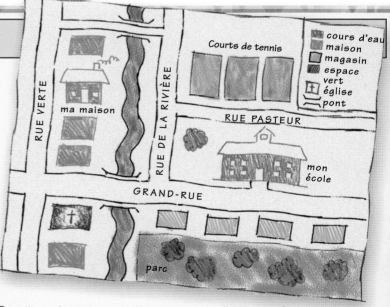

❶ Après avoir recensé ce que tu veux voir figurer sur ton plan, commence par dessiner les rues.

❷ Dessine ensuite les principaux immeubles, les parcs et les rivières. Marque le nom des rues.

❸ Colorie la carte en utilisant une couleur pour les maisons, une autre pour les rues, etc., et élabore une légende indiquant la signification des couleurs. À la fin, ajoute ta maison et d'autres éléments importants comme ton école.

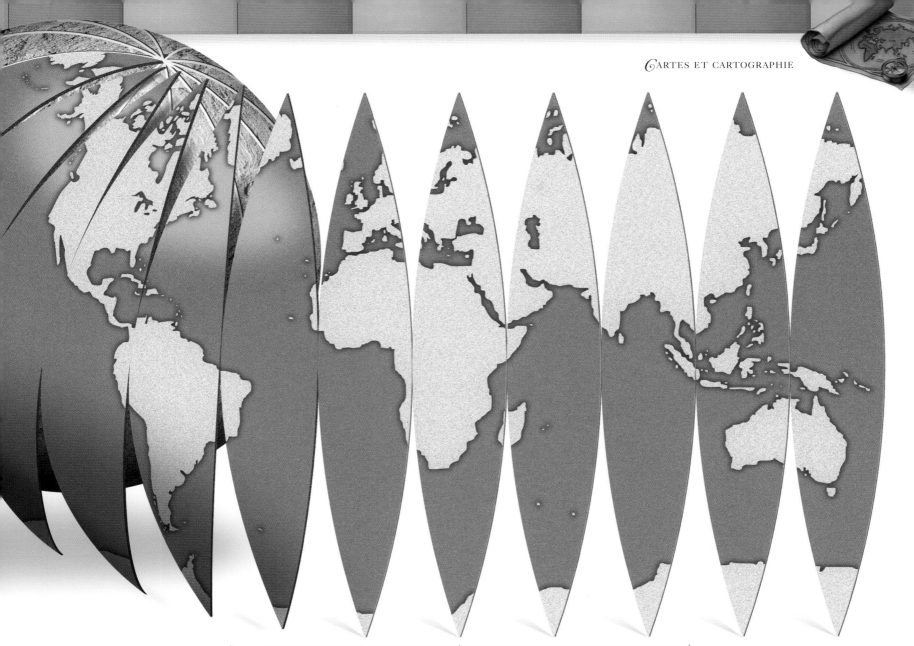

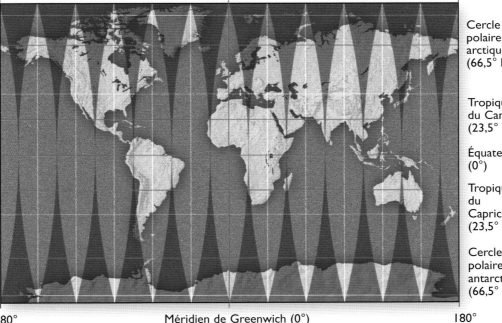

LA CARTOGRAPHIE

usqu'à l'invention de
avion, les cartographes
tilisaient les informations
ecueillies par des
xplorateurs et des
oyageurs pour dresser leurs
artes. De nos jours, les
artes sont établies à partir
e relevés de mesures et de
hotographies de la Terre
rises par satellite depuis
espace. Les cartographes
e heurtent cependant à
n problème : si la Terre est
onde, la plupart des cartes,
lles, sont planes. Sphérique
omme la Terre, le globe terrestre offre la représentation
artographique la plus fidèle. Mais, si on essaie d'établir une carte
lane en découpant simplement la surface d'un globe, on obtient
ne carte en morceaux, un peu comme si l'on épluchait une
range et que l'on tentait de mettre la pelure à plat : celle-ci
e casserait aussitôt. Pour reproduire sur une surface plane les
ormes courbes du globe terrestre, les cartographes ont dû étirer
t serrer les différents segments (ou morceaux). Une telle opération
appelle une projection. Il existe plusieurs types de projection,
hacun permettant de concevoir des cartes légèrement différentes.

Cercle
polaire
arctique
(66,5° N)

Tropique
du Cancer
(23,5° N)

Équateur
(0°)

Tropique
du
Capricorne
(23,5° S)

Cercle
polaire
antarctique
(66,5° S)

180°   Méridien de Greenwich (0°)   180°

UNE CARTE PLANE DE LA TERRE

La surface du globe
peut être segmentée
(voir ci-dessus). Mais
pour établir une carte
plane de la Terre, les
cartographes doivent
compléter les vides
existant entre les
segments. Ils s'aident
de lignes imaginaires :
les parallèles (lignes
horizontales),
indiquant la latitude ;
et les méridiens (lignes
verticales), indiquant
la longitude.

DES LIGNES IMAGINAIRES

Pour se repérer, les cartographes se servent de lignes
imaginaires. Reliant les deux pôles, les méridiens définissent
la longitude, mesurée en degrés (0° à 180°, est ou ouest) à
partir du méridien de Greenwich (0°). Tracés d'ouest en est
en partant de l'équateur (0°), les parallèles définissent
la latitude, mesurée en degrés (0° à 90° vers le nord
et vers le sud). La Terre est donc divisée en deux par
l'équateur (hémisphères Nord et Sud) et par le
méridien de Greenwich (hémisphères Est et Ouest).

Comment lire une carte

LES CARTES SONT UNE MINE D'INFORMATIONS. Elles indiquent les lieux, la forme et les dimensions d'un territoire, les distances d'un point à un autre. Elles peuvent également donner des indications sur le climat, la végétation, le relief, l'occupation humaine ou les réseaux de transports de la région cartographiée. Quand tu auras compris la façon de lire une carte, tu pourras utiliser cet atlas pour trouver de nombreux renseignements sur n'importe quel continent, pays ou région.

COMMENT TROUVER UN NOM DE LIEU ?

Sur la plupart des cartes et des atlas, on utilise l'index des noms géographiques (généralement situé en fin d'ouvrage) et la grille des coordonnées figurant sur les cartes. Les cartes sont en effet quadrillées, et chaque ligne est désignée par une lettre ou un chiffre. Lettres et chiffres figurent de chaque côté de la carte : ce sont les coordonnées. Prenons l'exemple de la carte de l'Australie, ci-contre. Les coordonnées de Melbourne sont H8. Pour trouver son emplacement, il suffit de repérer la lettre H sur l'axe horizontal et le chiffre 8 sur l'axe vertical. Melbourne figure dans le carré situé à l'intersection des deux lignes. Tu peux éventuellement t'aider d'une règle.

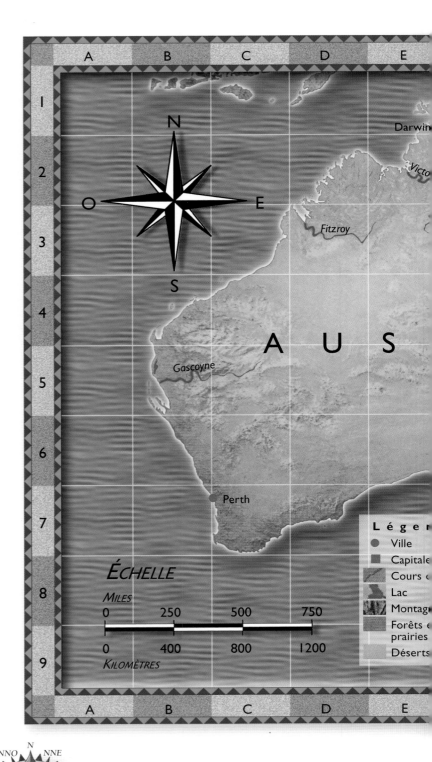

UTILISER LES COORDONNÉES

Les coordonnées de chaque lieu géographique figurent dans l'index. Celles de Nashville, dans le Tennessee, sont 41-L4. Pour trouver Nashville, reporte-toi à la carte de la page 41, puis cherche les coordonnées L et 4, qui délimitent un carré. Nashville est dans le carré à l'intersection de ces deux lignes imaginaires.

LES POINTS CARDINAUX

Sur toutes les cartes, on trouve une flèche qui indique la direction du nord (N). Parfois, il peut s'agir d'une rose des vents indiquant aussi les directions sud (S), est (E) et ouest (O). Entre ces quatre points cardinaux s'intercalent des points intermédiaires. Tu peux utiliser la rose des vents pour situer des lieux. Par exemple, reporte-toi à la carte de l'Australie (ci-dessus). Sydney est à l'est (E) d'Adélaïde, Brisbane au nord (N) de Sydney. Brisbane étant à la fois au nord et à l'est d'Adélaïde, on peut dire qu'elle est au nord-est (N-E) d'Adélaïde. Mais Brisbane est cependant plus à l'est qu'au nord d'Adélaïde ; pour être plus précis, on dira donc que Brisbane est à l'est-nord-est (E-N-E) d'Adélaïde. La rose des vents (ci-dessus, à gauche) te montre toutes les combinaisons de direction que tu peux utiliser pour situer un lieu.

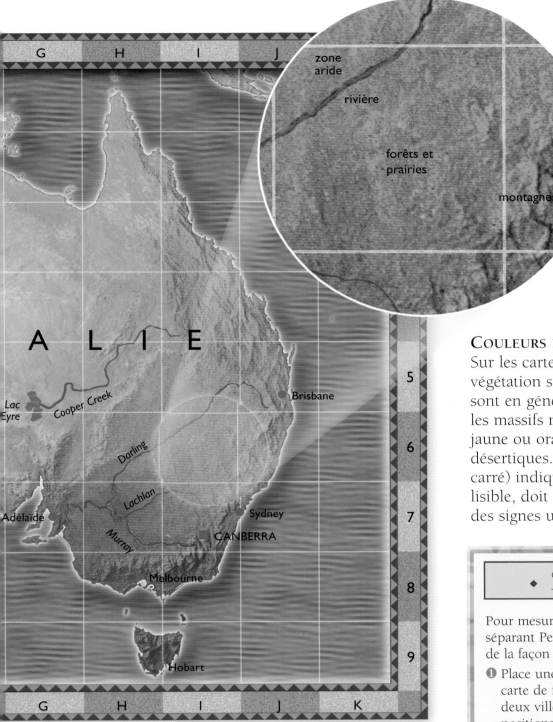

zone aride

rivière

forêts et prairies

montagnes

LÉGENDE DES COULEURS

Sur cette carte de l'Australie, les zones ombrées représentent les montagnes ; le vert, les forêts et les prairies ; le jaune, le désert et les régions arides. Océans, lacs et cours d'eau sont coloriés en bleu.

COULEURS ET SYMBOLES

Sur les cartes géographiques, le relief, le climat et la végétation sont représentés par des jeux de couleurs qui sont en général les suivantes : brun ou vert ombrés pour les massifs montagneux ; vert pour les forêts et les prairies ; jaune ou orange pour les régions arides, semi-arides ou désertiques. Généralement, un symbole particulier (étoile, carré) indique la capitale d'un pays. Toute carte, pour être lisible, doit être pourvue d'une légende où figure la liste des signes utilisés (voir page 7).

◆ IDÉE : *utiliser une échelle* ◆

Pour mesurer sur la carte la distance séparant Perth de Sydney, procède de la façon suivante :

❶ Place une feuille de papier sur la carte de façon qu'elle joigne les deux villes, puis marque leurs positions respectives.

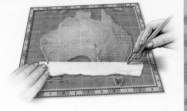

❷ Place la feuille sur le bord de l'échelle en faisant coïncider un des points avec le zéro de l'échelle. Comme la distance de l'échelle est plus courte que celle qui sépare les deux

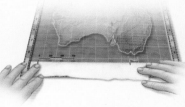

villes, note sur ton papier l'endroit où l'échelle se termine en précisant le nombre de kilomètres, puis reporte ton échelle autant de fois qu'il le faut. Additionne les intervalles pour connaître la distance réelle.

Pour mesurer des distances non rectilignes :

❶ Suis le cours de la rivière Darling avec un bout de ficelle.

❷ Tends ensuite la ficelle et mesure la distance entre les deux points sur l'échelle de la carte pour obtenir la longueur de la rivière.

MESURER L'ÉCHELLE

Une échelle est le rapport existant entre la longueur qui sépare deux points sur une carte et la distance qui les sépare dans la réalité. Avec l'échelle figurant sur chaque carte, on peut calculer les distances réelles.

Dans cet atlas, l'échelle est donnée à la fois en kilomètres et en miles (mesure anglo-saxonne qui équivaut à environ 1,609 kilomètre). Sur la carte de l'Australie (ci-dessus), chaque segment de l'échelle représente 400 kilomètres (barre du dessous) ou 250 miles (barre du dessus).

Une échelle peut être exprimée de la façon suivante : 1/1 000 000.

Cela veut dire que 1 centimètre sur la carte représente dans la réalité 1 000 000 (1 million) de centimètres, soit 10 kilomètres : les distances réelles sont un million de fois plus grandes que celles figurant sur la carte. La plupart des cartes qui représentent un pays sont à cette échelle.

La planète Terre

L'HOMME VIT SUR UNE PETITE PLANÈTE, infime partie du vaste Univers. La Terre appartient au système solaire, qui comprend huit planètes tournant autour de l'étoile Soleil. De gigantesques groupes d'étoiles forment des galaxies. La Terre fait partie d'une galaxie, la Voie lactée, composée d'au moins 100 milliards d'étoiles ! Il existe plusieurs millions de galaxies dans l'Univers, chacune d'elle étant entourée par un immense espace vide. Le système solaire est né, il y a environ 5 milliards d'années, d'un énorme nuage tourbillonnant de poussières et de gaz. La partie centrale du nuage, incandescente, est devenue le Soleil tandis que, plus loin, roches et gaz mélangés ont donné naissance aux planètes. Certains fragments de roche sont devenus des astéroïdes ou des planètes naines.

◆ LE SAIS-TU ? ◆

- Notre galaxie ressemble à celle-ci. Les points dans la spirale sont des nuages d'étoiles. Chaque étoile est identique à notre Soleil et peut posséder ses propres planètes.
- Jupiter est plus grosse que toutes les autres planètes, lunes, comètes et astéroïdes réunis. Pourtant, elle ne mesure que le centième, environ, de la plus petite des étoiles.

DEUX MOUVEMENTS DE ROTATION

Les planètes tournent sur elles-mêmes, et autour du Soleil. La rotation de la Terre sur elle-même s'effectue en 24 heures et celle autour du Soleil en une année. Plus une planète est proche du Soleil, plus vite elle en fera le tour. Les astéroïdes tournent aussi autour du Soleil. La plupart se situent entre Mars et Jupiter, dans la ceinture d'astéroïdes. Les planètes et les astéroïdes sont maintenus en orbite par la gravité, une force puissante (force d'attraction) exercée par la masse du Soleil. Sans elle, les planètes erreraient dans l'espace.

LE SYSTÈME SOLAIRE

Ce schéma montre les distances entre les planètes et leur éloignement par rapport au Soleil. Il donne aussi le temps que met chaque planète pour tourner autour du Soleil, puis sur elle-même.

Soleil

Mercure : **88 jours** ; *59 jours.*

Vénus : **225 jours** ; *243 jours.*

Terre : **365 jours un quart** ; *24 heures.*

Mars : **1,9 année** ; *24,6 heures.*

Ceinture d'astéroïdes

Jupiter : **11,9 années** ; *9,8 heures.*

Saturne : **29,5 années** ; *10,2 heures.*

Uranus : **84 années** ; *17,9 heur*

Tu peux créer un mobile représentant le système solaire et l'accrocher dans ta chambre ou ta salle de classe.

❶ Rassemble d'abord du papier, des crayons de couleur, du fil, une paire de ciseaux et un cintre.

❷ Dessine le Soleil, les différentes planètes et Pluton. Colorie-les. Pour éviter les erreurs de couleur et de proportions, reporte-toi à l'illustration ci-contre.

❸ Découpe soigneusement avec les ciseaux chacune des planètes.

❹ Perce un petit trou au sommet de chacune des planètes à l'aide de la pointe d'un stylo et passes-y un fil.

❺ Attache le Soleil et les différentes planètes au bas du cintre. Place le Soleil au milieu et dispose les planètes et Pluton de chaque côté, en respectant l'ordre figurant sur l'illustration.

❻ Maintenant, les planètes sont en place, tu peux donc accrocher ton mobile solaire.

LA ROTATION DE LA TERRE

La rotation de la Terre sur elle-même, d'ouest en est face au Soleil, est à l'origine de la ronde des jours et des nuits. Le jour commence quand on se trouve dans la lumière du Soleil ; la nuit tombe quand on s'en détourne. Comme l'axe de rotation de la Terre est en même temps incliné, l'ensoleillement de la surface terrestre varie en durée et en intensité selon la position de la Terre par rapport au Soleil.

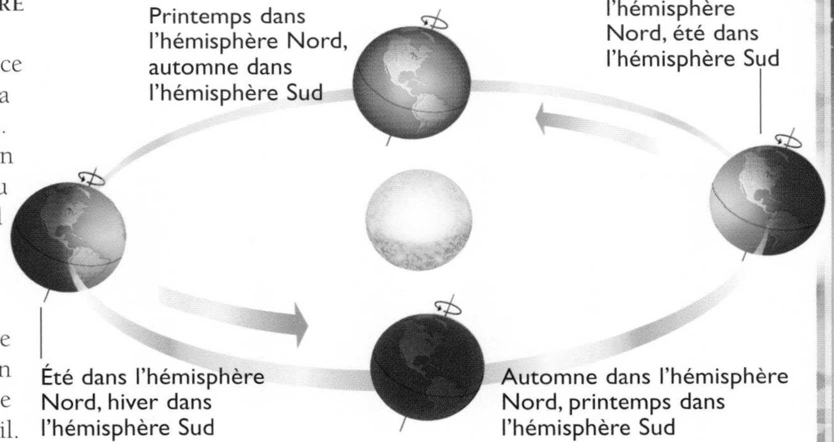

Printemps dans l'hémisphère Nord, automne dans l'hémisphère Sud

Hiver dans l'hémisphère Nord, été dans l'hémisphère Sud

Été dans l'hémisphère Nord, hiver dans l'hémisphère Sud

Automne dans l'hémisphère Nord, printemps dans l'hémisphère Sud

FAITE POUR LA VIE

Une couche gazeuse appelée atmosphère entoure certaines planètes. Dans l'état actuel de nos connaissances, la Terre est la seule planète du système solaire à posséder une atmosphère ayant suffisamment d'eau et d'oxygène pour favoriser l'épanouissement de la vie. La couche atmosphérique est très mince : si la Terre était une pomme, ce serait sa peau.

Neptune : **165 années** ; *19,2 heures.*

Pluton (planète naine)

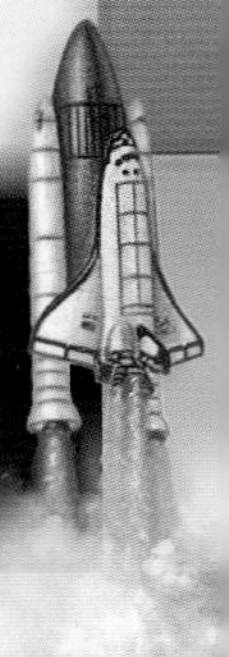

*U*ne planète en mouvement

L*A* T*ERRE RESSEMBLE À UN GROS BALLON* constitué de plusieurs couches de nature différente. Lors de sa formation, des minéraux denses comme le fer et le nickel se sont fixés au centre de la planète, tandis que des matériaux plus légers se sont disposés autour, en couches plus ou moins visqueuses. Avec le refroidissement de la Terre, la couche externe s'est solidifiée pour former la croûte terrestre, d'épaisseur variable et fragmentée en plusieurs morceaux rigides appelés plaques lithosphériques. Celles-ci glissent sur une couche de roches en fusion (le magma) traversées de courants (courants de convection) provoqués par la chaleur et les pressions régnant à l'intérieur du globe. Ces courants déplacent les plaques de 1 à 20 cm par an. À la jointure des plaques se produisent les tremblements de terre et les éruptions volcaniques, et se forment les montagnes et les îles.

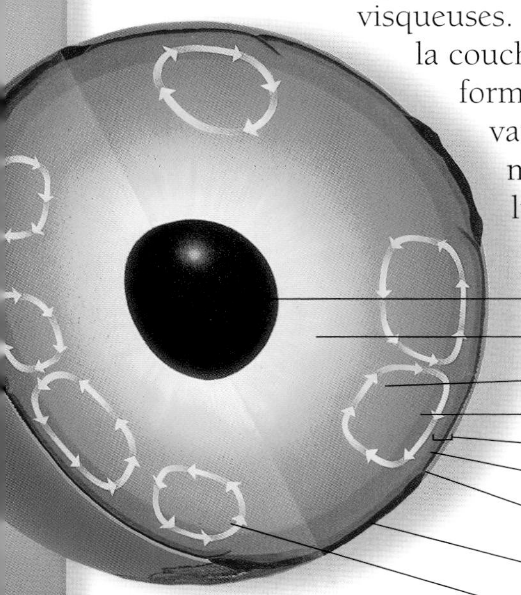

Noyau interne
Noyau externe
Manteau inférieur
Asthénosphère
Lithosphère
Manteau supérieur
Croûte océanique
Croûte continentale
Courants de convection

C*OUPE DU GLOBE TERRESTRE*

Au centre de la Terre se trouve le noyau, mou à sa périphérie et dur au centre. Le noyau interne est composé de fer ; le noyau externe, de fer et de nickel en fusion. Au-dessus s'étend le manteau inférieur, très dense, surmonté d'une couche visqueuse, l'asthénosphère. La couche externe du globe forme la lithosphère, composée de la couche rigide du manteau supérieur et de la croûte. Celle-ci est plus épaisse sous les continents (croûte continentale) que sous les océans (croûte océanique). La température du noyau (plus de 3 000 °C) est à l'origine des courants de convection qui font bouger les plaques dans des directions différentes.

◆ *I*DÉE : *soulève des montagnes* ◆

❶ Coupe une assiette en carton en deux. Ces deux moitiés représentent deux plaques lithosphériques.

❷ Accole-les et fixe avec du ruban adhésif un papier au centre de l'assiette ainsi reconstituée : il représente la croûte terrestre.

❸ Glisse une moitié d'assiette sous l'autre : le papier se soulève. Le même phénomène se produit quand deux plaques se heurtent : la croûte terrestre se plisse, formant des montagnes.

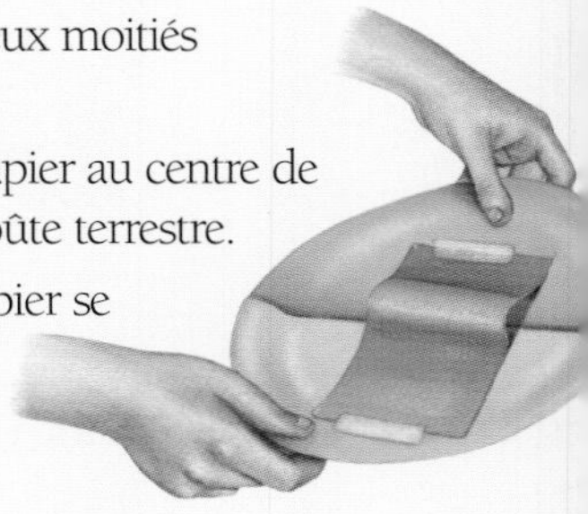

❹ Prends un papier, plie-le en deux, puis encore en deux, et ainsi de suite.

❺ Après six pliages, il devient difficile de le plier davantage. De même, plus la croûte terrestre est épaisse, plus la force nécessaire pour la plier est grande.

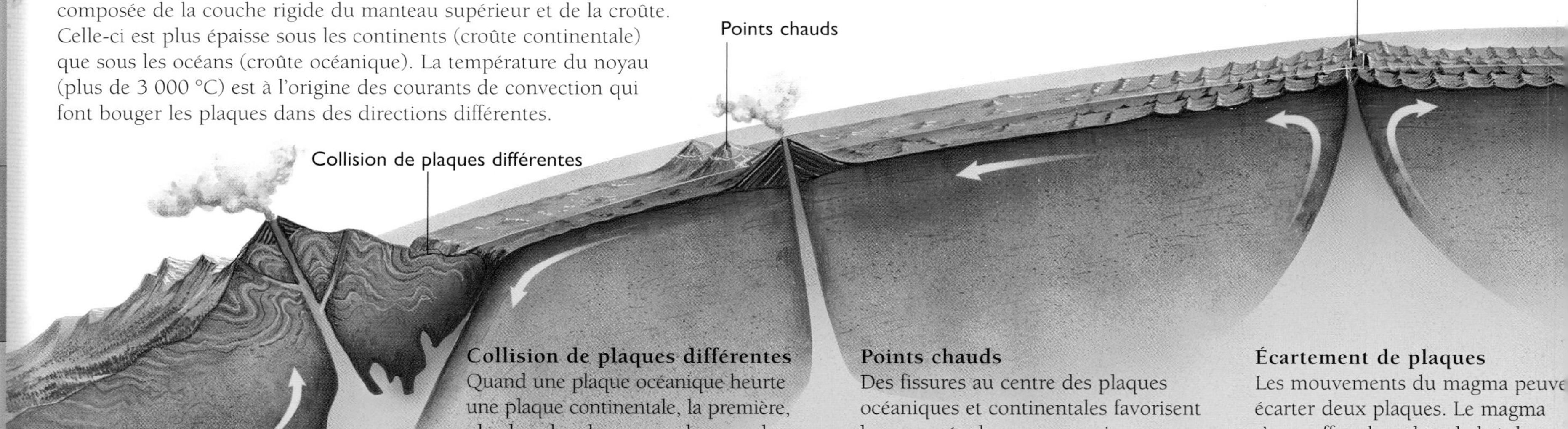

Écartement de plaques

Points chauds

Collision de plaques différentes

L*A MOBILITÉ DE L'ÉCORCE TERRESTRE*

Les courants de convection déplacent les plaques, qui se séparent, s'affrontent, coulissent ou se chevauchent. Le schéma ci-dessus et les photos à droite illustrent les effets liés à de tels mouvements.

Collision de plaques différentes

Quand une plaque océanique heurte une plaque continentale, la première, plus lourde, plonge sous la seconde et fond dans le manteau. Le magma remonte à la surface et forme alors des volcans, comme le mont St. Helens, aux États-Unis.

Points chauds

Des fissures au centre des plaques océaniques et continentales favorisent la remontée du magma, qui perce l'écorce terrestre pour former des volcans (appelés points chauds). Les îles Hawaii sont issues de ce phénomène.

Écartement de plaques

Les mouvements du magma peuve écarter deux plaques. Le magma s'engouffre alors dans la brèche et solidifie pour former une montagn En Islande, la crête de ces montag sous-marines émerge par endroits forme des îles volcaniques.

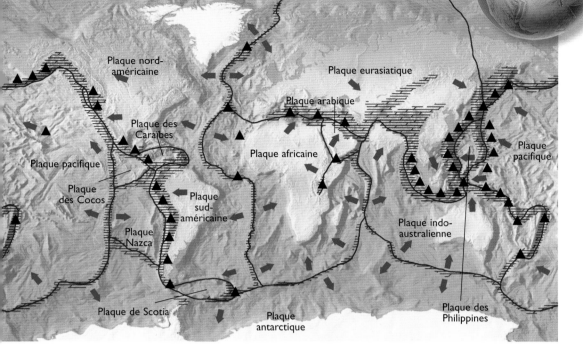

Plaque nord-américaine

Plaque eurasiatique

Plaque arabique

Plaque des Caraïbes

Plaque africaine

Plaque pacifique

Plaque pacifique

Plaque des Cocos

Plaque sud-américaine

Plaque Nazca

Plaque indo-australienne

Plaque de Scotia

Plaque antarctique

Plaque des Philippines

Il y a 200 millions d'années

Il y a 90 millions d'années

Aujourd'hui

Dans 60 millions d'années

LA DÉRIVE DES CONTINENTS

Le mouvement des plaques modifie, depuis des millions d'années, la face de la Terre. Il y a 200 millions d'années, il n'y avait qu'un grand continent. Celui-ci s'est fracturé en deux blocs qui se sont morcelés aussi et qui ont dérivé pour aboutir au planisphère actuel. Dans 60 millions d'années, les continents dériveront encore.

ES PLAQUES LITHOSPHÉRIQUES

es plaques lithosphériques sont imbriquées les nes dans les autres, telles les pièces d'un immense uzzle. Elles sont toujours en mouvement (les èches sur la carte indiquent leur direction). La lupart des volcans et des séismes se trouvent à la inture des plaques. Les régions situées au centre es plaques, comme l'Australie, en comptent peu ; elles localisées en bordure, comme le Japon, en omptent beaucoup.

◀ Direction du mouvement des plaques

▲ Volcans

Zone de foyers sismiques

◆ LE SAIS-TU ? ◆

● Lors de l'éruption du Krakatoa, en Indonésie, le 27 août 1883, le bruit fut entendu dans un rayon de 4 800 km !

● Plus de 500 000 tremblements de terre ont lieu chaque année. La plupart sont heureusement trop faibles pour provoquer des destructions.

Plissement de la croûte terrestre

Plaques coulissantes

Collision de plaques océaniques

aques coulissantes

ux plaques coulissant l'une contre tre créent une faille. La friction entre plaques provoque des séismes. Cela fréquent le long de la faille de San dreas, en Californie, l'une des deux ques glissant vers le nord.

Plissement de la croûte terrestre

Quand deux plaques de même nature se heurtent, l'une chevauche l'autre. Les roches se plissent puis se déforment pour former des montagnes. Telle est l'origine de la puissante chaîne de l'Himalaya, en Asie.

Collision de plaques océaniques

Lorsque deux plaques océaniques se heurtent, la plus dense plonge sous l'autre, donnant naissance à une fosse. Par endroits, la remontée du magma forme des îles volcaniques : l'archipel du Japon s'est formé ainsi.

◆ CHERCHE ◆

● De quoi est fait le noyau de la Terre ?

● De quel phénomène sont issues les îles Hawaii ?

● Où les séismes ont-ils le plus de chances de se produire ?

Temps et climats

LE TEMPS QU'IL FAIT est la combinaison passagère de la
température, du vent et des précipitations en un lieu donné.
Il varie d'un jour à l'autre et d'une région à l'autre. On constate
cependant que l'état du ciel est à peu près le même tous les ans
à la même époque. L'ensemble des types de temps qui se
succèdent ainsi sur un espace donné en une année constitue
le climat. Trois facteurs jouent un rôle déterminant dans
la répartition des climats : la situation par rapport à l'équateur
(la latitude), par rapport au relief (l'altitude) et par rapport
aux océans. En outre, parce que la Terre est ronde, qu'elle tourne
autour du Soleil et que l'axe des pôles est incliné, les rayons
solaires ne réchauffent pas la surface terrestre partout de la
même façon. Ainsi, les zones tropicales sont toujours chaudes
et les régions polaires toujours glaciales, tandis qu'entre les deux
le climat est tempéré. Il fait aussi plus froid en montagne qu'en
plaine car, en altitude, l'atmosphère se raréfie et retient moins
la chaleur. Près des mers, la brise et les courants marins
modèrent les températures, en été comme en hiver.

SCHÉMA DES VENTS
Comme l'air chaud s'élève et que l'air froid descend, le réchauffement inégal de la surface
de la Terre crée des courants de circulation atmosphérique (voir schéma ci-dessous).
Les courants sont déviés par la rotation de la Terre et constituent le système des vents (voir
schéma en bas à droite). Ces vents, qui véhiculent des masses d'air chaud ou froid, humide
ou sec, jouent un rôle important dans la répartition des climats à la surface du globe.

Circulation atmosphérique

Quand masses d'air chaud et masses d'air froid
se rencontrent, le temps est humide et orageux.

Des vents d'est glacés
soufflent des pôles.

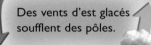

60° N

Masses d'air circulant du sud-ouest vers le pôle Nord

30° N

Masses d'air circulant du nord-est vers l'équateur

Équateur

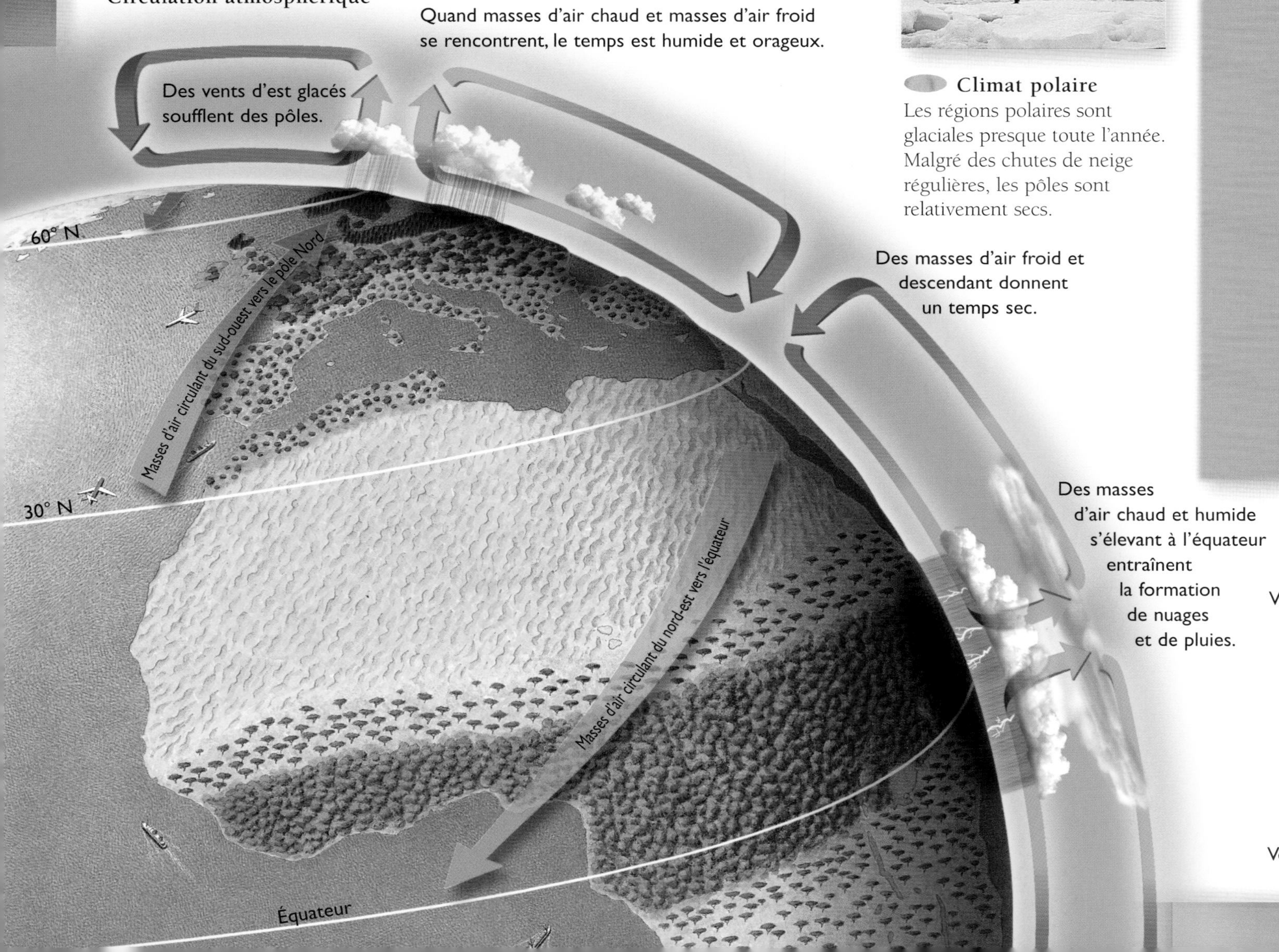

LES CLIMATS DANS LE MONDE
Il existe à la surface du globe huit grandes
zones climatiques (ci-dessous et ci-contre).
Les courants marins influencent certains climats.
Ainsi, la présence des eaux chaudes du Gulf
Stream au large de l'Europe du Nord-Ouest
rend le climat de cette zone doux et humide.

courant chaud   courant froid

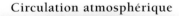

Climat continen...
Les hivers sont longs et
rigoureux, les chutes de
abondantes. Les étés son
chauds et orageux.

Climat montagnard
Le climat est généralement plus
froid, plus humide et plus
venteux que dans les régions
situées au niveau des mers.

Climat polaire
Les régions polaires sont
glaciales presque toute l'année.
Malgré des chutes de neige
régulières, les pôles sont
relativement secs.

Des masses d'air froid et
descendant donnent
un temps sec.

Des masses
d'air chaud et humide
s'élevant à l'équateur
entraînent
la formation
de nuages
et de pluies.

Système des vent...

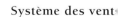

Vents d'est polaires ———

Vents d'ouest ———

Alizés

Vents d'ouest ———
Vents d'est polaires ———

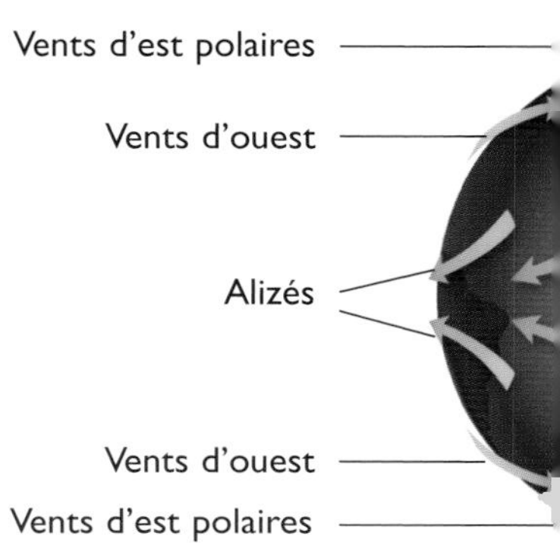

Climat tempéré humide
a quatre saisons distinctes.
hivers sont doux et
nides, les étés chauds
umides.

Climat tempéré sec
Les pluies sont peu
abondantes. Les hivers sont
doux et humides, les étés
chauds et secs.

Climat désertique
Les pluies sont très faibles. Les
journées sont chaudes et
les nuits froides, avec parfois
du gel.

Climat subtropical
Les étés sont chauds et
humides, les hivers doux et
secs, comme en milieu
désertique.

Climat tropical
Il fait chaud et humide. Près
de l'équateur, il pleut presque
toute l'année. Ailleurs,
les pluies tombent en été.

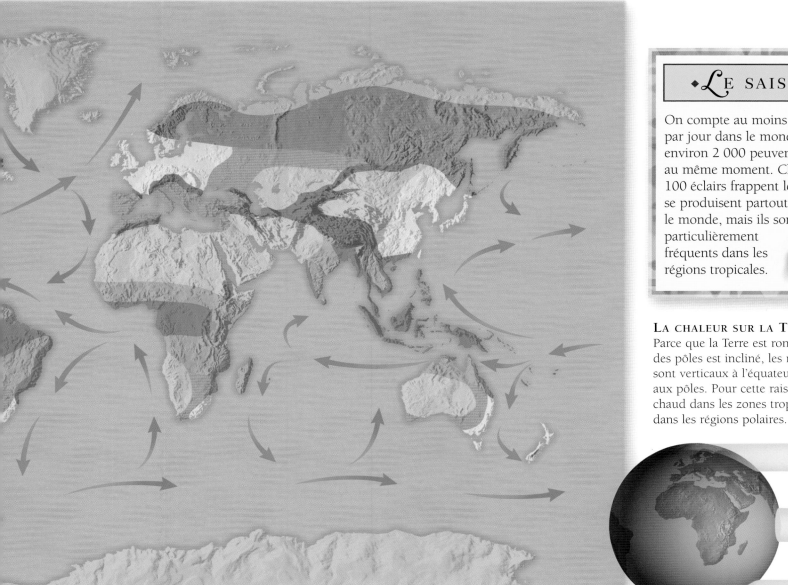

◆ *L*E SAIS-TU ? ◆

On compte au moins 20 000 orages
par jour dans le monde, dont
environ 2 000 peuvent avoir lieu
au même moment. Chaque seconde,
100 éclairs frappent le sol. Les orages
se produisent partout dans
le monde, mais ils sont
particulièrement
fréquents dans les
régions tropicales.

LA CHALEUR SUR LA TERRE
Parce que la Terre est ronde et que l'axe
des pôles est incliné, les rayons du soleil
sont verticaux à l'équateur et obliques
aux pôles. Pour cette raison, il fait très
chaud dans les zones tropicales et froid
dans les régions polaires.

◆ *I*DÉE : *pourquoi il fait plus froid aux pôles qu'à l'équateur* ◆

❶ Dans une pièce
sombre, tiens
une lampe électrique
allumée au-dessus
d'une table ou d'un
bureau. Observe la forme
et l'intensité du faisceau
lumineux sur la surface.

❷ Incline la lampe et observe le
changement d'intensité lumineuse.
Lorsque la lumière frappe
directement la surface, le faisceau
est petit et intense. Incliné, il
devient plus large et plus
faible. Transposé à la
Terre, le phénomène

est identique. À l'équateur,
il fait chaud car les rayons
du soleil tombent à la
verticale. Aux pôles, les
rayons étant inclinés, ils
éclairent une surface plus
grande mais chauffent
avec moins d'intensité.

Le monde vivant

LES SCIENTIFIQUES ONT, À CE JOUR, RECENSÉ près de deux millions d'espèces animales et végétales vivant à la surface du globe, mais, en réalité, il pourrait y en avoir beaucoup plus ! Ces organismes vivants constituent la biosphère, qui occupe les terres émergées, les océans et l'atmosphère, et présente une infinie variété de milieux. En plusieurs millions d'années d'évolution, les plantes et les animaux ont subi des modifications (morphologiques et comportementales) qui les ont progressivement adaptés à leur milieu. Un milieu ainsi que les êtres vivants qui s'y trouvent forment ensemble ce que l'on appelle un écosystème. Les membres de chaque écosystème dépendent les uns des autres pour vivre. Les végétaux, par exemple, servent de nourriture aux animaux herbivores, lesquels seront ensuite mangés par les animaux carnivores. La disparition d'une espèce (plante ou animal) déséquilibre cette chaîne alimentaire et affecte ainsi plus ou moins gravement l'écosystème.

DES ÉCOSYSTÈMES VARIÉS

Chaque écosystème a sa propre communauté de plantes et d'animaux. L'illustration ci-dessous représente les différents écosystèmes, depuis les milieux tropicaux humides (à gauche) jusqu'aux milieux polaires (à droite).

Les océans

Les océans sont peuplés de milliers d'espèces végétales (des algues, par exemple) et animales (des poissons, des mammifères marins tels le ph... ou la baleine, du corail, etc.).

La forêt tropicale humide

Le climat chaud et humide de la zone intertropicale favorise le développement d'une forêt dense, qui abrite un très grand nombre d'espèces. Singes et oiseaux peuplent le sommet des arbres. Jaguars et autres mammifères vivent au sol.

La savane subtropicale

Il y a peu d'arbres car les pluies ne tombent qu'en été. La savane africaine est peuplée de troupeaux d'herbivores (zèbres, antilopes) chassés par des carnivores (lions, guépards...). Vautours et charognards dévorent les restes.

Les déserts et zones arides

Les espèces y sont adaptées à la sécheresse. Certaines plantes (cactus) gardent l'eau dans leur tige, d'autres plongent leurs racines loin dans le sol pour puiser de l'eau. Beaucoup d'animaux ne sortent que la nuit, quand il fait plus frais.

LES ZONES VÉGÉTALES

La végétation étant liée au climat, les milieux terrestres dépendent étroitement des zones climatiques.

- Forêt tropicale humide
- Savane subtropicale
- Déserts et zones arides
- Prairies et régions boisées tempérées
- Forêts de feuillus
- Taïga
- Montagnes
- Pôles et toundra

Les montagnes

La végétation se raréfie avec l'altitude, à cause du froid et du vent. Les animaux ont une épaisse fourrure pour lutter contre le froid. Certaines espèces, comme le bouquetin, possèdent des sabots adaptés à l'escalade des pentes rocheuses.

Les pôles et la toundra

Les régions polaires, très froides, offrent peu d'abris. Les animaux ont une fourrure et une épaisse couche de graisse. À la lisière de l'Arctique, la toundra est un espace sans arbres. Les herbivores s'y nourrissent de plantes basses (lichens, par exemple).

Les prairies et régions boisées

Elles abondent dans les zones tempérées. La prairie est le domaine des herbivores, comme le bison, et le terrain de chasse idéal des oiseaux de proie. Faute d'abris naturels, de nombreux animaux vivent dans des terriers.

Les forêts de feuillus

Les zones tempérées humides sont le domaine des feuillus, arbres à feuilles caduques (qui tombent en hiver). Certains animaux migrent à la mauvaise saison vers le sud, d'autres vivent sur les réserves accumulées en été.

La taïga

Les régions froides des zones tempérées sont couvertes par la taïga, immense forêt de conifères (arbres à aiguilles) résistant aux grands froids. De nombreux animaux ont une épaisse fourrure, certains hibernent de longs mois.

◆ CHERCHE ◆

- Cite un animal herbivore de la savane africaine.
- Quelle plante emmagasine l'eau dans sa tige ?
- Comment les animaux des milieux montagnards se sont-ils adaptés ?

Les ressources naturelles

LA TERRE PROCURE À L'HOMME tout ce dont il a besoin. L'atmosphère, les cours d'eau et les lacs fournissent l'eau qui, avec la chaleur du Soleil et les ressources du sol, favorise la croissance des plantes. En échange, celles-ci donnent l'oxygène et la nourriture indispensables à la vie des hommes et des animaux. Ces derniers fournissent aux hommes la viande, la laine, le lait et le cuir. Des plantes, on obtient aussi le bois (combustible, construction...) et des fibres textiles comme le coton. Toutes ces ressources (eau, plantes, animaux) sont renouvelables : sagement utilisées, elles ne doivent pas disparaître. Les autres ressources ne sont pas renouvelables : une fois utilisées, elles ne se reconstituent pas et s'épuisent. Il s'agit des combustibles fossiles (charbon, pétrole, gaz naturel), des minéraux (argile, craie, minerais divers) ou des pierres précieuses (diamant, émeraude, etc.). Le charbon, le pétrole et le gaz naturel fournissent à l'homme l'énergie pour s'éclairer, se chauffer ou se déplacer. Ces combustibles fossiles proviennent de la décomposition de plantes et d'animaux microscopiques profondément enfouis dans le sol. Certaines de ces ressources non renouvelables risquent d'être épuisées d'ici cinquante ans. Ajouté à la pollution née de la combustion des énergies fossiles, ce problème incite les scientifiques à rechercher les moyens de répondre à la croissance des besoins en énergie, tout en préservant nos ressources naturelles.

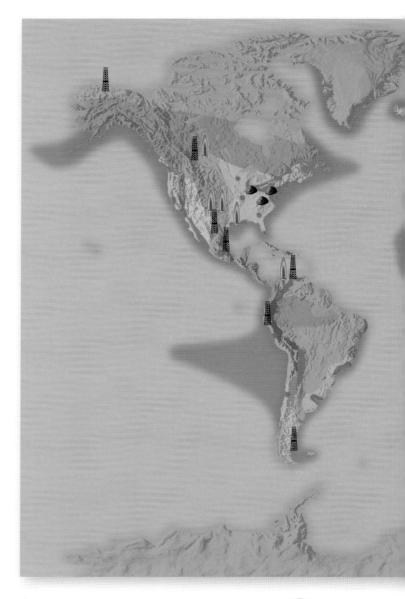

LES SOURCES D'ÉNERGIE

Le document ci-dessous présente les principales sources d'énergie que l'homme utilise. Charbon, pétrole et gaz naturel arrivent largement en tête (voir ci-contre). Les énergies nouvelles (solaire, éolienne) se développent cependant peu à peu dans certaines régions du monde, en raison de l'épuisement des gisements de combustibles fossiles.

La consommation d'énergie

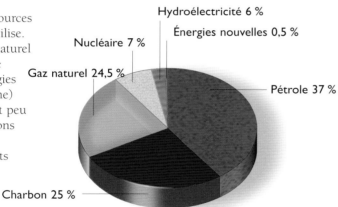

Hydroélectricité 6 %
Énergies nouvelles 0,5 %
Nucléaire 7 %
Gaz naturel 24,5 %
Pétrole 37 %
Charbon 25 %

LES RESSOURCES NATURELLES

La carte ci-dessus représente la répartition des sols et leur usage par l'homme, ainsi que les principaux gisements de combustibles fossiles.

- Gaz naturel
- Charbon
- Pétrole
- Zones urbaines villes et industries
- Grandes exploitations agricoles cultures et élevage destinés à la vente

Le pétrole et le gaz naturel
Présents dans les couches sédimentaires de la croûte terrestre, ils sont extraits par forage sur terre ou en mer.

Le charbon
Les gisements de charbon sont encore gigantesques. L'extraction se fait dans des mines à ciel ouvert ou souterraines.

L'uranium
La radioactivité dégagée par l'uranium naturel sert à alimenter les centrales nucléaires, qui produisent de l'électricité.

La géothermie
Les eaux chaudes d'origine volcanique dégagent de la vapeur récupérée pour alimenter des centrales électriques.

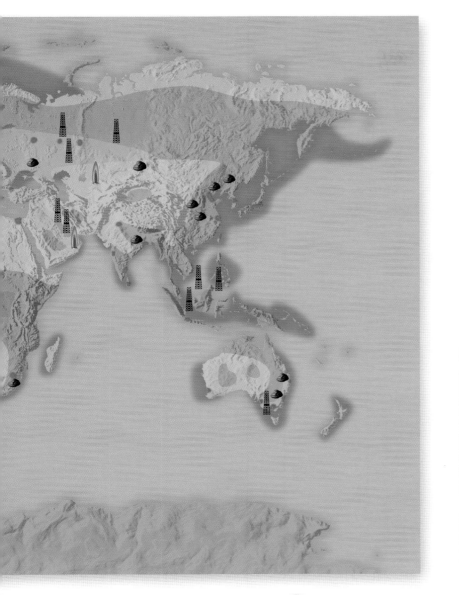

LE CYCLE DE L'EAU

L'approvisionnement régulier des hommes en eau de pluie est assuré par un processus appelé cycle de l'eau. L'eau des océans, des lacs et des cours d'eau s'évapore dans les airs sous l'effet du rayonnement solaire. Plus l'air est chaud, plus l'évaporation est intense. En s'élevant dans l'atmosphère, la vapeur d'eau se condense et se transforme en nuages chargés de fines gouttelettes d'eau et de cristaux de glace. Lorsque ceux-ci deviennent trop lourds, il pleut, ou il neige si l'air est froid. Les eaux ruissellent, alimentant les cours d'eau, les rivières, les lacs et les nappes souterraines. Elles s'écoulent ensuite, via les cours d'eau, vers les océans, achevant ainsi le cycle.

◆ IDÉE : *recréer le cycle de l'eau* ◆

Cette expérience simple doit te permettre de recréer le cycle de l'eau.

❶ Refroidis quelques minutes, dans le congélateur, une cuillère à soupe ou une louche, de préférence avec un manche en bois.

❷ Fais bouillir de l'eau avec l'aide d'un adulte.

❸ Arrivée à ébullition, l'eau se transforme en vapeur d'eau, qui s'élève au-dessus du récipient.

❹ Place la cuillère froide au-dessus de la vapeur en prenant soin de ne pas te brûler. Sous l'effet du froid, la vapeur d'eau se condense rapidement et forme des gouttelettes sur le dessous de la cuillère.

❺ En grossissant, les gouttelettes s'alourdissent et tombent, tout comme la pluie. Certaines retomberont dans le récipient, réapprovisionné ainsi en eau.

Petites exploitations agricoles : cultures et élevages ouvriers

Prairies destinées au pâturage des grands troupeaux d'élevage

Déserts, savanes et toundras accueillent des petits troupeaux

Espaces forestiers utilisés pour la culture, la chasse et l'exploitation minière

Zones non cultivables utilisées pour la chasse et l'exploitation minière

Principales zones de pêche

L'hydroélectricité
La force de l'eau fait tourner les turbines des générateurs électriques, qui sont placées au fond des barrages.

L'énergie éolienne
La force du vent actionne les pales des éoliennes, qui vont alimenter des générateurs électriques.

L'énergie solaire
Des panneaux solaires réfléchissent les rayons du soleil sur un four solaire, transformant la chaleur intense en électricité.

L'énergie marémotrice
Un barrage laisse passer le courant des marées, qui fait tourner les turbines d'un générateur électrique.

La population

NOTRE PLANÈTE ABRITE plus de 6,5 millards d'habitants. Cette population n'est pas également répartie à la surface des continents. Les zones le plus densément peuplées correspondent à celles où l'environnement naturel favorise les activités humaines. Les déserts et les régions polaires sont ainsi peu habités, contrairement aux zones fertiles, aux vallées fluviales, aux littoraux et aux régions riches en sources d'énergie. La population mondiale s'accroît beaucoup plus rapidement qu'autrefois (elle a plus que doublé depuis 1950). Cette croissance spectaculaire résulte à la fois de l'allongement général de l'espérance de vie, notamment grâce aux progrès de la médecine, et du fort taux de natalité dans les pays en développement. Pauvres et peu industrialisés, ces pays ne parviennent pas à subvenir aux besoins d'une population en constante augmentation. Certains, comme la Chine ou l'Inde, limitent autoritairement les naissances.

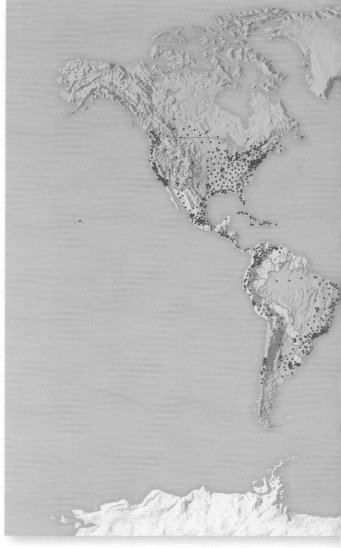

LES GRANDES POPULATIONS DU MONDE
Cette illustration représente les dix pays les plus peuplés du monde. La Chine arrive largement en tête : un homme sur cinq vit dans ce pays !

LES ZONES DE PEUPLEMENT
Les points sur la carte représentent les zones le plus densément peuplées.

Pays développés
Pays en développ[...]

     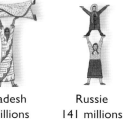 

Chine	Inde	États-Unis	Indonésie	Brésil	Pakistan	Bangladesh	Russie	Nigeria	Japon
1,32 milliard	1,13 milliard	301 millions	234 millions	190 millions	164 millions	150 millions	141 millions	135 millions	127 millio[ns]

DES DENSITÉS INÉGALES
La densité (le nombre d'habitants au kilomètre carré) est très inégale d'un pays à l'autre.

LA CROISSANCE URBAINE
Quand un pays se développe, la population part dans les villes pour y vivre et y travailler. En comparant Paris (France) et Djakarta (Indonésie), ce schéma montre que la population des villes des pays en développement s'accroît plus rapidement que celle des pays développés.

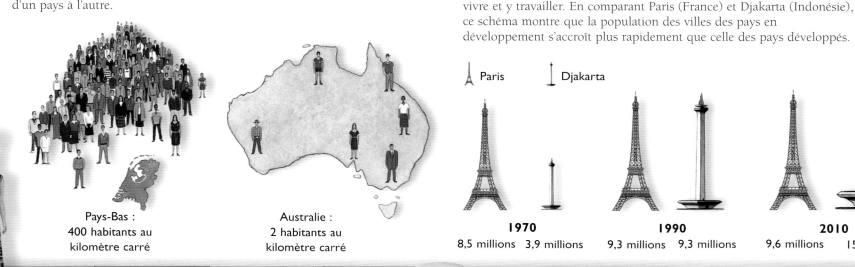

Pays-Bas :
400 habitants au kilomètre carré

Australie :
2 habitants au kilomètre carré

Paris   Djakarta

1970	1990	2010
8,5 millions 3,9 millions	9,3 millions 9,3 millions	9,6 millions 15,2 millio[ns]

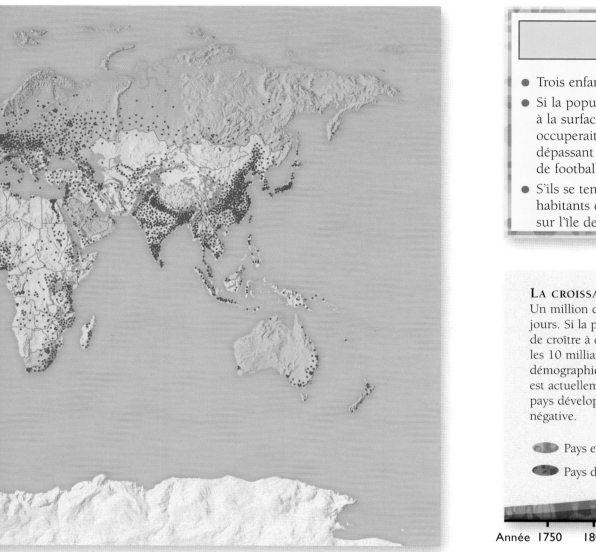

LA CROISSANCE DÉMOGRAPHIQUE

Un million d'enfants naissent en quatre jours. Si la population mondiale continue de croître à ce rythme, elle atteindra les 10 milliards en 2100. La croissance démographique des pays en développement est actuellement plus rapide que celle des pays développés, qui est faible, voire négative.

- Pays en développement
- Pays développés

Population mondiale (en milliards)

Année 1750 1800 1850 1900 1950 2000 2050 2100

PAYS RICHES ET PAYS PAUVRES

Les pays industrialisés et à haute technologie constituent les pays développés. Le niveau de vie de leur population est élevé. Dans les pays faiblement industrialisés et à faible technologie, appelés pays en développement, le niveau de vie est bas et les populations pauvres. Moins nombreux, les habitants des pays développés consomment cependant beaucoup plus de ressources terrestres que les pays en développement.

Les pays développés :
- représentent 20 % de la population mondiale,
- possèdent 80 % des richesses mondiales,
- consomment 70 % de l'énergie mondiale.

Les pays en développement :
- représentent 80 % de la population mondiale,
- possèdent 20 % des richesses mondiales,
- consomment 30 % de l'énergie mondiale.

◆ *I*DÉE : *bonjour à tous !* ◆

Plus de 3 000 langues sont parlées à travers le monde, mais plus d'un tiers de l'humanité utilise une des 6 langues ci-dessous. Tu peux ainsi apprendre à dire bonjour à plus de 2 milliards de personnes !

hello
el-lo
Anglais
(350 millions de locuteurs)

你好
ni-hao
Chinois
(1 milliard de locuteurs)

*mar-ha-**bann***
Arabe
(150 millions de locuteurs)

¡hola!
o-la
Espagnol
(250 millions de locuteurs)

नमस्ते
*na-ma-**steil***
Hindi
(200 millions de locuteurs)

привет!
*pri-**viet***
Russe
(150 millions de locuteurs)

La planète en danger

DE GRAVES MENACES pèsent sur l'avenir de notre planète. L'augmentation rapide de la population mondiale et le développement des industries, au cours des deux derniers siècles, ont aggravé les effets de l'activité humaine sur notre environnement. Des ressources naturelles non renouvelables risquent de s'épuiser. L'exploitation intensive des sols, des forêts et des mers risque d'empêcher leur reconstitution. Nos déchets industriels et ménagers empoisonnent l'eau. Les gaz d'échappement de nos voitures et les fumées de nos usines polluent l'air que nous respirons et pourraient modifier, à terme, les climats. Les scientifiques du monde entier recherchent des solutions pour limiter le gaspillage et préserver l'environnement planétaire. En recyclant les matériaux usagés, en réduisant la circulation automobile et en consommant des produits inoffensifs pour l'environnement, nous protégeons la Terre et préservons ses ressources pour les générations futures.

◆ LE SAIS-TU ? ◆

- 1 350 m² de forêt disparaissent toutes les secondes au Brésil.
- Chaque jour, plus de 150 espèces animales et végétales sont menacées par la déforestation et la chasse.

DES EFFETS PLANÉTAIRES

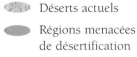

Cette carte montre que les catastrophes naturelles touchent la planète entière. Les plus importantes sont recensées sur cette double page.

- Déserts actuels
- Régions menacées de désertification
- Zones forestières
- Déforestation
- ● Villes à fort taux de pollution de l'air
- Régions arrosées de pluies acides
- Eaux polluées
- Eaux chargées de mazout
- Pollution pétrolière par dégazage
- Principaux accidents nucléaires
- Principales marées noires
- Incendies de puits de pétrole

Contenir le désert

Dans les régions sèches, le pâturage intensif et le déboisement entraînent une désertification des sols. Pour éviter l'avancée du désert, il faut mieux gérer l'exploitation agricole des terres et reboiser.

Sauver la forêt

L'homme détruit de vastes zones forestières pour le bois de construction, le bois de chauffage, la pâte à papier... ainsi que pour percer des voies d'accès vers les villes ou les fermes. En recyclant le papier et en reboisant, on peut contribuer à préserver la forêt.

Réduire la pollution de l'air

Par leurs rejets de fumées et de gaz toxiques, les voitures et les usines polluent l'atmosphère. Constructeurs et industriels s'efforcent de réduire cette pollution. En utilisant les transports en commun ou la bicyclette à la place de la voiture, on peut contribuer à limiter la pollution.

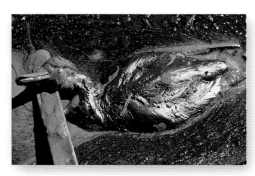

La pollution des mers
Le pétrole et d'autres polluants répandus en mer par les navires menacent la faune et la flore. En 1989, le naufrage du tanker *Exxon Valdez*, au large de l'Alaska, a provoqué la mort de milliers d'animaux.

Les accidents nucléaires
Les accidents nucléaires sont rares, mais peuvent être catastrophiques. En 1986, l'explosion d'un réacteur nucléaire à Tchernobyl, en Ukraine, dégagea des poussières radioactives, contaminant plusieurs régions d'Europe.

Les incendies de puits de pétrole
Ces incendies sont graves pour l'environnement. Durant la guerre du Golfe, au Koweït, en 1991, des centaines de puits de pétrole furent incendiés et polluèrent l'eau et l'air de la région.

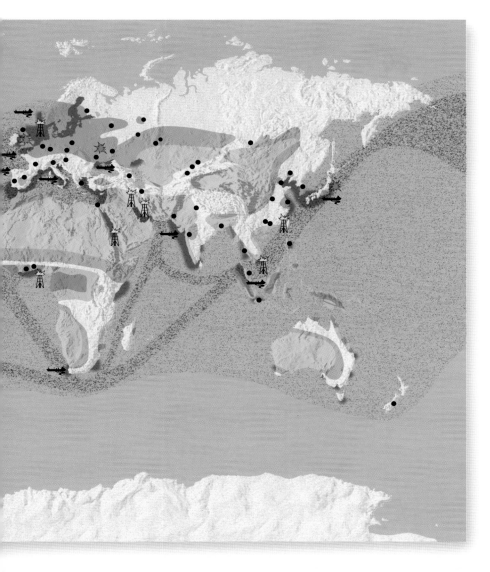

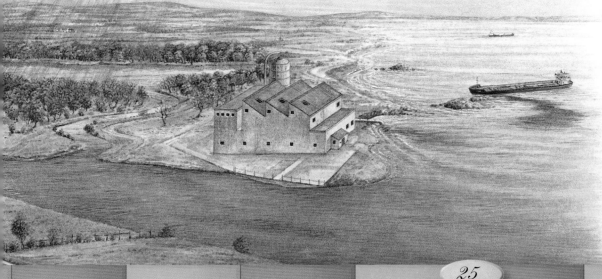

Limiter les pluies acides
La pollution de l'air peut changer la pluie en acide tuant les arbres, polluant les cours d'eau et rongeant les façades des édifices. La seule façon de limiter les pluies acides est de réduire la pollution de l'air.

Préserver la couche d'ozone
Dans la haute atmosphère, une couche d'ozone filtre les rayons ultraviolets nocifs du Soleil. Elle est attaquée par les CFC (chlorofluorocarbones) utilisés dans les aérosols (bombes à raser, par exemple) et les réfrigérateurs (liquide réfrigérant). Pour préserver la couche d'ozone, utilise des produits sans CFC.

Garder les eaux propres
Rivières et océans sont pollués par les déchets déversés par les usines et les navires, et par les eaux usées. Pour limiter cette pollution, soutiens les programmes locaux d'épuration des eaux, et ne jette pas d'ordures dans ou près des cours d'eau.

Les rayons du Soleil traversent l'atmosphère et réchauffent la Terre.

Le gaz carbonique retient la chaleur près de la Terre.

Terre

L'EFFET DE SERRE
Le gaz carbonique rejeté naturellement dans l'atmosphère par la végétation permet à la Terre de conserver la chaleur du Soleil. En brûlant des combustibles fossiles, l'homme augmente les émissions de ce gaz, et le réchauffement de la Terre devient excessif. On risque alors de transformer des régions fertiles en déserts et de faire fondre les calottes glaciaires, provoquant ainsi l'inondation des côtes basses.

CHERCHE
- Comment éviter les pluies acides ?
- Quel gaz garde la Terre chaude ?
- Comment peut-on protéger la couche d'ozone ?

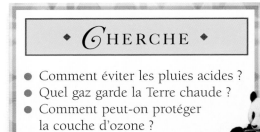

Le monde physique

MERS ET OCÉANS OCCUPENT 71 % de la surface de notre planète Terre (surnommée pour cette raison la « planète bleue »). Les océans sont de vastes et profondes étendues d'eau salée séparant les continents. Les mers sont plus petites et moins profondes. Il existe quatre océans – Pacifique, Atlantique, Indien et Arctique – et de nombreuses mers situées à leur périphérie. L'océan Pacifique est le plus vaste, sa superficie dépasse celle de tous les continents réunis. Ces derniers couvrent 29 % de la surface terrestre. Leur forme, la nature de leurs sols et de leur végétation varient fortement selon leur localisation. On trouve des montagnes, des plateaux et des plaines. Beaucoup de régions sont couvertes de végétation, mais d'autres en sont quasiment dépourvues. Les déserts couvrent un cinquième de la surface terrestre. Neige et glaces recouvrent les régions polaires et les sommets des montagnes. Les fonds océaniques comprennent des fosses profondes et des montagnes immergées, dont le sommet forme des îles. Hawaii, dans le Pacifique, en est un exemple. Du fond océanique au plus haut sommet (Mauna Kea), cette île mesure 10 250 m de haut, dépassant de 1 500 m l'Everest, la plus haute montagne sur terre.

La Terre en chiffres

Circonférence de la Terre à l'équateur :
40 067 km
Superficie des mers et des océans :
361 132 000 km^2
Superficie des terres émergées : 148 940 000 km^2
Plus vaste océan : l'océan Pacifique,
155 557 000 km^2
Plus vaste masse continentale : l'Eurasie (Europe et Asie), 53 698 000 km^2
Fosse la plus profonde : la fosse des Mariannes, dans l'océan Pacifique, 10 924 m
Plus vaste île : le Groenland, 2 175 000 km^2

Le sais-tu ?

Plus de 97 % des eaux de la Terre sont salées (mers et océans). Il reste donc moins de 3 % d'eau douce, dont plus des 2/3 sont contenus dans les glaces des régions polaires (Antarctique surtout). L'eau douce liquide représente moins de 1 % de l'eau planétaire (nappes phréatiques, cours d'eau et lacs).

OCÉAN ARCTIQUE

TERRE DU NORD

Spitzberg

TERRE FRANÇOIS-JOSEPH

ÎLES DE LA
NOUVELLE-SIBÉRIE

SVALBARD

Mer de Laptev

*Mer du
Groenland*

NOUVELLE-ZEMBLE

Mer de
Barents

Mer de
Kara

Mer de
Sibérie
orientale

Mer des
Tchouktches

Île
Jan Mayen

Islande

Mer de
Norvège

Détroit
de Béring

ÎLES
FÉROÉ

SCANDINAVIE

Dvina

Ienisseï

Ob

PLAINE
DE SIBÉRIE
OCCIDENTALE

PLATEAU
DE SIBÉRIE
CENTRALE

Lena

Mer de Béring

ÎLES ALÉOUTIENNES

Irlande

ÎLES
BRITANNIQUES

Mer du
Nord

PLAINE GERMANO-POLONAISE

Volga

Ob

Ienisseï

Angara

SIBÉRIE

Lena

Mer
d'Okhotsk

FOSSE DES KOURILES

FOSSE DES ALÉOUTIENNES

ÎLES ANGLO-
NORMANDES

EUROPE

Dniepr

ASIE

Lac
Baïkal

Amour

ÎLES KOURILES

CARPATES

STEPPE

OCÉAN

ALPES

Danube

Mer Noire

Mer Caspienne

Lac
Balkhach

Mer
d'Aral

DÉSERT
DE GOBI

Mer du Japon
(ou mer
Orientale)

Hokkaidō

BASSIN DU
PACIFIQUE
NORD-OUEST

RES
ARIES

CHAÎNES DE L'ATLAS

Mer Méditerranée

TIAN SHAN

Honshū

ÎLES
MIDWAY

PACIFIQUE

ÈRE

Mer Rouge

MTS ZAGROS

HINDU KOUCH

KUNLUN SHAN

Huang He

Île de
Wake

DORSALE DU PACIFIQUE CENTRAL

U

SAHARA

DÉSERT
DE NUBIE

PÉNINSULE
ARABIQUE

Euphrate

Tigre

Indus

HIMALAYA

PLATEAU
DU TIBET

Yangzi Jiang

Mer de Chine
orientale

Taïwan

BASSIN DES
PHILIPPINES

FOSSE DES MARIANNES

ÎLES
MARIANNES

Île
Johnston

SAHEL

Nil

DECCAN

Gange

Mer de
Chine
méridionale

FOSSE DES PHILIPPINES

Guam

BASSIN DU
PACIFIQUE
CENTRAL

AFRIQUE

Mer
d'Oman

Golfe du
Bengale

Mélong

Luçon

Belau

ÎLES CAROLINES

MICRONÉSIE

Uélé

ÎLES
LAQUÉDIVES

ÎLES
ANDAMAN

ÎLES
MARSHALL

Golfe de
Guinée

Oubangui

Congo

MALDIVES

Sri
Lanka

ÎLES
NICOBAR

Nauru

Île

OCÉANIE

Ascension

BASSIN
DU CONGO

Lac
Victoria

DORSALE CENTRALE INDIENNE

Sumatra

Bornéo

MÉLANÉSIE

Johnston

Kasaï

GRANDE VALLÉE DU RIFT

SEYCHELLES

RIDE DU 90e EST

BASSIN
INDIEN CENTRAL

Île
Christmas

ÎLES DE LA SONDE

RIDE DE JAVA

Java

Nouvelle-
Guinée

ÎLES SALOMON

Tuvalu

Tokelau

KIRIBATI
(ÎLES GILBERT)

Ste-Hélène

Zambèze

ARCHIPEL
DES COMORES

OCÉAN

ÎLES COCOS

Mer de
Corail

Vanuatu

ÎLES
SAMOA

RIDE DE WALVIS

DÉSERT DU NAMIB

Mayotte

Madagascar

Île Maurice

INDIEN

BASSIN
OUEST-AUSTRALIEN

Niue

RSALE SUD-ATLANTIQUE

Réunion

Nouvelle-
Calédonie

ÎLES
FIDJI

Tonga

Tristan da Cunha

CAP DE
BONNE-ESPÉRANCE

Orange

GRAND DÉSERT
DE SABLE

DÉSERT DE
SIMPSON

CORDILLÈRE AUSTRALIENNE

Île
Norfolk

ÎLES
KERMADEC

FOSSE DES KERMADEC DES TONGA

Île Gough

DÉSERT DU
KALAHARI

Île
Amsterdam

Île
St-Paul

AUSTRALIE

GRAND DÉSERT
VICTORIA

Lac
Eyre

NOUVELLE-
ZÉLANDE

Île du
Nord

AZ

DORSALE ATLANTICO-INDIENNE

DORSALE ANTARCTICO-INDIENNE

ÎLES
CROZET

Grande Baie
australienne

Darling

Murray

Mer de
Tasman

ÎLES
CHATHAM

ICH
D

Île Bouvet

ÎLES DU
PRINCE-ÉDOUARD

ÎLES
KERGUELEN

Tasmanie

Île du
Sud

BASSIN
ATLANTICO-INDIEN

ÎLES HEARD
ET MACDONALD

ÎLES
AUCKLAND

Île
Macquarie

BASSIN
ANTARCTICO-INDIEN

ANTARCTIQUE

Mer
de Ross

Les États du monde

LES CONTINENTS SONT DIVISÉS EN ÉTATS : 194 au total, dirigés par un gouvernement et possédant leurs propres lois. Le plus petit est la Cité du Vatican (0,44 km²). Le plus vaste est la Russie (17 millions de kilomètres carrés). Les États sont délimités par des frontières, qui apparaissent nettement sur la carte ci-contre grâce à l'utilisation de couleurs différentes. Certaines frontières sont rectilignes, d'autres sont sinueuses. Certaines longent des rivières ou des chaînes de montagnes, d'autres traversent des lacs ou des mers. Les frontières ont souvent été modifiées au cours de l'Histoire. Parfois, un État a éclaté en plusieurs morceaux sous la pression de populations qui voulaient vivre séparément. Des querelles de frontières ont également conduit des États voisins à se faire la guerre. Dans cet atlas, les lignes en pointillé symbolisent les conflits frontaliers. Enfin, certains États exercent leur autorité sur des territoires situés à des milliers de kilomètres. Pour chacun de ces territoires, le nom du pays souverain est indiqué entre parenthèses.

LES ÉTATS EN CHIFFRES

Nombre total d'États : 194
Nombre total de territoires : 65
États les plus vastes :
Russie, 17 075 383 km²
Canada, 9 976 185 km²
Chine, 9 596 960 km²
État le plus petit : Cité du Vatican, 0,44 km²
Frontière la plus longue : la frontière États-Unis-Canada, 6 416 km.

◆ CHERCHE ◆

Ces différentes formes représentent des pays figurant sur la carte ci-contre. Peux-tu retrouver leur nom ?

ALASKA (É.-U.)

CANADA

GROE
(DANI

ST-PIERRE
MIQUELON (F

OCÉAN PACIFIQUE

ÉTATS-UNIS

OCÉAN ATLANTIQ

BERMUDES
(R.-U.)

BAHAMAS

ÎLES HAWAII
(É.-U.)

MEXIQUE

CUBA
RÉPUBLIQUE
DOMINICAINE
JAMAÏQUE HAÏTI

ÎLES VIERGES (É.-U.)
ANGUILLA (R.-U.)
ST-KITTS-ET-NEVIS
ANTIGUA-ET-BAR
GUADELOUPE (FR
MARTINIQUE (FR
BARBADE
ST-VINCENT-ET-
LES GRENADINES
TRINITÉ-ET-TOB

BELIZE
GUATEMALA
SALVADOR
HONDURAS
NICARAGUA
COSTA RICA
PANAMÁ

PORTO RICO (É.-U.)
DOMINIQUE
STE-LUCIE
GRENADE

ÎLOT DE CLIPPERTON
(FRANCE)

ÎLES GALÁPAGOS
(ÉQUATEUR)

VENEZUELA

GUYANA
SURINAM
GUYANE FR

COLOMBIE

ÉQUATEUR

KIRIBATI
(EX-ÎLES GILBERT)

PÉROU

BRÉSIL

ÎLES COOK
(N.-Z.)

POLYNÉSIE FRANÇAISE

BOLIVIE

ÎLES PITCAIRN
(R.-U.)

PARAGUAY

CHILI

ÎLE DE PÂQUES
(CHILI)

ÎLES JUAN
FERNÁNDEZ (CHILI)

URUGUAY

ARGENTINE

ÎLES FALKLAND
(R.-U.)

LÉGENDE POUR LES PETITS ÉTATS

1 PAYS-BAS
2 BELGIQUE
■3 LUXEMBOURG
4 RÉP. TCHÈQUE
5 SLOVAQUIE
6 SUISSE
■7 LIECHTENSTEIN
8 SLOVÉNIE

9 CROATIE
■10 ANDORRE
■11 MONACO
■12 SAINT-MARIN
■13 CITÉ DU VATICAN
14 BOSNIE-
 HERZÉGOVINE
15 MOLDAVIE

16 SERBIE
17 MONTÉNÉGRO
18 ALBANIE
19 MACÉDOINE
■20 GIBRALTAR (R.-U.)
21 ARMÉNIE
22 AZERBAÏDJAN
23 ÉMIRATS ARABES UNIS

Les forces politiques

COMMENT NAÎT ET SE FAÇONNE un pays ? Au début de notre histoire, les hommes vivaient en petites sociétés familiales et leur mode de vie, leur culture étaient en quelque sorte modelés par la région qu'ils habitaient. Progressivement, ces groupes familiaux se sont élargis et les liens unissant les différents groupes ont permis aux régions de se rassembler en pays. Mais ce ne fut pas toujours aussi naturel. L'Afrique, par exemple, a été découpée en États par des puissances coloniales étrangères, ce qui a provoqué l'éclatement de nombreux groupes ethniques et la réunion arbitraire de certains autres. Aujourd'hui,

la définition des frontières ou du territoire est source de conflits pour plus de 60 pays. Les conflits locaux peuvent rapidement dégénérer. Ainsi, quand le président serbe Slobodan Milošević a tenté d'éliminer tous les Albanais du Kosovo, les États-Unis, le Royaume-Uni et les autres pays de l'Organisation des Nations unies sont intervenus militairement. L'ONU, créée en 1945, œuvre pour la paix et regroupe de nos jours presque tous les pays du monde. Elle encourage les parties belligérantes à négocier et envoie des forces de maintien de la paix pour éviter les débordements.

LE CACHEMIRE

En 1947, les Indes britanniques sont divisées entre l'Inde, principalement hindouiste, et le Pakistan, musulman. Aussitôt, les deux États revendiquent le Cachemire. La ligne de partition des Nations unies fait passer la quasi-totalité du Cachemire sous la loi indienne. Cette zone fut longtemps un foyer de conflits importants. Mais depuis 2005, un processus de paix est engagé.

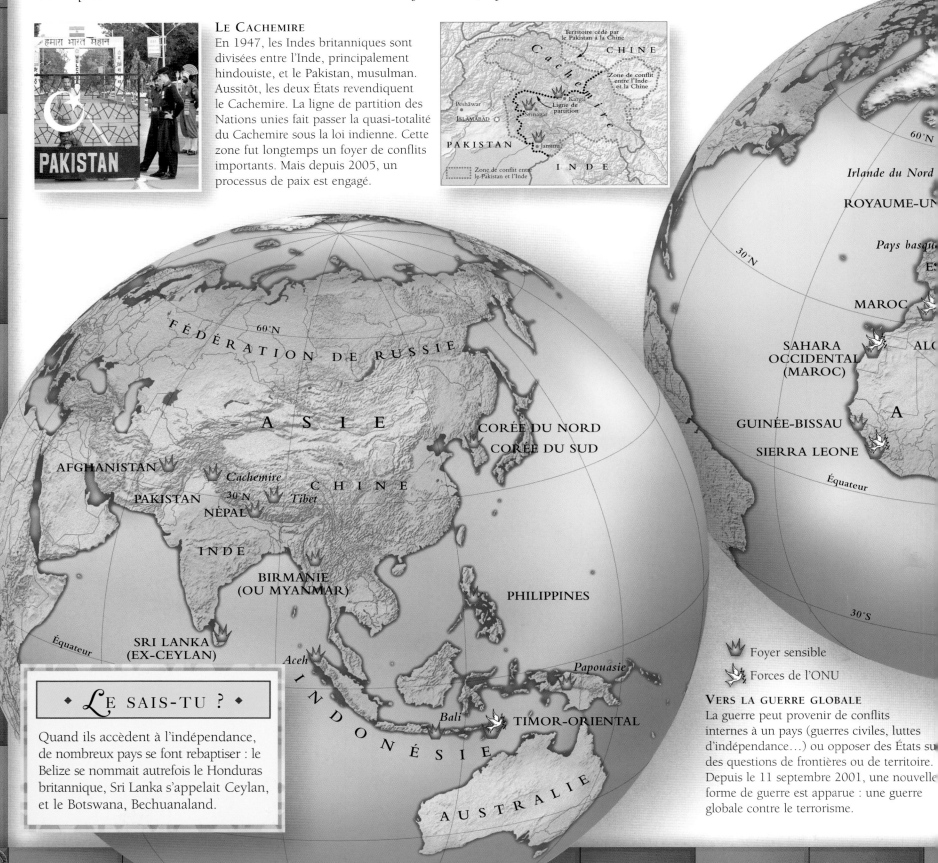

◆ LE SAIS-TU ? ◆

Quand ils accèdent à l'indépendance, de nombreux pays se font rebaptiser : le Belize se nommait autrefois le Honduras britannique, Sri Lanka s'appelait Ceylan, et le Botswana, Bechuanaland.

Foyer sensible

Forces de l'ONU

VERS LA GUERRE GLOBALE

La guerre peut provenir de conflits internes à un pays (guerres civiles, luttes d'indépendance…) ou opposer des États su des questions de frontières ou de territoire Depuis le 11 septembre 2001, une nouvelle forme de guerre est apparue : une guerre globale contre le terrorisme.

Ce jour-là, des commandos présumés
[li]és à l'organisation d'Oussama Ben
[L]aden – al-Qaida, un réseau terroriste
[i]nternational dirigé depuis l'Afghanistan –
[p]rirent le contrôle d'avions remplis de
[p]assagers et les firent s'écraser sur le
[W]orld Trade Center et le Pentagone. Les
[É]tats-Unis menèrent alors une offensive
[m]ilitaire qui fit tomber le régime taliban
[à] la tête de l'Afghanistan, et continuent
[d]epuis la lutte contre les réseaux
[te]rroristes à travers le monde.

CANADA
AMÉRIQUE
DU NORD

ÉTATS-UNIS
D'AMÉRIQUE

World Trade Center, New York
Le Pentagone, Arlington, Virginie

60°N

30°N

MEXIQUE

HAÏTI

Chiapas

VENEZUELA

Équateur

COLOMBIE

AMÉRIQUE
DU SUD
BRÉSIL

PÉROU

30°S

FÉDÉRATION DE RUSSIE

EUROPE

Bosnie et
Kosovo
Tchétchénie
MACÉDOINE
AZERBAÏDJAN
Nagorno-Karabakh
TURQUIE
Kurdistan
IRAQ
CHYPRE
ISRAËL

YÉMEN

ÉRYTHRÉE

[AFRI]QUE

ÉTHIOPIE
SOUDAN
SOMALIE

[R]ÉPUBLIQUE
[DÉM]OCRATIQUE DU
[CON]GO (EX-ZAÏRE)

BURUNDI

[A]NGOLA
ZIMBABWE

AMÉRIQUE
DU NORD
EUROPE
ASIE
ÎLES
MARSHALL
BELAU
AMÉRIQUE
DU SUD
AFRIQUE
ÉTATS FÉDÉRÉS
DE MICRONÉSIE
TIMOR-ORIENTAL
AUSTRALIE

EX-U.R.S.S.
ARMÉNIE
AZERBAÏDJAN
BIÉLORUSSIE
ESTONIE
FÉDÉRATION DE RUSSIE
GÉORGIE
KAZAKHSTAN
KIRGHIZISTAN
LETTONIE
LITUANIE
MOLDAVIE
TADJIKISTAN
TURKMÉNISTAN
OUZBÉKISTAN
UKRAINE

EX-YOUGOSLAVIE
BOSNIE-HERZÉGOVINE
SERBIE
MONTÉNÉGRO
CROATIE
MACÉDOINE
SLOVÉNIE

AUTRES PAYS
ÉRYTHRÉE
ÉTATS FÉDÉRÉS DE MICRONÉSIE
ÎLES MARSHALL
NAMIBIE
BELAU
RÉPUBLIQUE DU YÉMEN
RÉPUBLIQUE FÉDÉRALE D'ALLEMAGNE
RÉPUBLIQUE TCHÈQUE
SLOVAQUIE
TIMOR-ORIENTAL

LIBAN
PLATEAU
DU GOLAN
Haïfa
ISRAËL
SYRIE
Jénine
CIS-JORDANIE
Naplouse
Qalqilya
Tel-Aviv
AMMAN
Ramallah
Jéricho
JÉRUSALEM
Bande
de Gaza
Gaza
Bethléem
Hébron
JORDANIE

Territoire occupé par
Israël depuis 1967

LE CONFLIT ISRAÉLO-PALESTINIEN

Depuis la formation d'Israël (1948),
les Palestiniens vivent sous un statut
de réfugiés. Ils ont longtemps espéré
la création de leur propre État, en
Cisjordanie et dans la bande de Gaza,
terres occupées par Israël depuis la
guerre de 1967. Depuis 2000, les
attentats se sont multipliés tant du côté
israélien que du côté palestinien et les
propositions de paix de la Ligue Arabe,
en 2007, ne semblent pas aboutir.

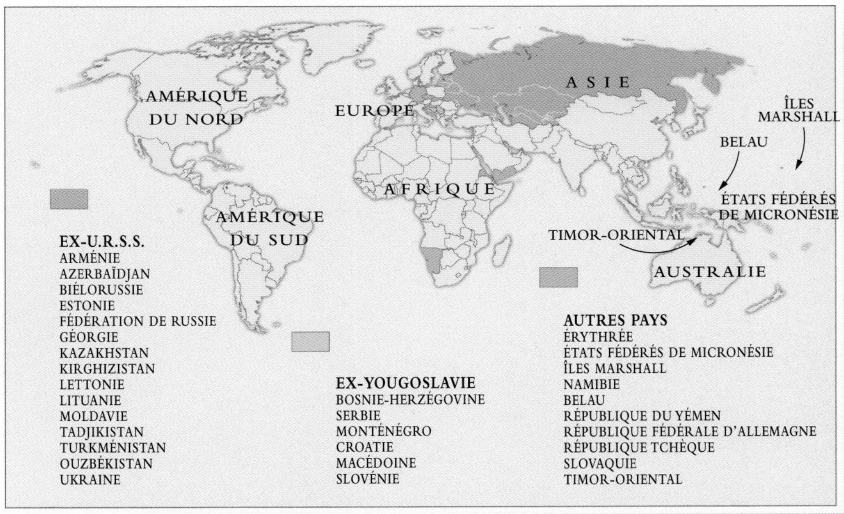

DE NOUVEAUX PAYS

Le nombre d'États dans le monde a presque triplé depuis la fin
de la Seconde Guerre mondiale. En 1946, on ne dénombrait que 74 pays,
alors qu'à présent on en compte 194. La carte du monde ci-dessus
montre les pays créés depuis 1990. La plupart sont apparus à la chute
du communisme en Union soviétique. Certains États, comme le
Timor-Oriental et Belau, ont gagné leur indépendance. D'autres,
comme le Yémen et l'Allemagne actuelle, résultent de
l'unification de deux pays préexistants.

Amérique du Nord

Le continent nord-américain s'étend du sud du pôle Nord au nord de l'équateur. Il présente une grande diversité de milieux naturels : terres glacées, forêts, montagnes, déserts et jungles. À l'ouest, une chaîne de montagnes presque ininterrompue s'étire de l'Alaska au Costa Rica, incluant les montagnes Rocheuses, l'une des plus célèbres chaînes du monde. Les États-Unis (souvent appelés USA ou Amérique) et le Canada sont les plus vastes des 23 pays du continent américain. Les États-Unis sont constitués de 50 États. Le Canada est divisé en 10 provinces et 3 territoires. En Amérique du Nord, on trouve quelques-unes des plus grandes villes du monde mais aussi d'immenses zones inhabitées. La plupart des Nord-Américains sont les descendants d'immigrants européens, mais beaucoup sont d'origine africaine ou amérindienne.

Le continent

Superficie : 22 078 049 km²
Population : 518 000 000 habitants
États indépendants : Antigua-et-Barbuda, îles Bahamas, Barbade, Belize, Canada, Costa Rica, Cuba, Dominique, États-Unis d'Amérique, Grenade, Guatemala, Haïti, Honduras, Jamaïque, Mexique, Nicaragua, Panama, République dominicaine, Saint-Kitts-et-Nevis, Saint-Vincent-et-les Grenadines, Sainte-Lucie, Salvador, Trinité-et-Tobago

Records du monde

Plus grand canyon
Le Grand Canyon, É.-U. : 446 km de long, 16 km de large, 1,6 km de profondeur

Plus grand lac d'eau douce
Le lac Supérieur, É.-U.-Canada : 82 350 km²

Plus long système de grottes
Les grottes du Mammouth, É.-U. : 565 km

Plus grand volcan actif
Le Mauna Loa, Hawaii, É.-U. : 4 170 m de haut, 120 km de long, 50 km de large

Plus longue frontière
La frontière entre les États-Unis et le Canada : 6 416 km

Plus haut geyser actif
Le Steamboat Geyser, dans le parc national de Yellowstone, É.-U. : 115 m

Plus grand parc à thème
Le Walt Disney World, É.-U. : 122 km²

Records du continent

Plus haut sommet
Le mont McKinley (Denali), É.-U. : 6 194 m

Point le plus bas
La Vallée de la Mort, É.-U. : 86 m en dessous du niveau de la mer

Plus long fleuve
Le Mississippi-Missouri, É.-U. : 6 020 km

État le plus vaste
Le Canada : 9 970 610 km²

État le plus peuplé
Les États-Unis : 301 139 947 habitants

Agglomération la plus peuplée
Mexico, Mexique : 19 411 000 habitants

Principaux sommets et fleuves

Mont McKinley (Denali), É.-U. 6 194 m
Mont Logan, Canada 5 959 m
Orizaba, Mexique 5 700 m
Mont St. Elias, É.-U.-Canada 5 489 m
Popocatepetl, Mexique 5 450 m
Mont Whitney, É.-U. 4 418 m

Mississippi-Missouri 6 020 km
Mackenzie 4 240 km
Mississippi 3 780 km
Missouri 4 370 km
Yukon 3 185 km
Rio Grande 3 030 km

Carte politique

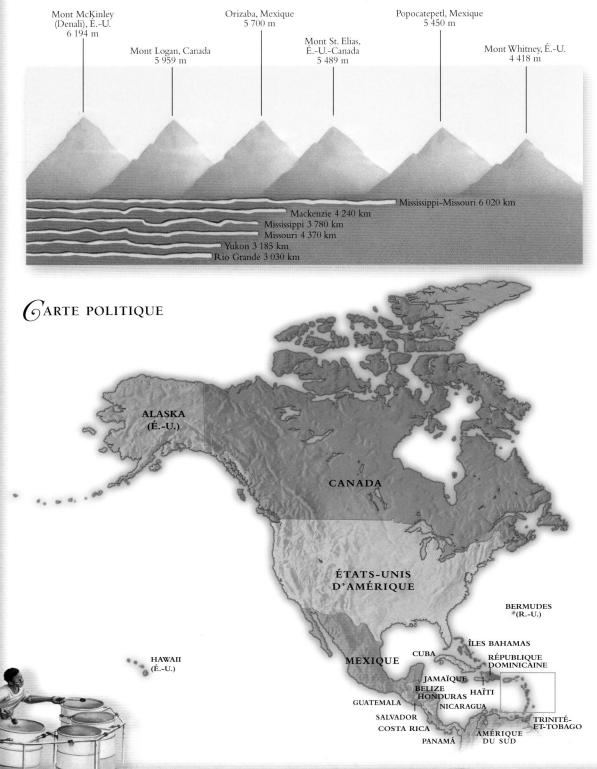

ALASKA (É.-U.)
CANADA
ÉTATS-UNIS D'AMÉRIQUE
HAWAII (É.-U.)
MEXIQUE
BERMUDES (R.-U.)
CUBA
ÎLES BAHAMAS
RÉPUBLIQUE DOMINICAINE
JAMAÏQUE
BELIZE
GUATEMALA
HONDURAS
HAÏTI
NICARAGUA
SALVADOR
COSTA RICA
PANAMÁ
AMÉRIQUE DU SUD
TRINITÉ-ET-TOBAGO

ÎLES VIERGES (É.-U./R.-U.)
ANGUILLA (R.-U.)
ANTIGUA-ET-BARBUDA
ST-KITTS-ET-NEVIS
GUADELOUPE (FRANCE)
PORTO RICO (É.-U.)
DOMINIQUE
MARTINIQUE (FRANCE)
STE-LUCIE
ST-VINCENT-ET-LES GRENADINES
BARBADE
GRENADE

CARTE PHYSIQUE

OCÉAN ARCTIQUE

PÔLE NORD

ASIE

Mer des
Tchouktches

CHAÎNE DE BROOKS

Mer de
Beaufort

Île
Banks

ARCHIPEL
DE LA
REINE-
ÉLIZABETH

Île
Ellesmere

Groenland

EUROPE

Mer de
Béring

Yukon

Île
Victoria

Mer
de Baffin

Île de
Baffin

Mer du
Labrador

ÎLES ALÉOUTIENNES

Mt McKinley
(Denali) 6194 m

Mackenzie

Grand
Lac de
l'Ours

Cercle polaire arctique

Mt St. Elias
5489 m

Mt Logan
5951m

Golfe
d'Alaska

Grand Lac
des Esclaves

BOUCLIER

LABRADOR

Baie
d'Hudson

Terre-Neuve

MONTAGNES

ARCHIPEL
DE LA REINE-
CHARLOTTE

CHAÎNE CÔTIÈRE

CANADIEN

Île de
Vancouver

Lac
Winnipeg

GRANDES

Lac
Nipigon

OCÉAN PACIFIQUE

Missouri

Lac
Supérieur

Lac
Huron

ÎLES HAWAII

ROCHEUSES

PLAINES

Lac
Michigan

Lac
Ontario

St-Laurent

Mississippi

Lac
Érié

OCÉAN ATLANTIQUE

CHAÎNE CÔTIÈRE

GRAND
BASSIN

Grand
Lac
Salé

Missouri

Ohio

MTS APPALACHES

Mt
Whitney
4418 m

Colorado

Bermudes

SIERRA MADRE OCCIDENTALE

SIERRA MADRE ORIENTALE

Rio Grande

Mississippi

ÎLES
BAHAMAS

Golfe de Californie

Tropique du Cancer

PETITES ANTILLES

Golfe du
Mexique

GRANDES ANTILLES

Popocatepetl
5450 m

Orizaba
5700 m

Golfe de
Campêche

Mer des Antilles

AMÉRIQUE DU SUD

Lac de
Nicaragua

Équateur

ÎLES
GALÁPAGOS

Canada occidental et Alaska

Le Canada, deuxième plus grand pays du monde, couvre plus de la moitié de l'Amérique du Nord. Le nord du pays, vaste et sauvage, est parcouru de rivières glacées où les ours pêchent le saumon et peuplé de loups chassant le caribou dans les plaines enneigées. Créé en 1999, le nouveau territoire arctique du Nunavut occupe la partie la plus à l'est des Territoires du Nord-Ouest et la majorité de l'archipel Arctique ; Nunavut signifie « notre terre » dans la langue de ses habitants inuits. 80 % de la population du Canada vit à moins de 300 km de la frontière méridionale du pays, où le climat est plus doux et le sol plus fertile. La prairie qui recouvre en partie l'Alberta,

le Manitoba et le Saskatchewan est l'une des régions agricoles les plus productives du monde. Ces provinces approvisionnent également presque tout le Canada en pétrole et en gaz naturel. À l'ouest des montagnes Rocheuses s'étend le littoral pacifique avec sa myriade d'îles et d'étroites voies navigables. Quant au golfe d'Alaska, il dessine une dentelle de glaciers s'étageant vers la rive, ouvrant sur des baies où nagent phoques et baleines. L'Alaska est le plus vaste État des États-Unis, mais il est séparé du reste du pays par le Canada. On y trouve quelques-uns des plus grands champs pétrolifères d'Amérique du Nord.

ALASKA (É.-U.)
Population : 670 900 ✳ Capitale : Juneau

ALBERTA
Population : 3 290 000 ✳ Capitale : Edmonton

COLOMBIE-BRITANNIQUE
Population : 4 113 900 ✳ Capitale : Victoria

MANITOBA
Population : 1 178 000 ✳ Capitale : Winnipeg

NUNAVUT
Population : 29 000 ✳ Capitale : Iqaluit

SASKATCHEWAN
Population : 96 800 ✳ Capitale : Regina

YUKON
Population : 30 000 ✳ Capitale : Whitehorse

TERRITOIRES DU NORD-OUEST
Population : 41 000 ✳ Capitale : Yellowknife

◆ Le sais-tu ? ◆

Les États-Unis ont acheté l'Alaska à la Russie en 1867, pour 7,2 millions de dollars. À l'époque, beaucoup crièrent au gaspillage. Mais de vastes gisements d'or et de pétrole furent découverts, et l'Alaska parut une bonne affaire.

OURS BRUN D'ALASKA
Avec sa taille de 2,70 m, cet énorme ours est le plus gros carnivore de la planète. Il pêche souvent le saumon dans les rivières et les fleuves.

Map labels: Détroit de Béring · Nome · Morse · Ours brun d'Alaska attrapant un saumon · ÎLES ALÉOUTIENNES · Veaux marins · Baleine à bosse · Bateau de pêche · OCÉAN PACIFIQUE · Île Kodiak · Golfe d'Alaska · Saumon · ARCHIPEL DE LA REINE-CHARLOTTE · Prince Rupert · Île de Vancouver · Masque de cérémonie kwakiutl · Mât totémique tlingit · Ours grizzly · JUNEAU · VICTORIA · Vancouver · Prince George · Lac Williston · Bois · CHAÎNE CÔTIÈRE · MONTAGNES ROCHEUSES · Fraser · Pygargue à tête blanche · Ski · COLOMBIE-BRITANNIQUE · ALASKA (É.-U.) · CHAÎNE DE L'ALASKA · Mt McKinley (Denali) 6 194 m · Pétrole · Anchorage · Mouflon de Dall · Bois · Mt Logan 5 951 m · Mt St. Elias 5 489 m · WHITEHORSE · Zinc · YUKON · Dawson · Or · Caribou · Fairbanks · Yukon · Cabane · Course de l'Iditarod · CHAÎNE DE BROOKS · Oléoduc trans-Alaska · MTS MACKENZIE · Scooter des neiges · Oie du Canada · Mer

J K L M N O P Q

OCÉAN ARCTIQUE

Narval

Île Ellesmere

Bœuf musqué

ARCHIPEL DE LA REINE-ÉLISABETH

Ours blancs

Renard polaire

ARCHIPEL PARRY

Île Banks

Île Somerset

Île du Prince-de-Galles

Oie des neiges

Lièvre variable

Île Victoria

Inuit construisant un igloo

Mer de Baffin

GROENLAND

Détroit de Davis

Île de Baffin

Île du Prince-Charles

Phoques du Groenland

Mouette tridactyle

IQALUIT

se traditionnelle

Lac ...urs

Argent

Loup

NUNAVUT

Maisons inuit

Île Southampton

Détroit d'Hudson

QUÉBEC

LOCALISATION

Inuit pêchant à travers la glace

Hydravion

RITOIRES DU NORD-OUEST

YELLOWKNIFE

Grand Lac des Esclaves

Or

Mésangeai du Canada

Baie d'Hudson

Orignal

CANADA

nc et ...omb

...aix

Lac Athabasca

Uranium

Lac Reindeer

Churchill

Nelson

Bélouga

Îles Belcher

N

E

O

S

...BERTA

Fossile d'Edmontonia (dinosaure)

Police montée

Castor

Nickel et cuivre

Or

ÉCHELLE

MILES

0 100 200 300

0 100 200 300 400 500

KILOMÈTRES

EDMONTON

SASKATCHEWAN

MANITOBA

ONTARIO

...ole

Gaz naturel

Blé

Saskatchewan

Saskatoon

Lac Winnipeg

Silos à céréales

Calgary

REGINA

Stampede ...éo) de Calgary

Parlement

WINNIPEG

ÉTATS-UNIS

Voir aussi la page 104

IDÉE : fabriquer un masque inuit

Lors de leurs cérémonies et rites, les Inuits (Esquimaux) utilisent de petits masques, fixés sur leurs doigts, pour représenter l'esprit de leurs ancêtres. Ces masques sont souvent sculptés dans le bois ou la pierre, mais tu peux confectionner les tiens avec du carton.

❶ Découpe un disque d'environ 10 cm de diamètre. Perce deux trous à sa base, assez gros pour y introduire tes doigts.

❷ Dessine un visage au centre du disque. Orne le carton d'une frange, ou colle des plumes ou des perles autour du visage.

❸ Pour utiliser le masque, bouge lentement ta main de gauche à droite, au rythme d'un tambour.

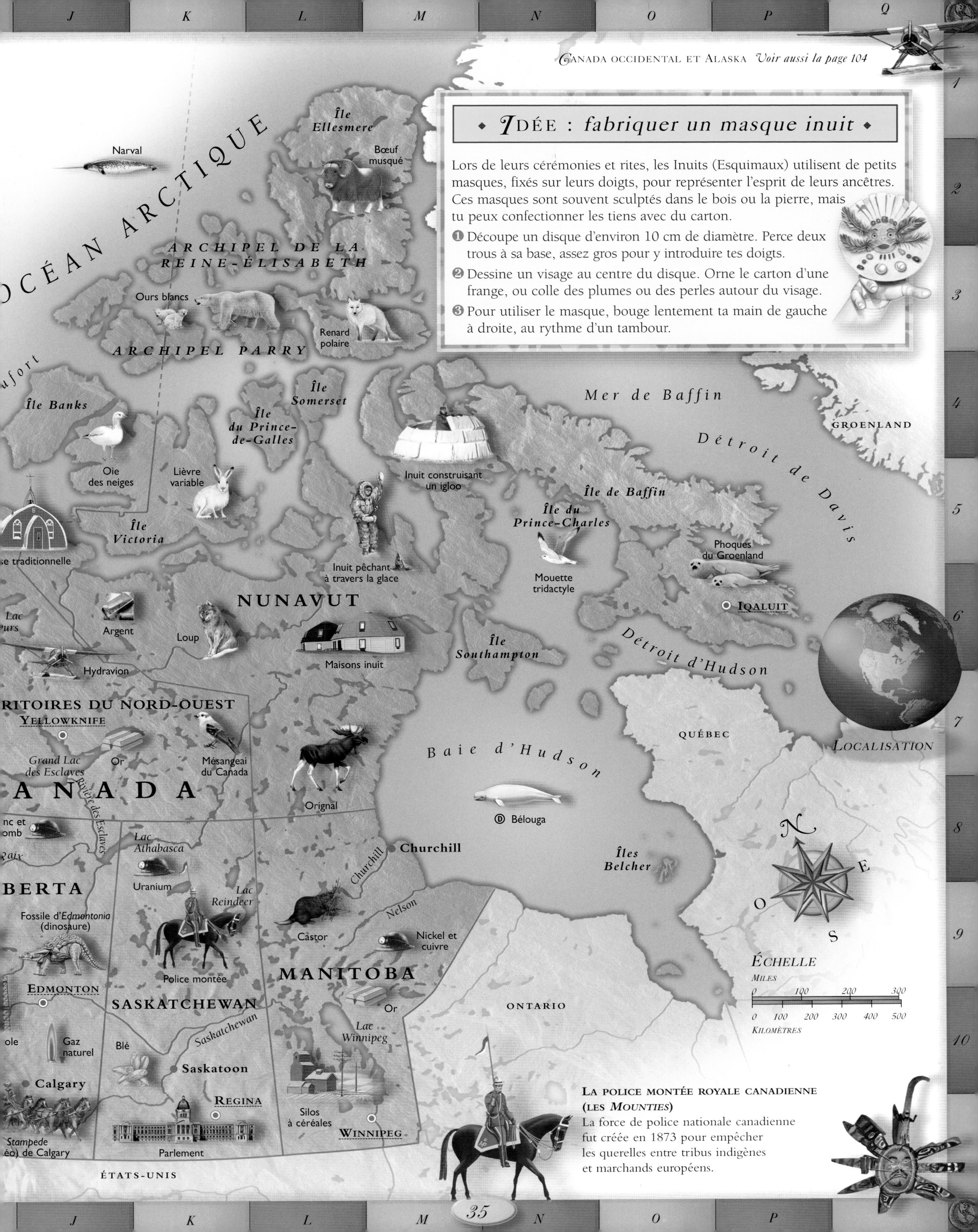

LA POLICE MONTÉE ROYALE CANADIENNE (LES MOUNTIES)

La force de police nationale canadienne fut créée en 1873 pour empêcher les querelles entre tribus indigènes et marchands européens.

J K L M N O P

$\mathcal{C}$anada : l'Est

ENVIRON 60 % DES CANADIENS vivent le long des rives du Saint-Laurent et des Grands Lacs, sur 2 % de la superficie du pays. Les immigrants européens se sont établis ici : le sol y est fertile, les voies d'eau facilitent les transports. De nos jours, la région abrite les plus importantes villes canadiennes, dont les deux plus grandes : Toronto et Montréal. Au Canada, l'anglais et le français sont les deux langues principales. La majorité des francophones vit dans la province de Québec, qui fut autrefois un territoire français. Les forêts, lacs et rivières qui couvrent presque tout le Québec sont une source de richesses à travers l'industrie forestière (12 % de la production mondiale de papier) et la production d'électricité (centrales hydroélectriques). Le climat du Canada oriental varie : tempéré dans le Sud, arctique dans le Nord. La baie d'Hudson est prise par les glaces neuf mois par an, ce qui permet aux ours blancs de rôder sur la banquise à la recherche de nourriture. Au large des côtes septentrionales de Terre-Neuve flottent d'énormes icebergs hauts de plus de 45 m. Plus au sud, les baies sont soumises à des marées démesurées. Dans la baie de Fundy, la mer peut atteindre 15 m à marée haute, assez pour recouvrir un immeuble de quatre étages !

ÎLE-DU-PRINCE-ÉDOUARD
POPULATION : 136 000 ✳ CAPITALE : CHARLOTTETOWN

NOUVEAU-BRUNSWICK
POPULATION : 730 000 ✳ CAPITALE : FREDERICTON

NOUVELLE-ÉCOSSE
POPULATION : 913 000 ✳ CAPITALE : HALIFAX

ONTARIO
POPULATION : 12 160 400 ✳ CAPITALE : TORONTO

QUÉBEC
POPULATION : 7 546 500 ✳ CAPITALE : QUÉBEC

TERRE-NEUVE ET LABRADOR
POPULATION : 505 000 ✳ CAPITALE : ST. JOHN'S

✦ $\mathcal{C}$HERCHE ✦

- Quelle est la capitale du Canada ?
- Quel mammifère marin menacé nage au large de Terre-Neuve ?
- Quel type de minerai est extrait du sous-sol de Terre-Neuve ?

LE BIG NICKEL
La région de Sudbury est riche en nickel. Symbole de l'importance de ce métal pour la communauté, une pièce géante de 5 cents canadiens (ou « nickel »), se dresse à l'extérieur de la ville.

LE HOCKEY SUR GLACE
Ce jeu, pratiqué pour la première fois, en 1855, par des soldats britanniques basés dans l'Ontario et en Nouvelle-Écosse, est aujourd'hui le sport national du Canada.

Map labels:

Baie d'Hudson

MANITOBA

Bateau brise-glace

Veaux marins

ÎLE BELCH

Baie James

Severn

Rat musqué

Randonnée

Bûcheron

Kayak

Bois

Plongeons imbrins

Uranium

ONTARIO

Lac Nipigon

Albany

Renards

Moosonee

Geai bleu

Zinc

Hearst

Train de marchandises

Nipigon

Hydroélectricité

Argent

Thunder Bay

Lac Supérieur

Exploitation agricole

Hockey sur glace

ÉTATS-UNIS

Sault-Ste-Marie

Uranium

Lac Michigan

Sudbury

For d'érab

Lac Huron

Le Big Nickel

Parlement d'Otta

Tour du CN

Élevage porcin

TORONTO

London

Lac Ontario

Windsor

Lac Érié

Chutes du Niagara

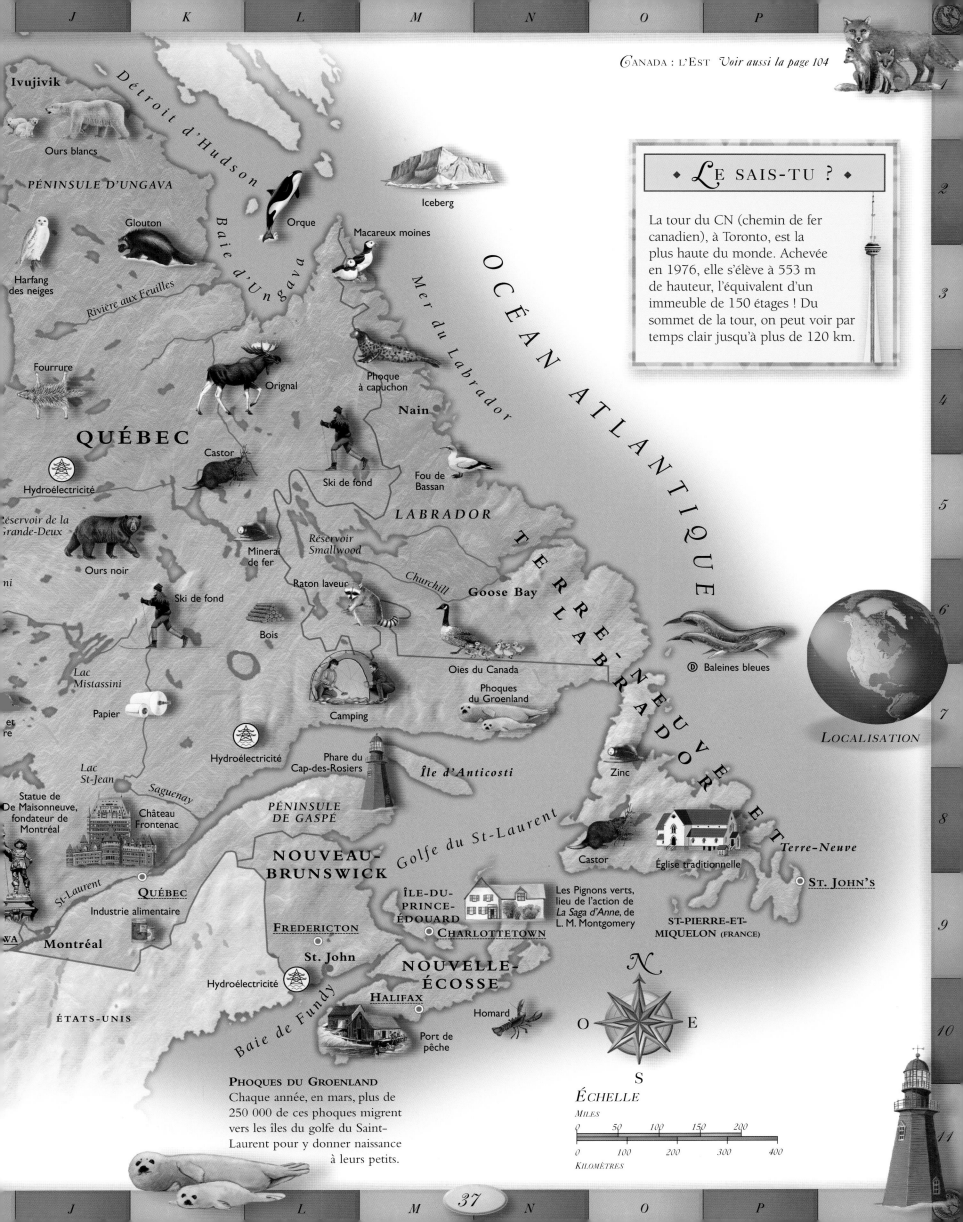

Ivujivik

Ours blancs

PÉNINSULE D'UNGAVA

Détroit d'Hudson

Orque

Iceberg

Glouton

Baie d'Ungava

Macareux moines

Harfang des neiges

Rivière aux Feuilles

LE SAIS-TU ?

La tour du CN (chemin de fer canadien), à Toronto, est la plus haute du monde. Achevée en 1976, elle s'élève à 553 m de hauteur, l'équivalent d'un immeuble de 150 étages ! Du sommet de la tour, on peut voir par temps clair jusqu'à plus de 120 km.

Fourrure

Orignal

Phoque à capuchon

Nain

Mer du Labrador

QUÉBEC

Castor

Ski de fond

Fou de Bassan

OCÉAN ATLANTIQUE

Hydroélectricité

LABRADOR

Réservoir de la Grande-Deux

Ours noir

Minerai de fer

Réservoir Smallwood

Churchill

Goose Bay

Raton laveur

Ski de fond

Bois

Oies du Canada

Baleines bleues

Lac Mistassini

Camping

Phoques du Groenland

LOCALISATION

Papier

Hydroélectricité

Phare du Cap-des-Rosiers

Île d'Anticosti

Zinc

TERRE-NEUVE-ET-LABRADOR

Lac St-Jean

Saguenay

Statue de De Maisonneuve, fondateur de Montréal

Château Frontenac

PÉNINSULE DE GASPÉ

Golfe du St-Laurent

Castor

Église traditionnelle

Terre-Neuve

St-Laurent

NOUVEAU-BRUNSWICK

St. JOHN'S

Québec

ÎLE-DU-PRINCE-ÉDOUARD

Les Pignons verts, lieu de l'action de *La Saga d'Anne*, de L. M. Montgomery

Industrie alimentaire

CHARLOTTETOWN

ST-PIERRE-ET-MIQUELON (FRANCE)

Montréal

FREDERICTON

St. John

NOUVELLE-ÉCOSSE

Hydroélectricité

Baie de Fundy

HALIFAX

Homard

ÉTATS-UNIS

Port de pêche

N

O   E

S

PHOQUES DU GROENLAND

Chaque année, en mars, plus de 250 000 de ces phoques migrent vers les îles du golfe du Saint-Laurent pour y donner naissance à leurs petits.

ÉCHELLE

MILES

0   50   100   150   200

0   100   200   300   400

KILOMÈTRES

États-Unis : le Nord-Est

LE NORD-EST REGROUPE À LUI SEUL plus de 75 millions d'habitants, soit plus du quart de la population des États-Unis. De Boston (Massachusetts), au nord, à Washington, D.C. (district de Columbia), au sud, 600 km de côtes accueillent d'importantes villes. Banlieues comprises, New York forme une immense agglomération où vivent près de 20 millions de personnes. C'est la plus grande ville des États-Unis, et la troisième plus grande ville de la planète. Si New York n'est pas la capitale des États-Unis, c'est un centre financier et culturel de tout premier plan, à l'échelon national et mondial. Le cœur de la cité géante est Manhattan (« l'île aux collines »).

Le massif montagneux des Appalaches sépare les villes côtières des Grands Lacs et des plaines de l'intérieur. Il s'étend sur plus de 2 600 km, de l'Alabama, dans le sud des États-Unis, jusqu'au Maine, dans le Nord. La principale ressource de la région appalachienne est la houille (le Kentucky produit beaucoup de charbon). Des exploitations agricoles se sont installées dans de nombreuses vallées des Appalaches, mais il subsiste de vastes zones montagnardes couvertes de forêts où des baribals (ours noirs) errent à la recherche de nourriture... Ces forêts offrent une féerie de couleurs à l'automne, quand les feuilles se parent de pourpre et d'or.

CONNECTICUT
POPULATION : 3 505 000 ∗ CAPITALE : HARTFORD

DELAWARE
POPULATION : 853 200 ∗ CAPITALE : DOVER

DISTRICT DE COLUMBIA
POPULATION : 582 000 ∗ CAPITALE : WASHINGTON, D.C.

KENTUCKY
POPULATION : 4 206 000 ∗ CAPITALE : FRANKFORT

MAINE
POPULATION : 1 322 000 ∗ CAPITALE : AUGUSTA

MARYLAND
POPULATION : 5 616 000 ∗ CAPITALE : ANNAPOLIS

MASSACHUSETTS
POPULATION : 6 437 000 ∗ CAPITALE : BOSTON

NEW HAMPSHIRE
POPULATION : 1 315 000 ∗ CAPITALE : CONCORD

NEW JERSEY
POPULATION : 8 725 000 ∗ CAPITALE : TRENTON

NEW YORK
POPULATION : 19 306 000 ∗ CAPITALE : ALBANY

PENNSYLVANIE
POPULATION : 12 441 000 ∗ CAPITALE : HARRISBURG

RHODE ISLAND
POPULATION : 1 068 000 ∗ CAPITALE : PROVIDENCE

VERMONT
POPULATION : 624 000 ∗ CAPITALE : MONTPELIER

VIRGINIE
POPULATION : 7 643 000 ∗ CAPITALE : RICHMOND

VIRGINIE-OCCIDENTALE
POPULATION : 1 818 000 ∗ CAPITALE : CHARLESTON

∗ IDÉE : *un collier iroquois* ∗

Chez les Indiens Iroquois, lorsque l'on veut annoncer quelque chose d'important à quelqu'un, on doit lui offrir un cadeau en gage de bonne foi. Ce cadeau est souvent un collier de coquillages blancs et violets *(wampum)*. Pour fabriquer un collier d'amitié iroquois, enfile des coquillages percés ou des perles de couleur sur des bouts de ficelle que tu attacheras à un cordon. Pense à donner la signification de ton cadeau à celui ou celle qui le recevra !

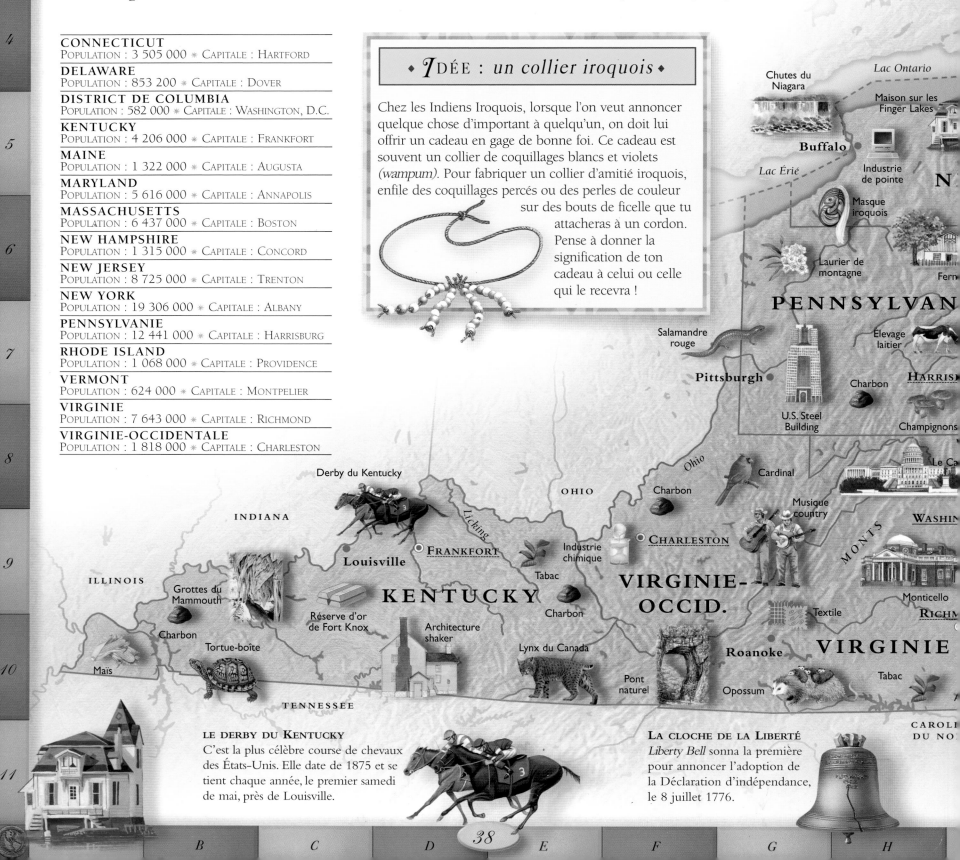

LE DERBY DU KENTUCKY
C'est la plus célèbre course de chevaux des États-Unis. Elle date de 1875 et se tient chaque année, le premier samedi de mai, près de Louisville.

LA CLOCHE DE LA LIBERTÉ
Liberty Bell sonna la première pour annoncer l'adoption de la Déclaration d'indépendance, le 8 juillet 1776.

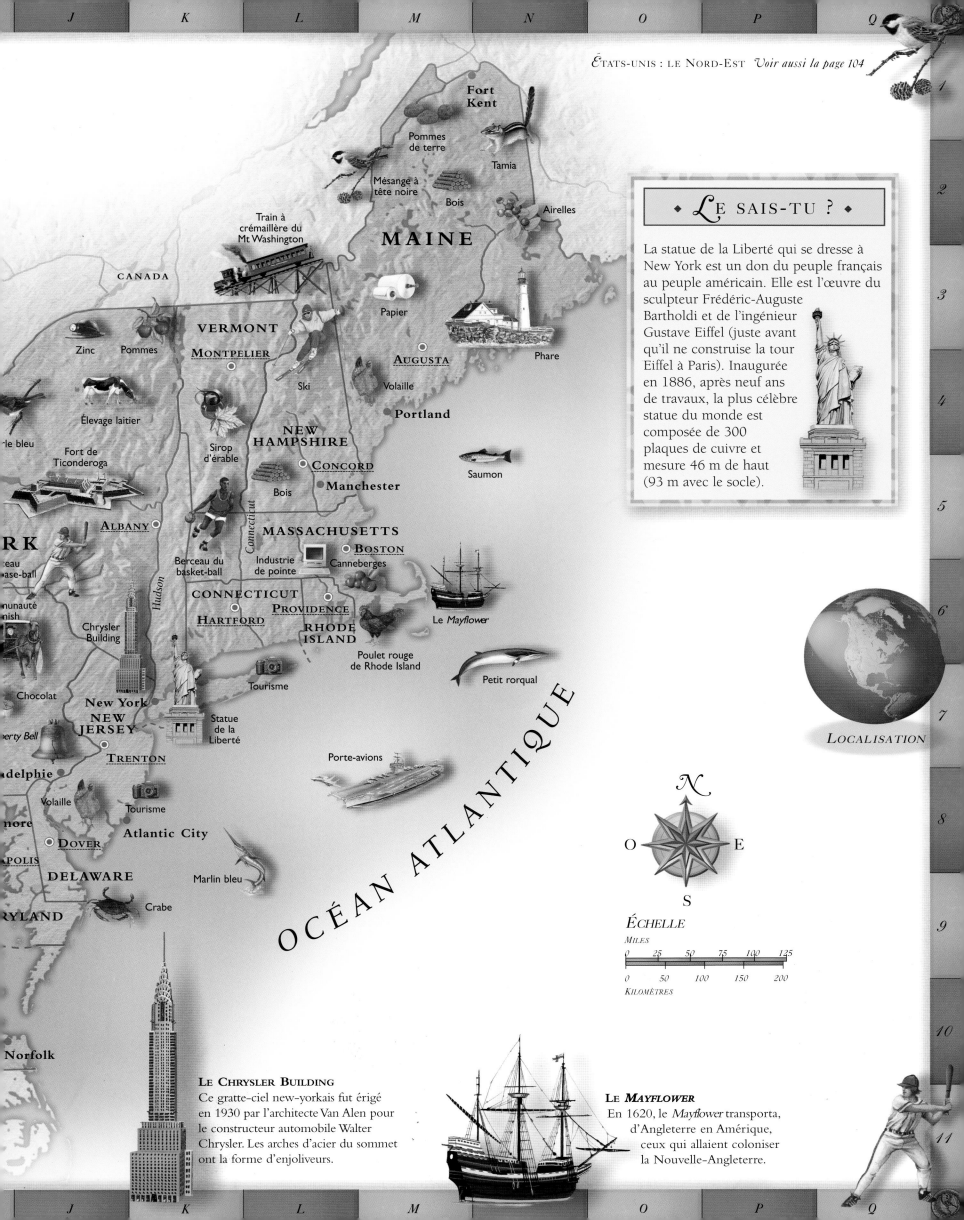

J K L M N O P Q

1 2 3 4 5 6 7 8 9 10 11

Fort Kent

Pommes de terre

Tamia

Mésange à tête noire

Bois

Airelles

MAINE

Train à crémaillère du Mt Washington

CANADA

Papier

Phare

VERMONT

Zinc

Pommes

MONTPELIER

Ski

AUGUSTA

Volaille

Élevage laitier

le bleu

Sirop d'érable

NEW HAMPSHIRE

Portland

Fort de Ticonderoga

Saumon

Bois

CONCORD

Manchester

· LE SAIS-TU ? ·

La statue de la Liberté qui se dresse à New York est un don du peuple français au peuple américain. Elle est l'œuvre du sculpteur Frédéric-Auguste Bartholdi et de l'ingénieur Gustave Eiffel (juste avant qu'il ne construise la tour Eiffel à Paris). Inaugurée en 1886, après neuf ans de travaux, la plus célèbre statue du monde est composée de 300 plaques de cuivre et mesure 46 m de haut (93 m avec le socle).

ALBANY

Berceau du basket-ball

MASSACHUSETTS

Industrie de pointe

· BOSTON

Canneberges

Connecticut

Le *Mayflower*

R K

eau ase-ball

Hudson

Chrysler Building

CONNECTICUT

HARTFORD

PROVIDENCE

RHODE ISLAND

Poulet rouge de Rhode Island

Petit rorqual

munauté nish

Chocolat

Tourisme

Statue de la Liberté

LOCALISATION

New York

NEW JERSEY

rty Bell

Tourisme

TRENTON

Porte-avions

N

O E

S

adelphie

Volaille

Atlantic City

DOVER

nore

APOLIS

DELAWARE

Marlin bleu

ÉCHELLE

MILES

0 25 50 75 100 125

0 50 100 150 200

KILOMÈTRES

RYLAND

Crabe

OCÉAN ATLANTIQUE

Norfolk

LE CHRYSLER BUILDING
Ce gratte-ciel new-yorkais fut érigé en 1930 par l'architecte Van Alen pour le constructeur automobile Walter Chrysler. Les arches d'acier du sommet ont la forme d'enjoliveurs.

LE *MAYFLOWER*
En 1620, le *Mayflower* transporta, d'Angleterre en Amérique, ceux qui allaient coloniser la Nouvelle-Angleterre.

J K L M N O P Q

États-Unis : le Sud

LE SUD DES ÉTATS-UNIS est une région chaude et humide composée de plaines, de rivières, de marécages et de lagunes. Partant du Texas, à la frontière mexicaine, une large ceinture s'étire autour du golfe du Mexique jusqu'à la Floride et remonte le long de la côte atlantique. Au nord et à l'ouest, les plaines côtières s'élèvent vers des plateaux rocheux et des massifs montagneux, dont les Appalaches, formés il y a quatre cents millions d'années et qui sont les plus vieilles montagnes d'Amérique du Nord. D'immenses exploitations agricoles déploient cheptels et cultures dans les plaines fertiles de l'Est et du Sud. À l'ouest, les vastes étendues du Texas (le plus grand État américain après l'Alaska) sont propices à l'agriculture et à l'élevage et renferment d'importantes ressources en minerais. Quant aux réserves de pétrole et de gaz naturel, elles font du Texas l'un des États les plus riches d'Amérique. De nombreux fleuves traversent le sud des États-Unis, dont le Mississippi, qui se jette dans le golfe du Mexique au terme de son long périple (3 780 km) depuis le Minnesota. Le long des plaines côtières du golfe du Mexique et de l'Atlantique, fleuves et rivières ont formé des lacs peu profonds, des deltas boueux et des marécages, repère des serpents, des alligators et des tortues. Le climat et les plages de la Floride sont à la base de l'essor du tourisme dans la péninsule ; le parc d'attractions Walt Disney World, près d'Orlando, draine à lui seul plus de 25 millions de touristes par an. L'île de Cuba n'est pas loin des États-Unis : elle s'étend à 217 km seulement au sud de Key West, situé à l'extrême sud de la Floride.

ALABAMA
POPULATION : 4 599 000 ✳ CAPITALE : MONTGOMERY

ARKANSAS
POPULATION : 2 811 000 ✳ CAPITALE : LITTLE ROCK

CAROLINE DU NORD
POPULATION : 8 857 000 ✳ CAPITALE : RALEIGH

CAROLINE DU SUD
POPULATION : 4 321 000 ✳ CAPITALE : COLUMBIA

FLORIDE
POPULATION : 18 090 000 ✳ CAPITALE : TALLAHASSEE

GÉORGIE
POPULATION : 9 364 000 ✳ CAPITALE : ATLANTA

LOUISIANE
POPULATION : 4 288 000 ✳ CAPITALE : BATON ROUGE

MISSISSIPPI
POPULATION : 2 911 000 ✳ CAPITALE : JACKSON

OKLAHOMA
POPULATION : 3 579 100 ✳ CAPITALE : OKLAHOMA CITY

TENNESSEE
POPULATION : 6 039 000 ✳ CAPITALE : NASHVILLE

TEXAS
POPULATION : 23 508 000 ✳ CAPITALE : AUSTIN

KANSAS

Blé — Camping

Élevage bovin — Le Capitole — Tulsa — Gaz nat

Amarillo — OKLAHOMA CITY — Assemblée cherok (Powwow)

Crécerelle d'Amérique — OKLAHOMA

NOUVEAU-MEXIQUE — Red

Lubbock — Gaz naturel

Coton — Pompe à pétrole — Brazos — Dallas

Pétrole — Fort Worth

El Paso — Pecos — Immeubles de

TEXAS — Tatou

Élevage bovin — Rodéo

Capture du bétail au lasso — Arachides

Élevage ovin — Austin

Rio Grande — Houston

MEXIQUE — Fort Alamo — San Antonio — Pétrole — Gal

Mission de la Conception — PLAINE CÔTI — Spatule rosée

Laredo — Corpus Christi

Brownsville — Pétrolier

RODÉO
Dans un concours de rodéo, les candidats (hommes et femmes) sont jugés sur leur habileté à capturer des animaux au lasso et sur leurs qualités de cavaliers (ils doivent rester en selle huit secondes au moins sur un taureau).

BATEAU À AUBES
Au XIXe siècle, plus de 400 de ces élégants bateaux remontaient les eaux majestueuses du Mississippi.

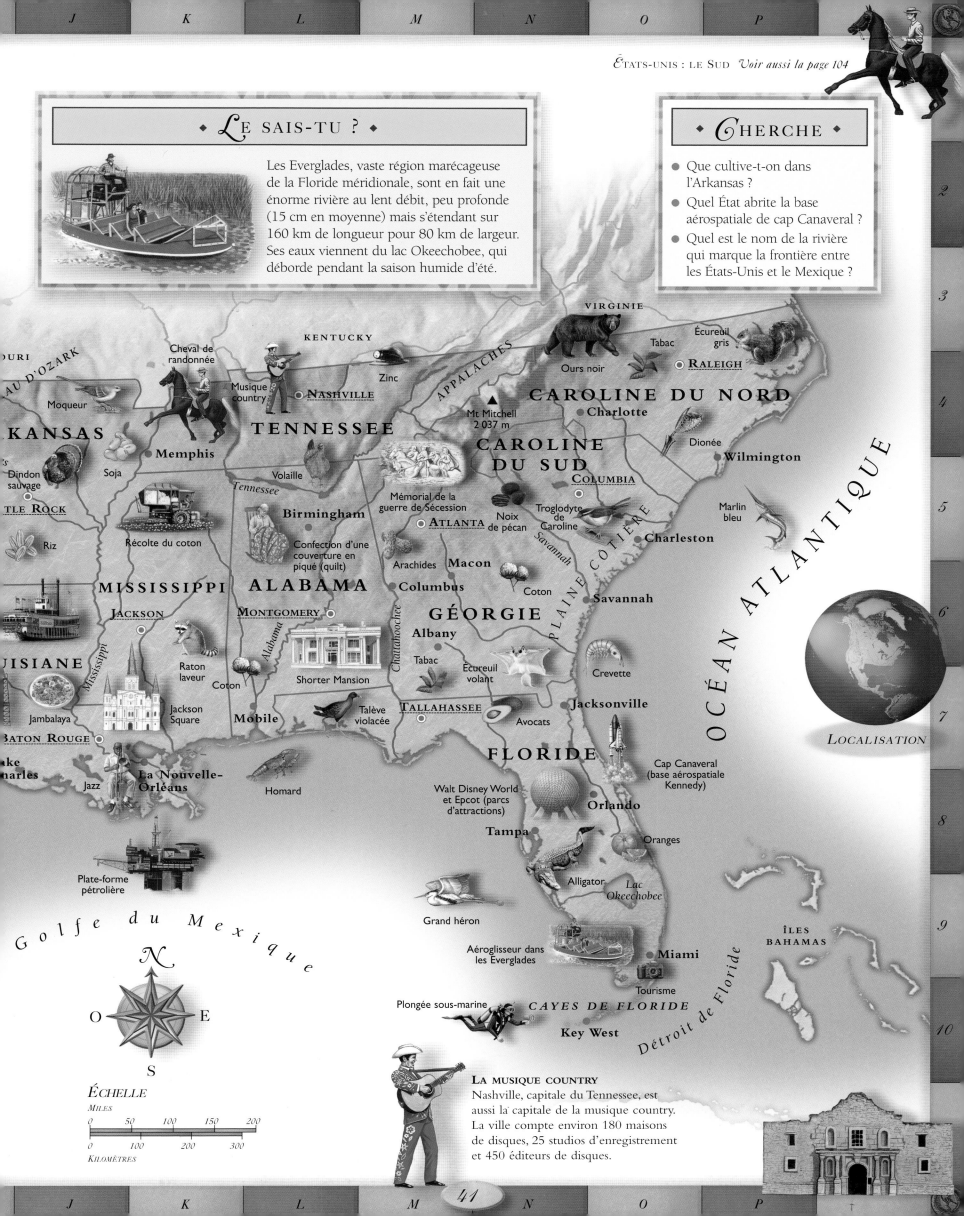

◆ LE SAIS-TU ? ◆

Les Everglades, vaste région marécageuse de la Floride méridionale, sont en fait une énorme rivière au lent débit, peu profonde (15 cm en moyenne) mais s'étendant sur 160 km de longueur pour 80 km de largeur. Ses eaux viennent du lac Okeechobee, qui déborde pendant la saison humide d'été.

◆ CHERCHE ◆

● Que cultive-t-on dans l'Arkansas ?
● Quel État abrite la base aérospatiale de cap Canaveral ?
● Quel est le nom de la rivière qui marque la frontière entre les États-Unis et le Mexique ?

VIRGINIE

KENTUCKY

PLATEAU D'OZARK

Cheval de randonnée

Moqueur

Musique country

NASHVILLE

Zinc

APPALACHES

Ours noir

Tabac

Écureuil gris

RALEIGH

CAROLINE DU NORD

ARKANSAS

Memphis

Tennessee

TENNESSEE

Volaille

Mt Mitchell 2 037 m

Charlotte

CAROLINE DU SUD

Wilmington

Dionée

Dindon sauvage

Soja

LITTLE ROCK

Riz

Récolte du coton

Birmingham

Mémorial de la guerre de Sécession

Confection d'une couverture en piqué (quilt)

Arachides

ATLANTA

COLUMBIA

Noix de pécan

Troglodyte de Caroline

Charleston

Marlin bleu

MISSISSIPPI

JACKSON

ALABAMA

Macon

Coton

Savannah

Savannah

OCÉAN ATLANTIQUE

Columbus

GÉORGIE

MONTGOMERY

Albany

Raton laveur

Alabama

Chattahoochee

Tabac

LOUISIANE

Mississippi

Coton

Shorter Mansion

Écureuil volant

Crevette

Jambalaya

Jackson Square

Mobile

Talève violacée

TALLAHASSEE

Jacksonville

BATON ROUGE

Lake Charles

Jazz

La Nouvelle-Orléans

Homard

FLORIDE

Avocats

Cap Canaveral (base aérospatiale Kennedy)

Plate-forme pétrolière

Walt Disney World et Epcot (parcs d'attractions)

Orlando

Tampa

Oranges

Alligator

Lac Okeechobee

Golfe du Mexique

Grand héron

ÎLES BAHAMAS

Miami

Détroit de Floride

N

Aéroglisseur dans les Everglades

O   E

Plongée sous-marine

CAYES DE FLORIDE

Tourisme

S

Key West

LOCALISATION

ÉCHELLE

MILES

0   50   100   150   200

0   100   200   300

KILOMÈTRES

LA MUSIQUE COUNTRY
Nashville, capitale du Tennessee, est aussi la capitale de la musique country. La ville compte environ 180 maisons de disques, 25 studios d'enregistrement et 450 éditeurs de disques.

États-Unis : le Centre

Véritable corne d'abondance des États-Unis, le Centre est une zone immense regroupant une douzaine d'États ; on l'appelle le Midwest, ou Middle West. Les Grandes Plaines du Midwest sont aussi le domaine des grands fleuves, comme le Mississippi et le Missouri. Au nord-est – frontière naturelle avec le Canada – s'étend la région des Grands Lacs, le plus vaste complexe d'eau douce du monde. Les nombreuses industries qui se sont installées sur la côte sud du lac Michigan et du lac Érié (industrie sidérurgique, notamment) ont malheureusement engendré une forte pollution et défiguré bien des paysages... Le sud et l'ouest des Grands Lacs étaient jadis un océan de prairies sauvages où paissaient par millions des bisons et des cerfs. Autrefois domaine des Indiens (Sioux et Comanches notamment), ces territoires sont aujourd'hui le fief d'exploitations agricoles colossales qui en font le grenier de l'Amérique. Outre ses cultures de blé et de soja, ses élevages de porcs et de vaches laitières, l'Iowa fournit à lui seul la moitié de la production mondiale de maïs. Plus à l'ouest, dans le Kansas et le Dakota du Nord, des champs de blé s'étendent à perte de vue… Quant au Dakota du Sud, l'élevage n'est pas sa seule ressource : il est aussi le premier producteur d'or des États-Unis.

DAKOTA DU NORD
Population : 636 000 ∗ Capitale : Bismarck

DAKOTA DU SUD
Population : 782 000 ∗ Capitale : Pierre

ILLINOIS
Population : 12 832 000 ∗ Capitale : Springfield

INDIANA
Population : 6 314 000 ∗ Capitale : Indianapolis

IOWA
Population : 2 982 000 ∗ Capitale : Des Moines

KANSAS
Population : 2 764 000 ∗ Capitale : Topeka

MICHIGAN
Population : 10 096 000 ∗ Capitale : Lansing

MINNESOTA
Population : 5 167 000 ∗ Capitale : Saint Paul

MISSOURI
Population : 5 843 000 ∗ Capitale : Jefferson City

NEBRASKA
Population : 1 768 000 ∗ Capitale : Lincoln

OHIO
Population : 11 478 000 ∗ Capitale : Columbus

WISCONSIN
Population : 5 557 000 ∗ Capitale : Madison

CANADA

Pétrole

Canard colvert

Meules de foin

Randonnée

Minot

Grand Forks

Red

Betterave sucrière

MONTANA

DAKOTA DU NORD

Renard

Charbon

BISMARCK

Missouri

Industrie alimentaire

Blé

Fargo

Moorh

Pyg à bla

Élevage

Maïs

Cerf de Virginie

Chiens de prairie

James

Meules de foin

Or

DAKOTA DU SUD

PIERRE

Coiffe sioux

Rapid City

Industrie alimentaire

Sioux Falls

Élevage bovin

Mont Rushmore

GRANDES

Missouri

Sio City

Parc national des Badlands

Moulin à vent

PLAINES

Capture du bétail au lasso

WYOMING

NEBRASKA

Chimney Rock

Bison

Industrie alimentaire

Oma

North Platte

Platte

Grand Island

LINCOLN

Cou B

Maïs

Ranch de Buffalo Bill

Dindes

Pétrole

Moissonnage du blé

COLORADO

Tournesol

KANSAS

Salina

Élevage bovin

Blé

Arkansas

Wichita

Monument Rocks

Dodge City

Gaz naturel

Industrie aéronaut

OKLAHOMA

BISON
Avant l'arrivée des colons européens, les Grandes Plaines accueillaient quelque 25 millions de bisons. Les chasseurs en massacrèrent la plupart, de sorte qu'il n'en reste qu'environ 30 000.

COIFFE SIOUX
Les Sioux vivaient dans les Grandes Plaines du Midwest. Les coiffes imposantes comme celle-ci n'étaient portées que par les chefs.

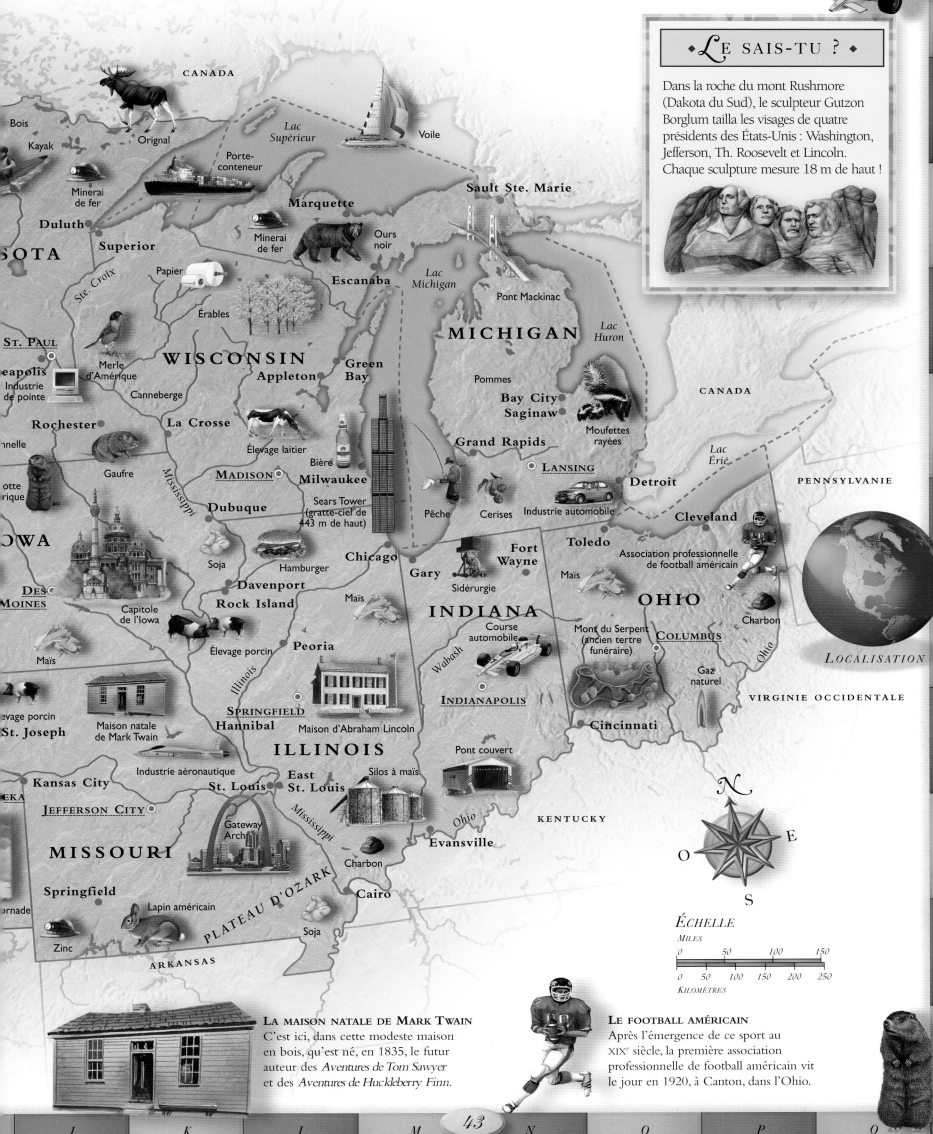

◆ LE SAIS-TU ? ◆

Dans la roche du mont Rushmore (Dakota du Sud), le sculpteur Gutzon Borglum tailla les visages de quatre présidents des États-Unis : Washington, Jefferson, Th. Roosevelt et Lincoln. Chaque sculpture mesure 18 m de haut !

Map labels:

CANADA — Bois — Orignal — Kayak — Minerai de fer — Duluth — Superior — Lac Supérieur — Porte-conteneur — Voile — Marquette — Minerai de fer — Ours noir — Sault Ste. Marie — Escanaba — Papier — Érables — Lac Michigan — Pont Mackinac — MICHIGAN — Lac Huron — SOTA — ...eapolis — Industrie de pointe — ST. PAUL — Merle d'Amérique — WISCONSIN — Appleton — Green Bay — Pommes — Bay City — Saginaw — Moufettes rayées — CANADA — Rochester — Canneberge — La Crosse — Grand Rapids — Lac Érié — ...nnelle — Gaufre — Élevage laitier — Bière — MADISON — Milwaukee — Sears Tower (gratte-ciel de 443 m de haut) — Pêche — Cerises — Industrie automobile — Detroit — PENNSYLVANIE — ...otte rique — Mississippi — Dubuque — Soja — Hamburger — Chicago — Gary — Sidérurgie — Fort Wayne — Toledo — Cleveland — Association professionnelle de football américain — OWA — DES MOINES — Capitole de l'Iowa — Davenport — Rock Island — Maïs — INDIANA — Course automobile — Mont du Serpent (ancien tertre funéraire) — Maïs — OHIO — Charbon — Maïs — Élevage porcin — Peoria — Wabash — COLUMBUS — Ohio — Gaz naturel — ...evage porcin — St. Joseph — Maison natale de Mark Twain — SPRINGFIELD — Hannibal — Maison d'Abraham Lincoln — INDIANAPOLIS — Cincinnati — ILLINOIS — Industrie aéronautique — East St. Louis — Pont couvert — Silos à maïs — VIRGINIE OCCIDENTALE — Kansas City — St. Louis — Illinois — Ohio — KENTUCKY — EKA — JEFFERSON CITY — Gateway Arch — Mississippi — MISSOURI — Springfield — Charbon — Evansville — ...ornade — Lapin américain — Cairo — PLATEAU D'OZARK — Soja — Zinc — ARKANSAS — LOCALISATION

LA MAISON NATALE DE MARK TWAIN
C'est ici, dans cette modeste maison en bois, qu'est né, en 1835, le futur auteur des *Aventures de Tom Sawyer* et des *Aventures de Huckleberry Finn*.

LE FOOTBALL AMÉRICAIN
Après l'émergence de ce sport au XIXe siècle, la première association professionnelle de football américain vit le jour en 1920, à Canton, dans l'Ohio.

ÉCHELLE
MILES
0   50   100   150
0   50   100   150   200   250
KILOMÈTRES

États-Unis : l'Ouest

LA MASSE FORMIDABLE DES ROCHEUSES dresse une barrière entre les Grandes Plaines du Midwest et l'Ouest américain. Entre les pics et les vallées de ce massif spectaculaire, les chèvres des Rocheuses bondissent dans les neiges et les élans hantent les abords des torrents. Il n'y a que peu d'agriculture ici, mais davantage d'élevage, sans oublier les ressources minières et énergétiques (houille, uranium...). Le plateau du Colorado est riche de paysages particulièrement saisissants, au premier rang desquels brille le fameux Grand Canyon. Les États de Washington, de l'Oregon et de l'Idaho sont regroupés sous l'appellation Pacific Northwest. Les contreforts des Rocheuses accueillent des forêts magnifiques (qui fournissent 40 % du bois des États-Unis). Le plus grand État du littoral et de toute la région est aussi le plus peuplé et le plus célèbre de tous : la Californie. La majeure partie de sa population se concentre dans les deux grandes villes côtières que sont San Francisco et Los Angeles. Très loin au large, à plus de 3 000 km de la côte californienne, s'étend Hawaii, l'État le plus occidental. Cet archipel volcanique compte 132 îles ; la plus grande, Hawaii, abrite deux volcans qui dépassent 4 000 m d'altitude, dont le Mauna Loa, qui est le plus grand volcan en activité du monde.

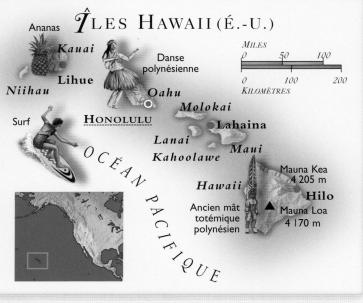

ÎLES HAWAII (É.-U.)

Ananas · Kauai · Danse polynésienne
Niihau · Lihue · Oahu
Surf · Honolulu · Molokai · Lahaina
Lanai · Maui · Kahoolawe
Hawaii
Mauna Kea 4 205 m
Ancien mât totémique polynésien
Hilo · Mauna Loa 4 170 m
OCÉAN PACIFIQUE

MILES 0 50 100
0 100 200 KILOMÈTRES

CANADA
Industrie aéronautique
Gratte-ciel Space Needle
Tacoma · Seattle · Spokane
OLYMPIA
Mt Rainier 4 392 m
WASHINGTON
Mission de Cœur d'Alène
Miss...
Escalade
Pommes
Élevage bovin
Bois
Columbia
Menthe
SALEM · Portland
Bois · Élevage bovin
Rose
Eugene
OREGON
Snake
Canyon de la Snake River
IDA...
BOISE
Silve... (ville d...)
Salamandre du Pacifique
Antilocapre
Lac du Cratère
Twin Fa...
Colin de Californie
Winnemucca
Or
Lièvre américain
Humboldt
Eureka · Séquoia
Sacramento
Ski
SIERRA NEVADA
Reno
NEVADA
Vin
CARSON CITY
Lac Tahoe
TransAmerica Pyramid
SACRAMENTO
Oakland
Puma
San Francisco
Industrie de pointe
Pin
GRAND BASSIN
Casino
Pont du Golden Gate
Oranges
Fresno
Mt Whitney 4 418 m
VALLÉE DE LA MORT
Las Veg...
CHAÎNES CÔTIÈRES
Général Sherman (séquoia géant)
Serpent à sonnettes
Lac Mead...
Rollerblade
CALIFORNIE
OCÉAN PACIFIQUE
Santa Barbara
Disneyland
Tortue du déser...
Los Angeles
HOLLYWOOD
Panneau Hollywood
San Diego
MEXIQUE

ARIZONA POPULATION : 6 166 000 ∗ CAPITALE : PHOENIX	**NEVADA** POPULATION : 2 496 000 ∗ CAPITALE : CARSON CITY
CALIFORNIE POPULATION : 36 458 000 ∗ CAPITALE : SACRAMENTO	**NOUVEAU-MEXIQUE** POPULATION : 1 956 000 ∗ CAPITALE : SANTA FE
COLORADO POPULATION : 4 753 000 ∗ CAPITALE : DENVER	**OREGON** POPULATION : 3 701 900 ∗ CAPITALE : SALEM
HAWAII POPULATION : 1 285 000 ∗ CAPITALE : HONOLULU	**UTAH** POPULATION : 2 550 000 ∗ CAPITALE : SALT LAKE CITY
IDAHO POPULATION : 1 466 000 ∗ CAPITALE : BOISE	**WASHINGTON** POPULATION : 6 396 000 ∗ CAPITALE : OLYMPIA
MONTANA POPULATION : 945 000 ∗ CAPITALE : HELENA	**WYOMING** POPULATION : 515 000 ∗ CAPITALE : CHEYENNE

GÉNÉRAL SHERMAN
Ce séquoia géant est l'arbre le plu... colossal du monde. Aussi grand qu'un immeuble de 23 étages, il est âgé d'au moins 2 300 ans.

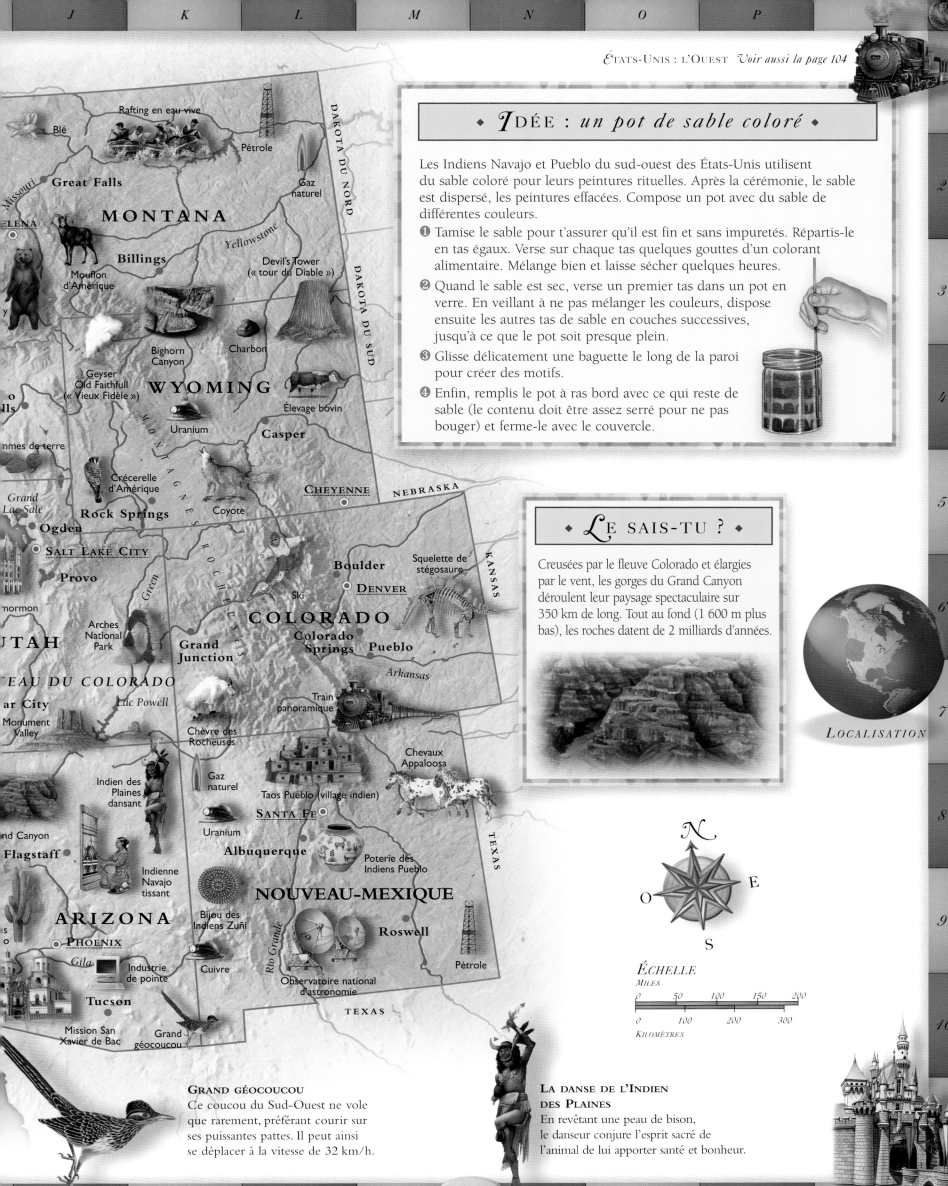

Top grid letters: J K L M N O P

◆ IDÉE : *un pot de sable coloré* ◆

Les Indiens Navajo et Pueblo du sud-ouest des États-Unis utilisent du sable coloré pour leurs peintures rituelles. Après la cérémonie, le sable est dispersé, les peintures effacées. Compose un pot avec du sable de différentes couleurs.

❶ Tamise le sable pour t'assurer qu'il est fin et sans impuretés. Répartis-le en tas égaux. Verse sur chaque tas quelques gouttes d'un colorant alimentaire. Mélange bien et laisse sécher quelques heures.

❷ Quand le sable est sec, verse un premier tas dans un pot en verre. En veillant à ne pas mélanger les couleurs, dispose ensuite les autres tas de sable en couches successives, jusqu'à ce que le pot soit presque plein.

❸ Glisse délicatement une baguette le long de la paroi pour créer des motifs.

❹ Enfin, remplis le pot à ras bord avec ce qui reste de sable (le contenu doit être assez serré pour ne pas bouger) et ferme-le avec le couvercle.

◆ LE SAIS-TU ? ◆

Creusées par le fleuve Colorado et élargies par le vent, les gorges du Grand Canyon déroulent leur paysage spectaculaire sur 350 km de long. Tout au fond (1 600 m plus bas), les roches datent de 2 milliards d'années.

LOCALISATION

Carte / map labels :

DAKOTA DU NORD
DAKOTA DU SUD
Missouri
Rafting en eau vive
Blé
Pétrole
Gaz naturel
Great Falls
HELENA
MONTANA
Mouflon d'Amérique
Billings
Yellowstone
Devil's Tower (« tour du Diable »)
Bighorn Canyon
Charbon
Geyser Old Faithfull (« Vieux Fidèle »)
WYOMING
Uranium
Élevage bovin
Casper
Crécerelle d'Amérique
Grand Lac Salé
CHEYENNE
NEBRASKA
Rock Springs
Coyote
Ogden
SALT LAKE CITY
MONTAGNES ROCHEUSES
Provo
Green
Boulder
Squelette de stégosaure
Ski
DENVER
KANSAS
UTAH
Arches National Park
COLORADO
Colorado Springs
Pueblo
Grand Junction
PLATEAU DU COLORADO
Arkansas
Lac Powell
Cedar City
Train panoramique
Monument Valley
Chèvre des Rocheuses
Chevaux Appaloosa
Indien des Plaines dansant
Gaz naturel
Taos Pueblo (village indien)
Santa Fe
Uranium
Poterie des Indiens Pueblo
Indienne Navajo tissant
Albuquerque
TEXAS
Grand Canyon
Flagstaff
NOUVEAU-MEXIQUE
Bijou des Indiens Zuñi
ARIZONA
Roswell
PHOENIX
Gila
Industrie de pointe
Cuivre
Rio Grande
Observatoire national d'astronomie
Pétrole
Tucson
TEXAS
Mission San Xavier de Bac
Grand géocoucou

N
O E
S

ÉCHELLE
MILES
0 50 100 150 200
0 100 200 300
KILOMÈTRES

GRAND GÉOCOUCOU
Ce coucou du Sud-Ouest ne vole que rarement, préférant courir sur ses puissantes pattes. Il peut ainsi se déplacer à la vitesse de 32 km/h.

LA DANSE DE L'INDIEN DES PLAINES
En revêtant une peau de bison, le danseur conjure l'esprit sacré de l'animal de lui apporter santé et bonheur.

Mexique, Amérique centrale et Antilles

Le Mexique et l'Amérique centrale forment un pont entre les États-Unis et l'Amérique du Sud. À son point le plus étroit, cette bande de terre ne compte que 80 km de large. C'est précisément ici qu'a été percé le canal de Panamá, qui relie les océans Atlantique et Pacifique. À lui seul, le Mexique est deux fois plus grand que ses sept voisins d'Amérique centrale réunis. Il est dominé par un vaste plateau aride : seulement 18 % du pays est cultivable. Mais les plaines étroites de la côte est, chaudes et humides, recèlent de larges réserves de pétrole. Les trois quarts des Mexicains vivent dans les villes et Mexico, la capitale, est l'une des cités les plus étendues et les plus

peuplées du monde. Le relief de l'Amérique centrale est principalement montagneux, et une bonne part du territoire est couverte de forêts tropicales, où vivent des perroquets chatoyants et des singes bavards. Bien qu'une petite partie seulement de l'Amérique centrale soit cultivable, près de la moitié des habitants vivent en zone rurale et beaucoup tirent leur subsistance de minuscules lopins de terre. À l'est s'étendent les Antilles, bordées de plages de sable fin, qui sont parmi les endroits les plus densément peuplés de la planète. Pendant des siècles, le Mexique, l'Amérique centrale et les Antilles ont été gouvernés par l'Espagne et, aujourd'hui, l'espagnol reste leur langue principale. Les habitants de la région sont les descendants des colons venus d'Europe, des natifs amérindiens et des Africains déracinés au temps de l'esclavage.

ANTIGUA-ET-BARBUDA
Population : 69 481 * Capitale : St. John's

ÎLES BAHAMAS
Population : 305 655 * Capitale : Nassau

BARBADE
Population : 280 946 * Capitale : Bridgetown

BELIZE
Population : 294 385 * Capitale : Belmopan

COSTA RICA
Population : 4 133 884 * Capitale : San José

CUBA
Population : 11 394 043 * Capitale : La Havane

DOMINIQUE
Population : 72 386 * Capitale : Roseau

GRENADE
Population : 89 971 * Capitale : St. George's

GUATEMALA
Population : 12 728 111 * Capitale : Guatemala

HAÏTI
Population : 8 706 497 * Capitale : Port-au-Prince

HONDURAS
Population : 7 483 763 * Capitale : Tegucigalpa

JAMAÏQUE
Population : 2 780 132 * Capitale : Kingston

MEXIQUE
Population : 108 700 891 * Capitale : Mexico

NICARAGUA
Population : 5 675 356 * Capitale : Managua

PANAMÁ
Population : 3 242 173 * Capitale : Panamá

RÉPUBLIQUE DOMINICAINE
Population : 9 365 818 * Capitale : Saint-Domingue

SAINT-KITTS-ET-NEVIS
Population : 39 349 * Capitale : Basseterre

SAINT-VINCENT-ET-LES GRENADINES
Population : 118 149 * Capitale : Kingstown

SAINTE-LUCIE
Population : 170 149 * Capitale : Castries

SALVADOR
Population : 6 943 073 * Capitale : San Salvador

TRINITÉ-ET-TOBAGO
Population : 1 056 608 * Capitale : Port of Spain

SOURIS À SAUTERELLES
Cette souris est friande de sauterelles, d'où son nom. On l'appelle aussi souris chantante, car elle pousse un cri pour avertir les autres souris de ne pas s'approcher de son territoire.

◆ LE SAIS-TU ? ◆

Le cactus saguaro ne pousse que dans les déserts du nord-ouest du Mexique et du sud-ouest des États-Unis… avec une lenteur rare : il lui faut 25 ans pour atteindre 30 cm ! Mais il peut vivre 200 ans et devenir aussi haut qu'une tour de quatre étages. Comme les autres cactus, il survit grâce à l'eau contenue dans sa tige. Un grand saguaro renferme assez d'eau pour remplir 100 baignoires !

◆ IDÉE : *fabriquer une* piñata *mexicaine* ◆

La *piñata* est un pot surprise en papier mâché, en forme d'étoile ou d'animal, rempli de friandises et de jouets. Au Mexique, comme dans toute l'Amérique centrale, pas de fête populaire sans *piñatas* ! Les enfants les suspendent au plafond ou à une branche d'arbre et essaient de les casser pour libérer leur trésor. Voici comment fabriquer ta propre *piñata*.

❶ Gonfle un ballon et recouvre-le de bandes de papier journal trempées dans de la colle ou dans un mélange d'eau et de farine. Laisse sécher, puis renouvelle deux fois l'opération.

❷ Quand le papier a fini de sécher, découpe une ouverture sur le dessus et remplis ta boule de bonbons. Referme-la avec du papier mâché.

❸ Fabrique des branches d'étoile en carton comme ci-dessous. Fixe-les sur la boule à l'aide de ruban adhésif. Décore ton étoile avec de la peinture et des papiers de couleur.

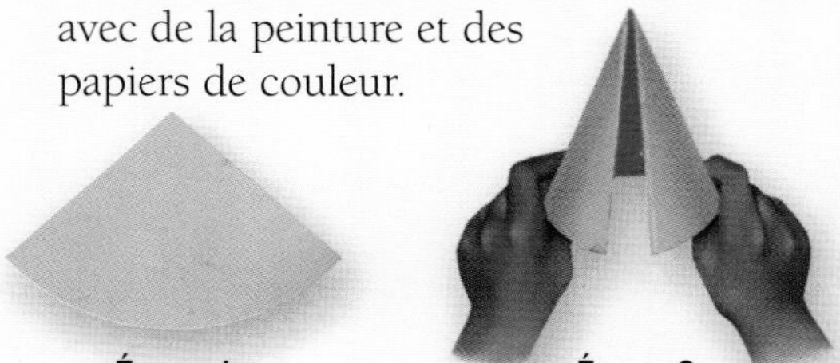

Étape 1   **Étape 2**

❹ Perce deux petits trous rapprochés sur le dessus de la *piñata* ; passes-y une ficelle. Suspends ta *piñata* et essaie avec tes amis de la casser avec un bâton.

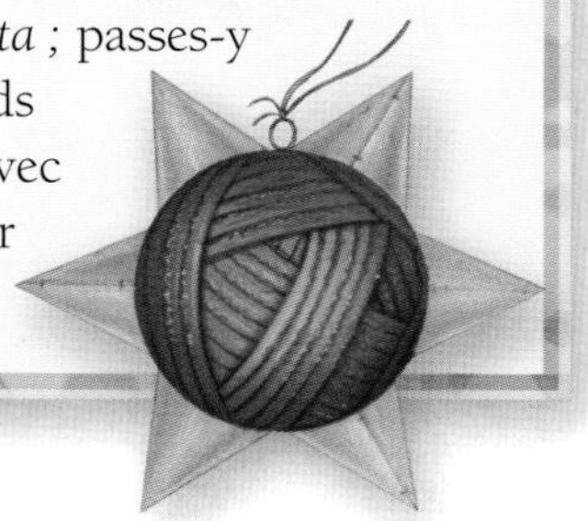

OCÉAN ATLANTIQUE

Demoiselles royales

Tourisme

ÎLES BAHAMAS

★ NASSAU

ÎLES TURKS ET CAÏQUES (R.-U.)

Plongée sous-marine

ANGUILLA (R.-U.)

ÎLES VIERGES (É.-U./R.-U.)

ANTIGUA-ET-BARBUDA

Danseurs traditionnels

LA HAVANE ☆

Cigares

CUBA

Ⓓ Crocodile de Cuba

Palmier

SAN JUAN

PORTO RICO (É.-U.)

SAINT-KITTS-ET-NEVIS

GUADELOUPE (FRANCE)

SAINT-DOMINGUE ☆

MONTSERRAT (R.-U.)

Tourisme

DOMINIQUE

Bananes

PORT-AU-PRINCE ☆

RÉPUBLIQUE DOMINICAINE

Fort-de-France

MARTINIQUE (FRANCE)

Cricket

HAÏTI

SAINTE-LUCIE

BARBADE

ÎLES CAÏMANS (R.-U.)

★ KINGSTON

ST-VINCENT-ET-LES GRENADINES

Canne à sucre

JAMAÏQUE

Voile

GRENADE

Steel-band

Barque de pêche

Mer des Antilles

ARUBA (PAYS-BAS)

ANTILLES NÉERLANDAISES (PAYS-BAS)

PORT OF SPAIN

TRINITÉ-ET-TOBAGO

HONDURAS

Bateau de pêche

...UCIGALPA

Café

VENEZUELA

NICARAGUA

Élevage bovin

Indienne Cuna

COLOMBIE

...GUA

Canal de Panamá

...anes

SAN JOSÉ

PANAMÁ ☆

Café

PANAMÁ

COSTA RICA

Canne à sucre

Singe hurleur

LE TEMPLE DES MASQUES, À TIKAL
Tikal fut jadis la plus grande cité maya du Guatemala. Mystérieusement abandonnée vers l'an 900, elle est aujourd'hui envahie par la forêt vierge.

LOCALISATION

N O E S

ÉCHELLE
MILES
0   100   200   300

0   100   200   300   400   500
KILOMÈTRES

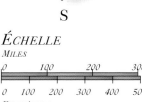

Amérique du Sud

De ses plages tropicales du Nord aux fjords et aux glaciers de sa côte sud, l'Amérique du Sud se déploie sur 7 240 km et se termine par le cap Horn, à 1 000 km de l'Antarctique. Le relief andin court tout au long de la côte occidentale, formant ainsi la plus longue chaîne montagneuse du globe. Au nord, l'Amazone (le deuxième plus long fleuve du monde) serpente des Andes à l'océan Atlantique, à travers la plus grande forêt tropicale de la planète, qui couvrait il y a peu un bon tiers de l'Amérique du Sud. Plus bas, la forêt vierge cède la place aux vastes prairies du Gran Chaco et à l'immensité de la Pampa. La pointe sud est un plateau aride et venteux : la Patagonie. Les Sud-Américains comprennent des Amérindiens et des populations d'origine européenne ou africaine. L'espagnol est la langue la plus parlée, sauf au Brésil, où le portugais s'est imposé.

Principaux sommets et fleuves

Aconcagua, Argentine
6 960 m

Ojos del Salado,
Argentine-Chili
6 908 m

Bonete, Argentine
6 872 m

Huascarán, Pérou
6 768 m

Mont Illimani, Bolivie
6 462 m

Chimborazo, Équateur
6 310 m

Amazone 6 450 km
Paraná-Río de la Plata 4 500 km
Purus 3 350 km
São Francisco 2 900 km
Paraná 2 800 km
Orénoque 2 500 km

Carte politique

VENEZUELA
GUYANA
COLOMBIE
SURINAM
GUYANE FRANÇAISE
ÎLES GALÁPAGOS
(ÉQUATEUR)
ÉQUATEUR
BRÉSIL
PÉROU
BOLIVIE
ÎLES MARTIM VAZ
(BRÉSIL)
PARAGUAY
ÎLE DE PÂQUES
(CHILI)
CHILI
ÎLES JUAN
FERNÁNDEZ
(CHILI)
URUGUAY
ARGENTINE
ÎLES FALKLAND
(R.-U.)
GÉORGIE DU SUD
(R.-U.)

Le continent

Superficie : 17 818 505 km²
Population : 371 814 440 habitants
États indépendants : Argentine, Bolivie, Brésil, Chili, Colombie, Équateur, Guyana, Paraguay, Pérou, Surinam, Uruguay, Venezuela

Records du monde

Plus longue chaîne montagneuse
La cordillère des Andes, côte occidentale de l'Amérique du Sud : 7 600 km

Région la plus sèche
Le désert d'Atacama, nord du Chili : moins de 0,1 mm de pluies par an

Plus haute cascade
Le Salto del Angel, Venezuela : 979 m de hauteur (dont 800 m en chute libre)

Capitale la plus haute
La Paz, Bolivie : 3 631 m d'altitude

Plus haut lac navigable
Le lac Titicaca, Pérou-Bolivie : 3 810 m d'altitude

Fleuve au plus fort débit
L'Amazone, Pérou-Brésil : 200 000 m³ d'eau par seconde à l'embouchure de l'Atlantique

Plus grand bassin fluvial
Le bassin de l'Amazone, nord de l'Amérique du Sud : 7 045 000 km²

Plus grande lagune
La lagune dos Patos, Brésil : 9 850 km²

Records du continent

Plus haut sommet
L'Aconcagua, Argentine : 6 960 m

Point le plus bas
La péninsule Valdés, Argentine : 40 m en dessous du niveau de la mer

Plus grand lac
Le lac Titicaca, Pérou-Bolivie : 8 288 km²

Plus long fleuve
L'Amazone, Pérou-Brésil : 6 450 km

État le plus vaste
Le Brésil : 8 511 965 km²

État le plus peuplé
Le Brésil : 190 010 674 habitants

Agglomération la plus peuplée
São Paulo, Brésil : 11 016 703 habitants

◆ Le sais-tu ? ◆

Le désert d'Atacama, dans le nord du Chili, est le lieu le plus sec du monde. Il y pleut une ou deux fois par siècle, et certains endroits n'ont jamais vu une goutte de pluie !

CARTE PHYSIQUE

AMÉRIQUE DU NORD

Mer des Antilles

OCÉAN ATLANTIQUE

AFRIQUE

Tropique du Cancer

Lac de Maracaibo

Orénoque

LLANOS

MASSIF DES GUYANES

Golfe de Panamá

Rio Negro

Rio Blanco

Bouches de l'Amazone

ÎLES GALÁPAGOS

Chimborazo 6310 m ▲

Marañón

Amazone

BASSIN DE L'AMAZONE

Tapajós

Xingu

Équateur

Golfe de Guayaquil

SELVA

Purus

Madeira

Tocantins

São Francisco

Huascarán 6768 m ▲

PLATEAU DU MATO GROSSO

PLATEAU DU BRÉSIL

Lac Titicaca

Mt Illimani 6462 m ▲

Lac de Poopó

GRAN CHACO

Paraguay

Paraná

SERRA DO MAR

OCÉAN PACIFIQUE

Tropique du Capricorne

DÉSERT D'ATACAMA

Ojos del Salado 6908 m ▲

Bonete 6872 m ▲

Uruguay

Lagune dos Patos

Île de Pâques

Aconcagua 6960 m ▲

A N D E S

Colorado

PAMPA

Rio de la Plata

Baie de Blanca

Golfe San Matias

PÉNINSULE VALDÉS

PATAGONIE

Golfe de San Jorge

ÎLES FALKLAND

Terre de Feu

Géorgie du Sud

CAP HORN

Détroit de Drake

Cercle polaire antarctique

ANTARCTIQUE

$\mathcal{A}$mérique du Sud : le Nord

LA MAJEURE PARTIE DU NORD DE L'AMÉRIQUE DU SUD est sillonnée par le deuxième plus long fleuve au monde, l'Amazone, et ses 200 affluents. Ces voies d'eau s'acheminent à travers la végétation luxuriante de la forêt tropicale humide, qui abrite près du tiers des espèces de plantes et d'animaux existant sur la Terre ; malheureusement, avec la déforestation, plus d'un cinquième de sa surface – l'équivalent de la France – a déjà disparu au cours des vingt dernières années. Plus d'un quart de cette forêt se trouve au Brésil, le plus grand pays d'Amérique du Sud. Il dispose de ressources abondantes, comme le minerai de fer, le pétrole et l'or. C'est aussi le pays le plus industrialisé du continent et le premier producteur mondial de café, de bananes et de canne à sucre. Au nord-ouest du Brésil s'étend le Venezuela, un pays au climat tropical, qui est le premier producteur de pétrole d'Amérique du Sud. Partant du Venezuela, la cordillère des Andes s'arque vers le sud et traverse la Colombie, l'Équateur et le Pérou. Au nord, le climat est humide et de larges plantations de café et de bananes couvrent les versants. Plus au sud, les cultures ne sont possibles que grâce à une irrigation alimentée par les torrents de montagne. Sur les hauteurs du Pérou, les fermiers cultivent la pomme de terre et le blé, élèvent des lamas et des alpagas. À 1 000 km au large de l'Équateur se trouvent les îles Galápagos, connues pour leur faune extraordinaire.

BRÉSIL
POPULATION : 190 010 674 ∗ CAPITALE : BRASÍLIA

COLOMBIE
POPULATION : 44 379 598 ∗ CAPITALE : BOGOTÁ

ÉQUATEUR
POPULATION : 13 755 680 ∗ CAPITALE : QUITO

GUYANA
POPULATION : 769 095 ∗ CAPITALE : GEORGETOWN

PÉROU
POPULATION : 28 674 757 ∗ CAPITALE : LIMA

SURINAM
POPULATION : 470 784 ∗ CAPITALE : PARAMARIBO

VENEZUELA
POPULATION : 26 023 528 ∗ CAPITALE : CARACAS

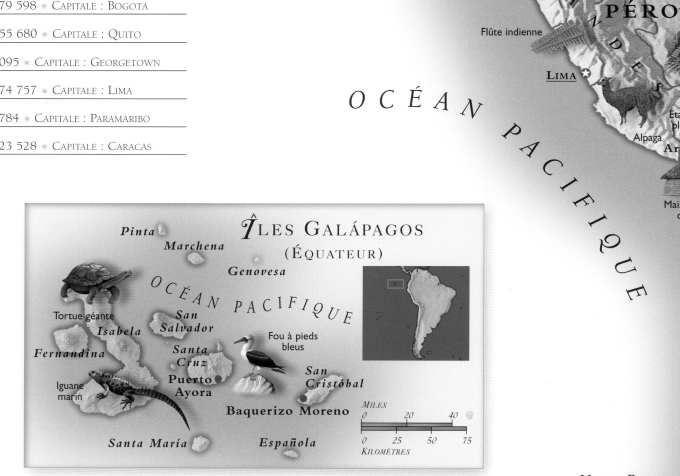

DENDROBATE-FRAISE
La peau écarlate de cette minuscule grenouille contient un venin que les Indiens utilisent pour empoisonner leurs flèches.

MACHU PICCHU
Cette cité juchée au sommet d'une montagne péruvienne fut construite par les Incas, un peuple précolombien qui connut son apogée au XVᵉ siècle.

TRINITÉ-ET-TOBAGO

OCÉAN ATLANTIQUE

Cacao

Ciudad Bolívar
Salto del Angel

Georgetown

Coq de roche

PARAMARIBO

Cuisine au manioc

Fusée Ariane (centre spatial français)

Cayenne

GUYANE FRANÇAISE

SURINAM

GUYANA

Tapirs

Colibri

Caïman noir

Bouches de l'Amazone

Crevette

Tortue verte

LE SAIS-TU ?

La faune du bassin de l'Amazone est la plus riche de la planète. Au moins 1 000 espèces d'oiseaux vivent dans la forêt tropicale, et plus de 3 000 espèces de poissons peuplent les rivières... Un seul arbre peut abriter quelque 400 animaux !

Opéra de Manaus

Piranha

Amazone

Paquebot

Belém

São Luís

Renard de mer

Negro

Manaus

Fortaleza

Bananes

Bateau de pêche

Déforestation

Dauphin de l'Amazone

Amazone et forêt tropicale humide

Noix du Brésil

Toucan

Coton

ZONE

Madeira

Tapajós

Xingu

Minerai de fer

Conga

Récolte de canne à sucre

Recife

Paresseux

Indien Kayapó

Or

Élevage bovin

Homard

Chasseurs txukahamai portant un anaconda

BRÉSIL

Topazes

Pétrole

Tourisme

Guaporé

Étain

Tatou géant

PLATEAU DU MATO GROSSO

PLATEAU DU BRÉSIL

São Francisco

Salvador

BOLIVIE

Diamants

BRASÍLIA

Basilique Nosso Senhor do Bomfin

LOCALISATION

Gallinule poule-d'eau

Cathédrale de Brasília

Cacao

Football

Oranges

Élevage bovin

Carnaval de Rio

Statue du Christ

Belo Horizonte

Café

Rio de Janeiro

N

Industrie automobile

São Paulo

Le Pain de sucre

O   E

S

PARAGUAY

Paraná

Crevette

ÉCHELLE

MILES

0   100   200   300   400

Chutes d'Iguaçu

0 100 200 300 400 500 600

KILOMÈTRES

ARGENTINE

Uruguay

Soja

Porto Alegre

INDIEN KAYAPÓ
La tribu des Kayapó, établie dans le nord-est du Brésil, est réputée pour ses coiffures très élaborées, à base de plumes d'ara.

Élevage ovin

Lagune dos Patos

URUGUAY

Amérique du Sud : le Sud

Le sud de l'Amérique du Sud a la forme d'un long cône se terminant en pointe à la Terre de Feu. Les Andes couvrent la partie occidentale de la région, séparant le Chili de ses voisins. Vingt fois plus long que large, le Chili connaît des climats et des paysages variés. Très peu peuplé, le sud de ce pays est pluvieux et froid avec des fjords sur la côte et des glaciers sur les hauteurs. Dans le Centre, les étés sont chauds et les hivers doux ; les terres sont consacrées à l'agriculture et à l'élevage. Très aride, le Nord accueille le désert d'Atacama, la région la plus sèche du globe. La Bolivie est l'un des pays les plus pauvres d'Amérique latine, sans débouché sur la mer, comme le Paraguay. De vastes prairies s'étendent du sud-est de la Bolivie au Paraguay, à l'Uruguay et jusqu'au nord de l'Argentine. Plus au sud, à l'est de la grande muraille des Andes, la pampa argentine est le domaine de ranchs immenses où travaillent les gauchos (gardiens de troupeau). Deuxième plus grand pays d'Amérique du Sud, l'Argentine compte 80 millions de bovins et d'ovins ; la production de viande de bœuf reste très importante pour l'économie du pays. La capitale, Buenos Aires, rassemble près du tiers des Argentins. La région aride et venteuse de la Patagonie est peu peuplée, mais elle est riche en ressources naturelles. Tout au sud, la Terre de Feu marque la fin du continent sud-américain.

Cet archipel montagneux humide et très peu peuplé se partage entre le Chili et l'Argentine. Les eaux qui l'entourent sont souvent démontées : de nombreux naufrages s'y sont produits.

ARGENTINE
Population : 40 301 927 * Capitale : Buenos Aires

BOLIVIE
Population : 9 119 152 * Capitales : La Paz, Sucre

CHILI
Population : 16 284 741 * Capitale : Santiago

PARAGUAY
Population : 6 669 086 * Capitale : Asunción

URUGUAY
Population : 3 460 607 * Capitale : Montevideo

❖ Idée : *sculpter un moai* ❖

L'île de Pâques est célèbre pour ses mystérieuses statues de pierre (*moai*) dont certaines mesurent près de 10 m de haut ! Ceux qui les ont taillées voulaient sans doute honorer leurs ancêtres. Voici comment sculpter ton *moai*.

1. Prépare un mélange à parts égales de plâtre et de vermiculite (disponibles en quincaillerie). Remue en ajoutant assez d'eau pour obtenir une pâte épaisse. Verse-la dans une boîte à chaussures.

2. Quand la pâte a durci, détaches-en le carton. Sculpte ton *moai* à l'aide d'un couteau.

3. Tu peux aussi tailler ta statuette dans un bloc de pâte à modeler ou de plâtre de moulage.

Le lama
Animal domestique courant en Amérique du Sud, le lama appartient à la famille des camélidés, comme le chameau. On l'élève pour sa laine et pour porter des chargements dans la cordillère des Andes.

Hydroélectricité

Tramway

PARAGUAY

Palais présidentiel

ASUNCIÓN

Paraguay

Pilcomayo

Coton

Élevage bovin

Polo

Corrientes

GRAN CHACO

Canne à sucre

Pécari du Chaco

Gaz naturel

Maïs

Loup à crinière

San Miguel de Tucumán

Río Sala

A N D E S

Nandou d'Amérique

BRÉSIL

Pétrole

Costume bolivien

Santa Cruz

SUCRE

Étain

Puya raimondi

Musiciens de village

Argent

Lamas

Condor des Andes

Ojos del Salado 6 908 m

Bonete

DÉSERT D'ATACAMA

Cuivre

Copiapó

Antofagasta

Iquique

BOLIVIE

Motmot

BRÉSIL

Guaporé

Bois

Trinidad

Mamoré

Cochabamba

Lac de Poopó

LA PAZ

Mt Illimani 6 462 m

Grand fourmilier (ou tamanoir)

Ours à lunettes

Zinc

Or

PÉROU

Lac Titicaca

Arica

52

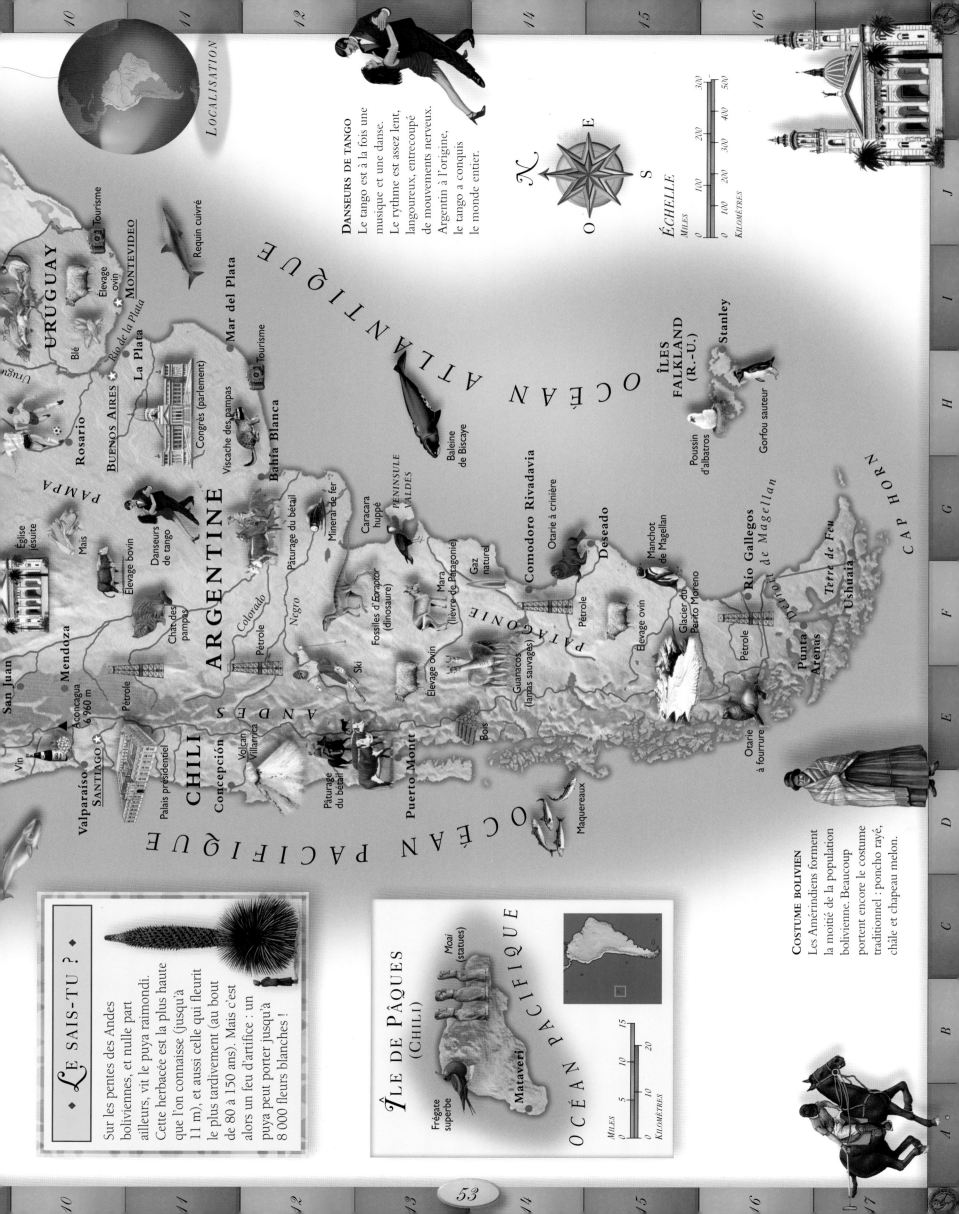

LOCALISATION

DANSEURS DE TANGO
Le tango est à la fois une musique et une danse. Le rythme est assez lent, langoureux, entrecoupé de mouvements nerveux. Argentin à l'origine, le tango a conquis le monde entier.

N E O S

ÉCHELLE
MILES
0   100   200   300
KILOMÈTRES
0   100   200   300   400   500

COSTUME BOLIVIEN
Les Amérindiens forment la moitié de la population bolivienne. Beaucoup portent encore le costume traditionnel : poncho rayé, châle et chapeau melon.

LE SAIS-TU ?
Sur les pentes des Andes boliviennes, et nulle part ailleurs, vit le puya raimondi. Cette herbacée est la plus haute que l'on connaisse (jusqu'à 11 m), et aussi celle qui fleurit le plus tardivement (au bout de 80 à 150 ans). Mais c'est alors un feu d'artifice : un puya peut porter jusqu'à 8 000 fleurs blanches !

ÎLE DE PÂQUES (CHILI)
Moai (statues)
Frégate superbe
Mataveri
OCÉAN PACIFIQUE
MILES
0   5   10   15
KILOMÈTRES
0   10   20

Map labels

OCÉAN ATLANTIQUE
OCÉAN PACIFIQUE

URUGUAY
Uruguay
Blé
Élevage ovin
Tourisme
MONTEVIDEO
Requin cuivré
Río de la Plata
La Plata
Rosario
BUENOS AIRES
Congrès (parlement)
Viscache des pampas
Mar del Plata
Tourisme
Bahía Blanca

ARGENTINE
PAMPA
Église jésuite
Maïs
Élevage bovin
Danseurs de tango
Chat des pampas
Pétrole
Colorado
Negro
Pâturage du bétail
Minerai de fer
Caracara huppé
PÉNINSULE VALDÉS
Baleine de Biscaye
Mara (lièvre de Patagonie)
Fossiles d'Eoraptor (dinosaure)
Gaz naturel
Élevage ovin
Ski
Bois
Guanacos (lamas sauvages)
PATAGONIE
Comodoro Rivadavia
Otarie à crinière
Deseado
Pétrole
Manchot de Magellan
Élevage ovin
Glacier du Perito Moreno
Río Gallegos
Otarie à fourrure
Pétrole
Détroit de Magellan
Terre de Feu
Ushuaïa
Punta Arenas
CAP HORN

CHILI
ANDES
Vin
San Juan
Mendoza
Aconcagua 6 960 m
Pétrole
Valparaíso
SANTIAGO
Palais présidentiel
Concepción
Volcan Villarrica
Pâturage du bétail
Puerto Montt
Maquereaux

ÎLES FALKLAND (R.-U.)
Stanley
Blé
Poussin d'albatros
Gorfou sauteur

Europe

PROLONGEMENT OCCIDENTAL DE L'ASIE, le continent européen est petit mais densément peuplé et morcelé en de nombreux États à l'identité culturelle marquée. Délimité au nord et à l'ouest par les océans Arctique et Atlantique, au sud par la Méditerranée, il est séparé de l'Asie par les monts Oural. Parcouru d'arcs montagneux élevés orientés est-ouest (Pyrénées, Alpes, Carpates), le sud du continent présente un relief vigoureux et compartimenté, aux étés chauds et secs, aux hivers doux et humides. Quant au Nord, il est occupé par une plaine qui s'étend de l'Atlantique à l'Oural. À proximité des côtes, le climat est doux et humide, mais devient plus rude et contrasté à l'intérieur du continent. Jadis presque entièrement recouverte par des forêts, l'Europe a été défrichée par l'homme pour construire des villes, des industries, des voies de communication et pour cultiver le sol.

PRINCIPAUX SOMMETS ET FLEUVES

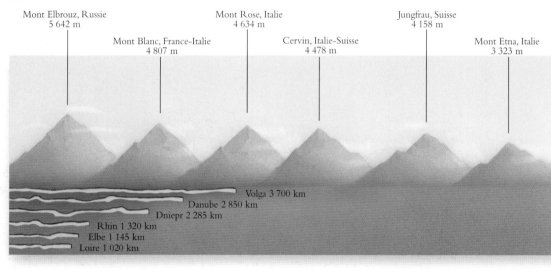

Mont Elbrouz, Russie
5 642 m

Mont Blanc, France-Italie
4 807 m

Mont Rose, Italie
4 634 m

Cervin, Italie-Suisse
4 478 m

Jungfrau, Suisse
4 158 m

Mont Etna, Italie
3 323 m

Volga 3 700 km
Danube 2 850 km
Dniepr 2 285 km
Rhin 1 320 km
Elbe 1 145 km
Loire 1 020 km

LE CONTINENT

Superficie : 10 354 636 km²
(Russie d'Europe incluse)
Population : 709 608 850 habitants
(Russie d'Europe incluse)
États indépendants : Albanie, Allemagne, Andorre, Autriche, Belgique, Biélorussie, Bosnie-Herzégovine, Bulgarie, Croatie, Danemark, Espagne, Estonie, Finlande, France, Grèce, Hongrie, Irlande, Islande, Italie, Lettonie, Liechtenstein, Lituanie, Luxembourg, Macédoine, Malte, Moldavie, Monaco, Monténégro, Norvège, Pays-Bas, Pologne, Portugal, République tchèque, Roumanie, Royaume-Uni, Russie, Saint-Marin, Serbie, Slovaquie, Slovénie, Suède, Suisse, Vatican

RECORDS DU MONDE

PLUS PETIT ÉTAT
LA CITÉ DU VATICAN : 0,44 KM²

PLUS GRANDE STALAGMITE
GROTTE DE KRÁSNOHORSKÁ, SLOVAQUIE : 32 M

RECORDS DU CONTINENT

PLUS HAUT SOMMET
LE MONT ELBROUZ, RUSSIE : 5 642 M

POINT LE PLUS BAS
LE DELTA DE LA VOLGA : 28 M EN DESSOUS DU NIVEAU DE LA MER

PLUS GRAND LAC
LE LAC LADOGA, RUSSIE : 17 703 KM²

PLUS LONG FLEUVE
LA VOLGA, RUSSIE : 3 700 KM

ÉTAT LE PLUS VASTE
LA RUSSIE D'EUROPE : 603 701 KM²

ÉTAT LE PLUS PEUPLÉ
LA RUSSIE D'EUROPE : 106 037 143 HABITANTS

AGGLOMÉRATION LA PLUS PEUPLÉE
PARIS, FRANCE : 12 067 000 HABITANTS

CARTE POLITIQUE

ISLANDE

ÎLES FÉROÉ
(DANEMARK)

SUÈDE

FINLANDE

NORVÈGE

ESTONIE

ROYAUME-UNI

DANEMARK

LETTONIE

KALININGRAD
(RUSSIE)

LITUANIE

RUSSIE

IRLANDE

PAYS-BAS

BIÉLORUSSIE

ALLEMAGNE

POLOGNE

BELGIQUE

LUXEMBOURG

RÉP. TCHÈQUE

SLOVAQUIE

UKRAINE

FRANCE

AUTRICHE

SUISSE

HONGRIE

MOLDAVIE

SLOVÉNIE

CROATIE

ROUMANIE

SERBIE

BOSNIE-HERZÉGOVINE

MONTÉNÉGRO

BULGARIE

ALBANIE

MACÉDOINE

ESPAGNE

ITALIE

PORTUGAL

GRÈCE

MALTE

LÉGENDE POUR LES PETITS ÉTATS

- 1 LIECHTENSTEIN
- 2 ANDORRE
- 3 MONACO
- 4 SAINT-MARIN
- 5 CITÉ DU VATICAN

ᏟARTE PHYSIQUE

AMÉRIQUE DU

OCÉAN ARCTIQUE

✕
PÔLE NORD

Groenland

Mer de
Norvège

Mer de
Barents

ÎLES FÉROÉ

Islande

Cercle polaire arctique

OCÉAN ATLANTIQUE

ASIE

MTS OURAL

SCANDINAVIE

Lac
Onega

Lac
Ladoga

Golfe de Botnie

Lac
Vänern

Volga

Irlande

Mer
du
Nord

Mer
Baltique

Grande-
Bretagne

PLAINE

Manche

Rhin

Elbe

Dniepr

Don

Seine

Mer Caspienne

Golfe de
Gascogne

Loire

Jungfrau
4 158 m? ??

CARPATES

Cervin 4 478 m

▲▲

Mt Elbrouz

Mt Blanc
4 807 m

Mt Rose
4 634 m

Danube

MTS DU CAUCASE

▲

▲

PYRÉNÉES

Mer Noire

PÉNINSULE
IBÉRIQUE

Corse

APENNINS

Mer Adriatique

PÉNINSULE
DES BALKANS

ÎLES BALÉARES

Sardaigne

Mer Égée

Détroit de
Gibraltar

Mer

Sicile

Mer
Ionienne

Mt Etna 3 323 m

Méditerranée

Crète

Tropique du Cancer

AFRIQUE

Équateur

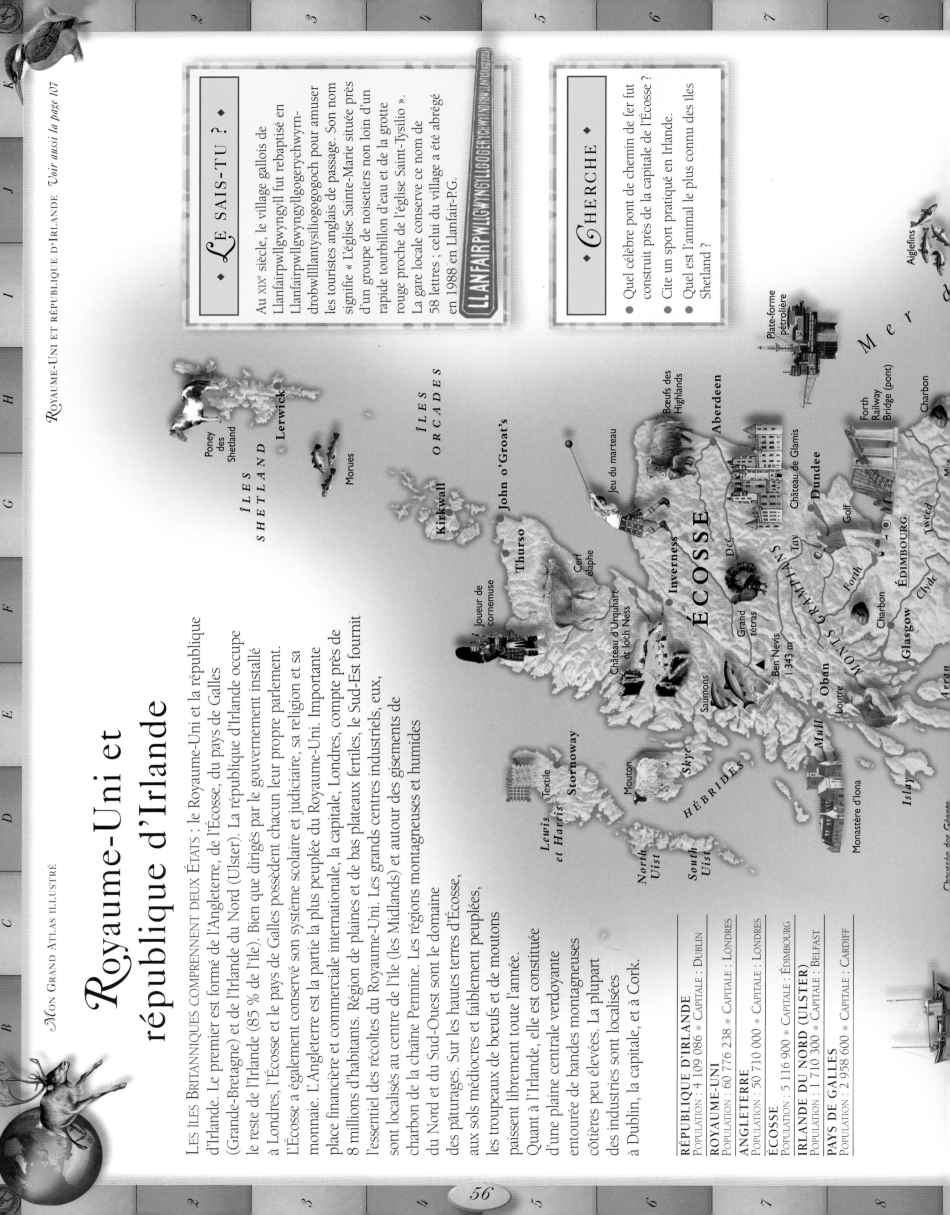

Royaume-Uni et république d'Irlande

LES ÎLES BRITANNIQUES COMPRENNENT DEUX ÉTATS : le Royaume-Uni et la république d'Irlande. Le premier est formé de l'Angleterre, de l'Écosse, du pays de Galles (Grande-Bretagne) et de l'Irlande du Nord (Ulster). La république d'Irlande occupe le reste de l'Irlande (85 % de l'île). Bien que dirigés par le gouvernement installé à Londres, l'Écosse, et le pays de Galles possèdent chacun leur propre parlement. L'Écosse a également conservé son système scolaire et judiciaire, sa religion et sa monnaie. L'Angleterre est la partie la plus peuplée du Royaume-Uni. Importante place financière et commerciale internationale, la capitale, Londres, compte près de 8 millions d'habitants. Région de plaines et de bas plateaux fertiles, le Sud-Est fournit l'essentiel des récoltes du Royaume-Uni. Les grands centres industriels, eux, sont localisés au centre de l'île (les Midlands) et autour des gisements de charbon de la chaîne Pennine. Les régions montagneuses et humides du Nord et du Sud-Ouest sont le domaine des pâturages. Sur les hautes terres d'Écosse, aux sols médiocres et faiblement peuplées, les troupeaux de bœufs et de moutons paissent librement toute l'année. Quant à l'Irlande, elle est constituée d'une plaine centrale verdoyante entourée de bandes montagneuses côtières peu élevées. La plupart des industries sont localisées à Dublin, la capitale, et à Cork.

RÉPUBLIQUE D'IRLANDE
POPULATION : 4 109 086 * CAPITALE : DUBLIN

ROYAUME-UNI
POPULATION : 60 776 238 * CAPITALE : LONDRES

ANGLETERRE
POPULATION : 50 710 000 * CAPITALE : LONDRES

ÉCOSSE
POPULATION : 5 116 900 * CAPITALE : ÉDIMBOURG

IRLANDE DU NORD (ULSTER)
POPULATION : 1 710 300 * CAPITALE : BELFAST

PAYS DE GALLES
POPULATION : 2 958 600 * CAPITALE : CARDIFF

◆ LE SAIS-TU ? ◆

Au XIXᵉ siècle, le village gallois de Llanfairpwllgwyngyll fut rebaptisé en Llanfairpwllgwyngyllgogerychwyrndrobwllllantysiliogogogoch pour amuser les touristes anglais de passage. Son nom signifie « L'église Sainte-Marie située près d'un groupe de noisetiers non loin d'un rapide tourbillon d'eau et de la grotte rouge proche de l'église Saint-Tysilio ». La gare locale conserve ce nom de 58 lettres ; celui du village a été abrégé en 1988 en Llanfair-P.G.

LLANFAIRPWLLGWYNGYLLGOGERYCHWYRNDROBWLLLLANTYSILIOGOGOGOCH

◆ CHERCHE ◆

● Quel célèbre pont de chemin de fer fut construit près de la capitale de l'Écosse ?
● Cite un sport pratiqué en Irlande.
● Quel est l'animal le plus connu des îles Shetland ?

Poney des Shetland

ÎLES SHETLAND

Lerwick

Morues

ÎLES ORCADES

Kirkwall

John o'Groat's

Thurso

Joueur de cornemuse

Cerf élaphe

Jeu du marteau

Bœufs des Highlands

Aberdeen

Inverness

Château de Glamis

Dundee

Château d'Urquhart et loch Ness

Golf

Grand tétras

Dee

ÉCOSSE

Tay

Forth

ÉDIMBOURG

Plate-forme pétrolière

Mer

Forth Railway Bridge (pont)

Charbon

Ben Nevis 1 343 m

Saumons

MONTS GRAMPIANS

Oban

Glasgow

Clyde

Tweed

Charbon

Loutre

Arran

Mull

Skye

Stornoway

Textile

Mouton

HÉBRIDES

Lewis et Harris

North Uist

South Uist

Monastère d'Iona

Islay

Aiglefins

N o r d

Norwich

Cottage au toit de chaume

Ipswich

Big Ben et le Parlement

Betterave sucrière

Pavillon royal de Brighton

Volaille

Aéroglisseur

Château Howard

Tourisme fluvial

LONDRES

Tennis

FRANCE

Siderurgie

Hull

York

Trent

Siderurgie

Hérisson

Middlesbrough

ANGLETERRE

Cambridge

Tamise

Brighton

Carlisle

Sheffield

Textile

Nottingham

Leicester

Horse Guard

Southampton

Leeds

Jardins anglais de Chatsworth

Coventry

Oxford

Manchester

Cricket

Architecture Tudor

Industrie automobile

Reading

Île de Wight

Écureuil

CHAÎNE PENNINE

Tourisme

Birmingham

Industrie de pointe

Site de Stonehenge

ÎLES ANGLO-NORMANDES (R.-U.)

Blé

Blackpool

Sucre d'orge

Wye

Bath

Jersey

Course du Trophée du tourisme *Île de Man*

Mine de charbon

Bristol

Guernesey

Liverpool

Severn

PAYS DE GALLES

Élevage laitier

M a n c h e

Snowdon ▲ 1 085 m

Château de Caernarfon

CARDIFF

Manche

STONEHENGE
Datant du IIIᵉ millénaire av. J.-C., cet ensemble de menhirs disposés en cercles concentriques garde encore tout son mystère.

Anglesey

Exeter

Mer d'Irlande

Llanfairpwllgwyngyll
LLANFAIRPW...

Aberystwyth

Rugby

Tourisme

Morris dance

Plymouth

Bangor

Macareux moines

Swansea

Lieus jaunes

NORD (ULSTER)

Château de Stormont

Milford Haven

ÎLES SORLINGUES

BELFAST

Bière

Ancienne mine d'étain

Canal St-Georges

Hélicoptère de sauvetage de la Royal Navy

LAND'S END

Dundalk

DUBLIN

Harpe irlandaise

Élevage bovin

Hurling (type de hockey)

Pommes de terre

Martin-pêcheur

Liffey

Sligo

Carlow

Cristallerie de Waterford

Maquereaux

Élevage laitier

IRLANDE

Waterford

Tumulus de Newgrange

Shannon

Voile

Limerick

Tipperary

Croix de Muireadach

Château de Blarney

Cork

Âne

Galway

Betterave sucrière

Tourbe

Cottage

▲ Carrantuohill 1 041 m

Élevage ovin

Bantry

Homard

Oratoire de Gallarus

LE CHÂTEAU DE BLARNEY
Selon une légende, ceux qui embrassent une pierre magique située dans le donjon de ce château deviennent immédiatement éloquents.

N
O — E
S

ÉCHELLE
MILES
0   50   100   150
0   50   100   150   200   250
KILOMÈTRES

Espagne et Portugal

Située à l'extrémité sud-ouest de l'Europe, la péninsule Ibérique est divisée en deux États : l'Espagne et le Portugal. La barrière des Pyrénées, où l'on trouve la minuscule principauté d'Andorre, a longtemps isolé ces deux pays du reste du continent. La partie centrale de la péninsule est occupée par les hauts plateaux vallonnés de la Meseta, couverts de prairies, d'oliveraies et de bois. Au centre du plateau, à 646 m d'altitude, se dresse Madrid, la capitale espagnole. Deuxième ville d'Espagne, Barcelone se situe au nord-est, dans la plaine étroite qui forme la côte méditerranéenne. Les nombreuses plages de ce littoral et des îles Baléares, ainsi que le climat méditerranéen (étés chauds et ensoleillés, hivers doux) ont favorisé le développement d'un important tourisme balnéaire. Séparée de l'Afrique par un détroit de 15 km de large, l'Espagne a été en partie occupée par les Maures venus d'Afrique du Nord, du VIIIᵉ au XVᵉ siècle. Elle a conservé de nombreux monuments de cette période (à Grenade, à Séville, à Cordoue...). L'ouest de l'Espagne est bordé par le Portugal. Jadis centre d'un vaste empire maritime, ce pays est aujourd'hui l'un des plus pauvres de l'Europe occidentale. Oliviers et chênes-lièges couvrent les plaines sèches du Sud, tandis que la vigne est cultivée le long des vallées du Nord. Le vin le plus célèbre est le porto, exporté à partir du port de Porto, qui a donné son nom au Portugal.

ANDORRE
Population : 71 822 * Capitale : Andorre-la-Vieille

ESPAGNE
Population : 40 448 191 * Capitale : Madrid

PORTUGAL
Population : 10 642 836 * Capitale : Lisbonne

Açores (Portugal)

Corvo
Flores
Vin
Graciosa
Terceira
Faial
Pico
São Jorge
Moulin à vent
São Miguel
Santa Maria

MILES
0   50   100
KILOMÈTRES
0   50   100   150

Madère (Portugal)

Vin
Tourisme
Funchal

MILES
0   25   50
KILOMÈTRES
0   25   50   75

Îles Canaries (Espagne)

Palma
Cigare
Gomera
Hierro
Ananas
Tenerife
Tourisme
Santa Cruz de Tenerife
Bananes
Chèvre
Dromadaire
Lanzarote
Fuerteventura
Las Palmas
Grande Canarie

MILES
0   25   50   75
KILOMÈTRES
0   50   100   150

AÇORES
MADÈRE
ÎLES CANARIES

Moules
La Corogne
Pommes
Pommes de terre
St-Jacques-de-Compostelle
Polyculture
Maïs
Vigo
Élevage
Anchois
Femme en costume folklorique
Vin de Porto
Transport de vin
Porto
Douro
Fermier et sa charrue

PORTUGAL

OCÉAN ATLANTIQUE

Mondego
Coimbra
Textile
Lac d'A
Monastère cistercien
Tage
Tour de Belém
LISBONNE
Chêne-liège
Évora
Chêne-liège
Bada
Setúbal
Vin
Thons
Pêcheur réparant un filet
Guadiana
Olive
Or
Lynx
ALGARVE
CAP ST-VINCENT
Tourisme
Faro

Golfe de Cadix

Danseuse de flamenco
Le flamenco est un style de musique et de danse créé par les Gitans du sud de l'Espagne. Les danseurs sont accompagnés par des chanteurs et des guitaristes.

J K L M N O P

Golfe de Gascogne

FRANCE

Danseur basque

Santander

Oviedo

ABRIQUES

Ours brun

Bilbao   St-Sébastien

PYRÉNÉES

Gypaète barbu

ANDORRE

ANDORRE-LA-VIEILLE

Tourisme balnéaire

Peintures rupestres d'Altamira

Sidérurgie

Pampelune

Course de taureaux

Pic d'Aneto 3 404 m

COSTA BRAVA

Blé

Élevage bovin

Orge

Textile

Pommes de terre

Douro

Valladolid

Sangliers

Saragosse

Remparts de Daroca

Barcelone

Procession de la Semaine sainte

Alcazar

Ebre

Église de la Sainte-Famille

Ségovie

Industrie de pointe

Vin

Salamanque

Palais de l'Escurial

MADRID

Statue de don Quichotte et Sancho Pança

Guitariste espagnol

Olives

Pétrole

ÎLES BALÉARES

Minorque

Mahón

Tolède

Paella

Sardines

Porte de Jara

Olives

Tage

MESETA

ESPAGNE

Oranges

Industrie automobile

Valence

Palma

Majorque

Corrida

Ferme

Tourisme

Ibiza

Ibiza

Guadiana

Moulins à vent de la Manche

Ramasseur de safran

Tourisme

Grande Mosquée de Cordoue

Vin

Tournesol

Alicante

Mer Méditerranée

SIERRA MORENA

Guadalquivir

Cordoue

Agrumes

Murcie

Bateau de pêche

LOCALISATION

Olives

Danseuse de flamenco

Carthagène

Palais de l'Alhambra

Grenade

Cerro de Mulhacén 3 477 m

Almería

Málaga

Pont du Tage

Tourisme

Voile

Gardien de troupeaux andalou

COSTA DEL SOL

GIBRALTAR (R.-U.)

ésiras

Ceuta (ESPAGNE)

Sardines

MAROC

Melilla (ESPAGNE)

ALGÉRIE

N O E S

L'ÉGLISE DE LA SAINTE-FAMILLE
Hautes de 110 m, les flèches de cette église de Barcelone, conçue par l'architecte Gaudí, sont couvertes de coquillages et de céramiques. Commencée en 1884, sa construction n'est toujours pas achevée.

ÉCHELLE

MILES

0   25   50   75   100

0   50   100   150

KILOMÈTRES

J K L M N O P Q

ANGLETERRE

France

PLUS VASTE ÉTAT D'EUROPE (Russie exclue), la France offre une grande variété de paysages et de climats. À l'ouest d'une diagonale Biarritz-Luxembourg, le relief est peu élevé, le climat est doux et humide. À l'est, les reliefs sont plus hauts et les climats plus contrastés. 75 % de la population vit dans les villes. L'Île-de-France, où se trouve Paris, regroupe 18 % de la population sur à peine 2 % de la superficie du pays ; c'est également la première région industrielle.
Une grande partie du territoire est consacrée à l'agriculture ; la France est d'ailleurs le premier producteur agricole de la Communauté européenne. Céréales et betteraves sucrières dominent dans les riches plaines du Nord-Ouest, traversées par la Loire, la Seine et leurs affluents. Plus au sud et à l'est du pays, certains vignobles sont de réputation mondiale : la France est le deuxième producteur mondial de vin derrière l'Italie. De hautes chaînes de montagnes aux sommets enneigés délimitent les frontières avec l'Espagne au sud (Pyrénées) et l'Italie au sud-est (Alpes). Domaine des aigles, des chamois et des marmottes, elles accueillent également de nombreux skieurs. Vacanciers et touristes fréquentent chaque été plages et criques des stations balnéaires aménagées le long des côtes méditerranéennes et bretonnes. Proche de la frontière italienne, la principauté de Monaco, plus petit État du monde après le Vatican, est célèbre pour son casino et sa course de formule 1.

FRANCE
POPULATION : 63 713 926 ∗ CAPITALE : PARIS
MONACO
POPULATION : 32 671 ∗ CAPITALE : MONACO

◆ LE SAIS-TU ? ◆

La France est aujourd'hui reliée à la Grande-Bretagne par un tunnel ferroviaire creusé sous la Manche. Sa construction a duré 7 ans et comprend deux tunnels séparés. La traversée en train dure 35 minutes. On peut ainsi se rendre de Paris à Londres en 2 heures 15 environ.

Car-ferry

Manche

Tunnel sous la Manche

Cherbourg

Le Havre

Tourisme

Mont-St-Michel

Tapisserie de Bayeux

Brest

Maisons médiévales

Camembert

Quimper

Pommes

Rennes

Tourisme

Circuit du

Menhirs de Carnac

Élevage laitier

St-Nazaire

Nantes

Château de Chenon

Bateau de pêche

Tourisme

Élevage bovin

La Rochelle

OCÉAN
ATLANTIQUE

Tourisme

Maquereaux

Château de Labrède

Huîtres

Bordeaux

Golfe de Gascogne

Vin

Planche à voile

Baguettes et croissants

Biarritz

Gaz naturel de Lacq

Ⓓ Bouquetin des Pyrénées

P Y R É

ESP

LE JEU DE BOULES
Le jeu de boules, ou pétanque, est très populaire en France. Il se joue avec des boules en métal sur une surface plane de terre.

LA TOUR EIFFEL
Jadis plus haute tour du monde, la tour Eiffel a été construite à Paris, à l'occasion de l'Exposition universelle de 1889, par l'ingénieur Alexandre-Gustave Eiffel.

France Voir aussi la page 107

Dunkerque

lais

gne   Centrale nucléaire   Lille

BELGIQUE

Pommes de terre

Betterave sucrière

eppe

en

Blé

Amiens

LUXEMBOURG

Café

Reims

Industrie automobile

Mode

PARIS

Meuse

Metz

Centrale nucléaire

ALLEMAGNE

Charbon

Nancy

Vin

Strasbourg

Minerai de fer

Sidérurgie

Moselle

Cathédrale de Chartres

Tour Eiffel

Seine

Champagne

Troyes

Tour de France

Costume traditionnel alsacien

Saône

· IDÉE : *une peinture rupestre* ·

Les peintures de Lascaux datent de 15 000 av. J.-C. Tu peux créer une œuvre qui aura l'air aussi ancienne.

❶ Remplis un sac en papier de journaux froissés, puis agrafe-le.

❷ Mélange du sable et de la colle ; enduis-en entièrement le sac. Laisse sécher.

❸ Rassemble quelques échantillons de terre de différentes couleurs. Tamise-les séparément, puis mélange-les avec de la colle et ajoute un peu d'eau si ton mélange est trop épais. Tu obtiens ainsi des colorants naturels, identiques à ceux utilisés par les artistes de la préhistoire. Tu peux maintenant dessiner des animaux sur ta « roche ».

Oppidum gaulois

Chapelle Notre-Dame-du-Haut

Dijon

Moutarde

Besançon

Alpinisme

TGV (train à grande vitesse)

Château de Chambord

Bourges

RANCE

Doubs

Saône

Élevage bovin

SUISSE

· CHERCHE ·

● Quelle cathédrale se dresse au sud-ouest de Paris ?

● Quel animal à cornes trouve-t-on dans les Pyrénées ?

● Quelle est la spécialité de la ville de Dijon ?

● Quelle principauté trouve-t-on à l'est de Nice ?

Escargot

Tungstène

Élevage de chèvres

Charbon

Textile

Rhône

Marmotte

ALPES

Mt Blanc 4 807 m

Joueur de cabrette

Lyon

Chamois

Saint-Étienne

Chapelle St-Michel-d'Aiguilhe

Baguettes et croissants

Grenoble

Vin

Ski

LOCALISATION

Chercheur de truffes

ITALIE

N

Rhône

Durance

O   E

S

Centrale nucléaire

Casino de Monte-Carlo

Parfum

Maquereaux

ÉCHELLE

MILES

Avignon

Ramassage de la lavande

MONACO

Nice

0   25   50   75   100

Industrie aérospatiale

Montpellier

Festival de Cannes

Cannes

Ski nautique

0   50   100   150

KILOMÈTRES

Toulouse

Pont du Gard

Marseille

Tourisme

ité fortifiée de Carcassonne

Voile

Flamant rose

Balbuzard pêcheur

RE

Perpignan

Corse

Tourisme

Four solaire

Mer Méditerranée

Ajaccio

Statue de Napoléon

LE TOUR DE FRANCE
Événement sportif le plus célèbre de France, cette course cycliste par étapes a été créée en 1903. Elle fait le tour du pays, soit 3 500 km environ.

Benelux

ÉTATS PARMI LES PLUS DENSÉMENT PEUPLÉS D'EUROPE, les Pays-Bas (ou Hollande), la Belgique et le Luxembourg sont avant tout des pays de plaines et de plateaux. Un tiers des terres situées à l'ouest se trouvent en dessous du niveau de la mer. Elles ont été patiemment conquises au cours des siècles par les hommes, qui ont dressé des digues, creusé des canaux de drainage et asséché les étendues marines, créant des polders. Jalonnés de moulins à vent, des centaines de canaux sont empruntés par des barges à moteur qui desservent exploitations agricoles et champs de tulipes. Les Pays-Bas et la Belgique sont les deux principaux exportateurs mondiaux de fleurs et d'oignons de tulipe. Amsterdam, la capitale des Pays-Bas, possède plus de 150 canaux, bordés de hautes et étroites maisons de brique datant du XVIIᵉ siècle. En Belgique, des canaux parmi les mieux équipés du globe facilitent les liaisons entre les régions. La capitale, Bruxelles, est également l'une des capitales de l'Union européenne. Vers l'est se dressent les hauts plateaux boisés des Ardennes, qui englobent la partie nord du Luxembourg. Le Sud, moins élevé, regroupe l'essentiel de la population de ce duché, l'un des plus petits États d'Europe. Sa capitale (Luxembourg) compte néanmoins parmi les principaux centres financiers du monde.

BELGIQUE
POPULATION : 10 392 226 * CAPITALE : BRUXELLES

LUXEMBOURG
POPULATION : 480 222 * CAPITALE : LUXEMBOURG

PAYS-BAS
POPULATION : 16 570 613 * CAPITALES :
AMSTERDAM, LA HAYE

L'ATOMIUM
L'Atomium représente une molécule de fer. C'est l'un des rares vestiges de l'Exposition universelle qui eut lieu à Bruxelles, en 1958.

◆ *L*E SAIS-TU ? ◆

Le Benelux compte à lui seul plus de 8 000 km de canaux pour le transport des marchandises et le drainage des champs. Dans les régions au-dessous du niveau de la mer et protégées par des digues, l'eau est pompée et refoulée dans des canaux édifiés au-dessus des champs. Tu peux ainsi voir des bateaux passer au-dessus de ta tête !

Carte

Gaz naturel
Blé
Groningen
Sépulture préhistorique
Élevage ovin
Cyclistes
Élevage laitier
Élevage porcin
Danseurs folkloriques
Élevage bovin
Apeldoorn
Sabors
Élevage laitier
Élevage bovin
Costume traditionnel du Zuiderzee
Volaille
Arnhem
Tourisme
Leeuwarden
Moulin à vent
Ameland
Pommes de terre
ÎLES DE LA FRISE OCCIDENTALE
Veaux marins
Terschelling
Tourisme
PAYS-BAS
Spatule d'Europe
Campanile de Dom
Utrecht
Ijsselmeer
Waddenzee
Vlieland
Alkmaar
Taille des diamants
AMSTERDAM
Amsterdam
Porcelaine
Fleurs
Fleurs
Texel
Marché aux fromages d'Alkmaar
Sidérurgie
Haarlem
Hareng
Maquereaux
Palais de la Paix
LA HAYE

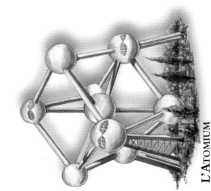

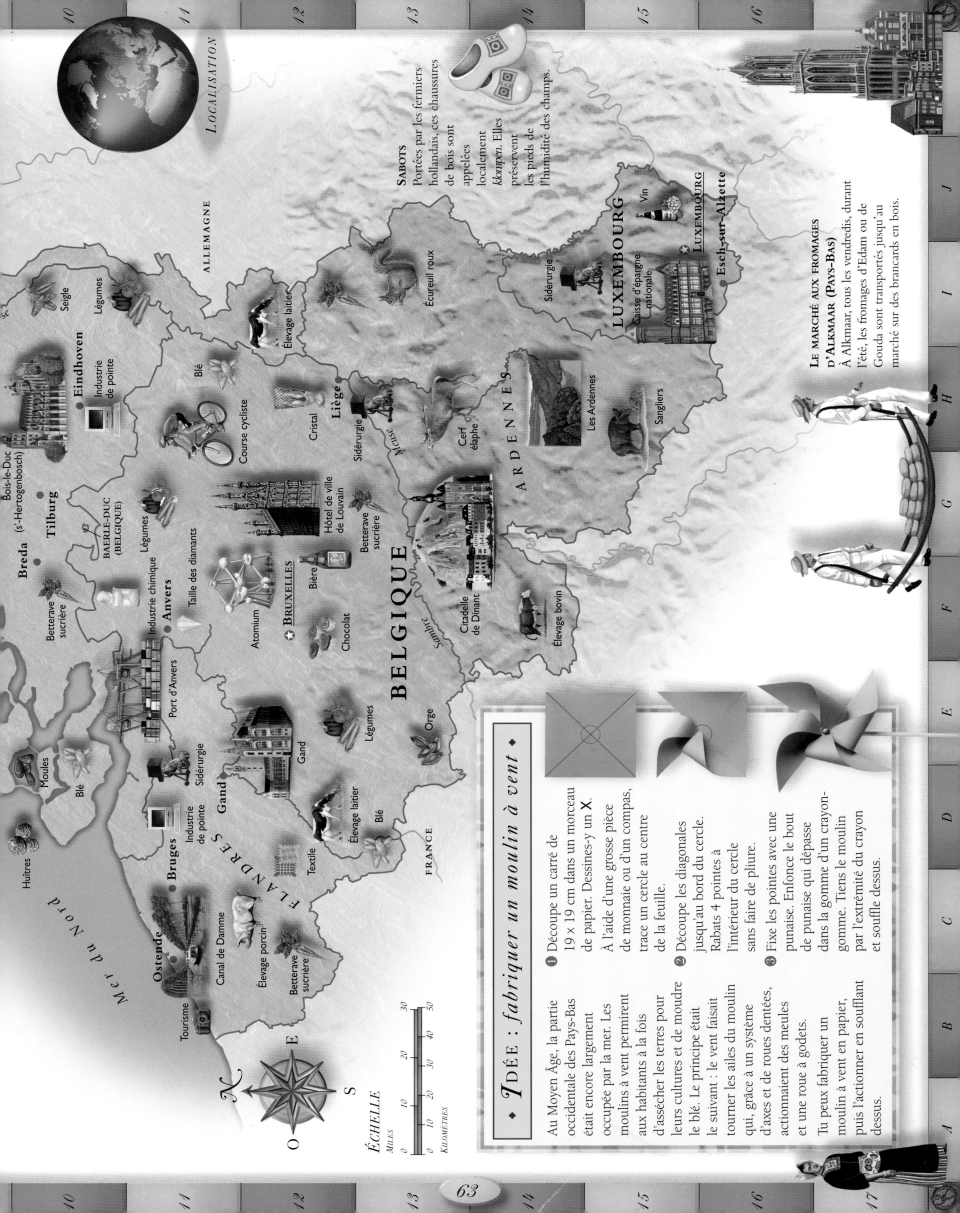

LOCALISATION

SABOTS
Portées par les fermiers hollandais, ces chaussures de bois sont appelées localement *klompen*. Elles préservent les pieds de l'humidité des champs.

ALLEMAGNE

Vin

LUXEMBOURG

Caisse d'épargne nationale.

Sidérurgie

★ LUXEMBOURG

● Esch-sur-Alzette

LE MARCHÉ AUX FROMAGES D'ALKMAAR (PAYS-BAS)
À Alkmaar, tous les vendredis, durant l'été, les fromages d'Edam ou de Gouda sont transportés jusqu'au marché sur des brancards en bois.

Seigle

Légumes

Eindhoven

Industrie de pointe

Blé

Élevage laitier

Écureuil roux

Bois-le-Duc (s'-Hertogenbosch)

Tilburg

Course cycliste

Cristal

Liège

Sidérurgie

Meuse

Cerf élaphe

A R D E N N E S

Les Ardennes

Sangliers

Breda

BAERLE-DUC (BELGIQUE)

Légumes

Hôtel de ville de Louvain

Betterave sucrière

Betterave sucrière

Industrie chimique

Anvers

Taille des diamants

Atomium

★ BRUXELLES

Bière

Chocolat

BELGIQUE

Citadelle de Dinant

Sambre

Élevage bovin

Port d'Anvers

Légumes

Orge

Gand

Moules

Blé

Industrie de pointe

Sidérurgie

Gand

Légumes

Élevage laitier

Blé

Huîtres

Bruges

Textile

FRANCE

F L A N D R E S

Ostende

Canal de Damme

Élevage porcin

Betterave sucrière

Tourisme

Mer du Nord

N
O   E
S

ÉCHELLE
MILES
0   10   20   30
0   10   20   30   40   50
KILOMÈTRES

◆ IDÉE : *fabriquer un moulin à vent* ◆

Au Moyen Âge, la partie occidentale des Pays-Bas était encore largement occupée par la mer. Les moulins à vent permirent aux habitants à la fois d'assécher les terres pour leurs cultures et de moudre le blé. Le principe était le suivant : le vent faisait tourner les ailes du moulin qui, grâce à un système d'axes et de roues dentées, actionnaient des meules et une roue à godets.
Tu peux fabriquer un moulin à vent en papier, puis l'actionner en soufflant dessus.

❶ Découpe un carré de 19 x 19 cm dans un morceau de papier. Dessines-y un X. À l'aide d'une grosse pièce de monnaie ou d'un compas, trace un cercle au centre de la feuille.

❷ Découpe les diagonales jusqu'au bord du cercle. Rabats 4 pointes à l'intérieur du cercle sans faire de pliure.

❸ Fixe les pointes avec une punaise. Enfonce le bout de punaise qui dépasse dans la gomme d'un crayon-gomme. Tiens le moulin par l'extrémité du crayon et souffle dessus.

63

Europe : le Centre-Ouest

DIVISÉE EN DEUX ÉTATS DISTINCTS (République fédérale d'Allemagne, RFA, et République démocratique allemande, RDA) au lendemain de la Seconde Guerre mondiale, l'Allemagne est réunifiée depuis 1990. Avec 82 millions d'habitants, c'est aujourd'hui le pays le plus peuplé d'Europe, Russie exceptée. Le Rhin, voie de communication essentielle du pays, relie la vallée de la Ruhr, cœur industriel du pays, à Rotterdam (Pays-Bas), premier port mondial, et à Bâle, en Suisse. Au nord, le fleuve encaissé traverse un massif ancien, boisé et de hauteur modeste. Les versants de la vallée sont jalonnés de vignobles réputés et de châteaux médiévaux. Le sud de l'Allemagne est dominé par le rebord du massif alpin, qui occupe les deux tiers de la superficie de la Suisse et de l'Autriche. Les vaches paissent dans les prairies en été, tandis que les skieurs dévalent les pentes en hiver. Routes et voies ferrées empruntant des vallées encaissées facilitent la traversée du massif grâce à de nombreux cols et tunnels. Grâce à ses banques, qui attirent d'importants capitaux étrangers, la Suisse est un pôle financier international majeur. En Autriche, les activités agricoles et industrielles se concentrent en grande partie dans les régions basses du Nord-Est, traversées par la vallée du Danube. Deuxième fleuve d'Europe, le Danube traverse Vienne, la capitale autrichienne, qui regroupe à elle seule 20 % de la population du pays.

ALLEMAGNE
POPULATION : 82 400 996 * CAPITALE : BERLIN

AUTRICHE
POPULATION : 8 199 783 * CAPITALE : VIENNE

LIECHTENSTEIN
POPULATION : 34 247 * CAPITALE : VADUZ

SUISSE
POPULATION : 7 554 661 * CAPITALE : BERNE

◆ *Idée : une fondue suisse au chocolat* ◆

Les Suisses sont à l'origine de la fondue, mélange de fromage fondu (gruyère) et de vin blanc dans lequel on trempe des morceaux de pain. Celle que tu vas préparer est à base de chocolat !

❶ Mets 250 g de chocolat en morceaux et 25 cl de crème fraîche dans une casserole.

❷ Chauffe le tout sous la surveillance d'un adulte. Une fois le chocolat fondu, bats le mélange avec une cuillère jusqu'à ce qu'il devienne brillant.

❸ Laisse refroidir le tout quelques instants. Pique ensuite un morceau de fruit et plonge-le dans la fondue. Quel régal !

◆ LE SAIS-TU ? ◆

La principauté du Liechtenstein compte 34 247 habitants et fait seulement 6 km de large. On peut donc la traverser à pied en moins de deux heures ! Elle est dirigée par un prince héréditaire résidant dans un château à Vaduz, la capitale.

ÉCHELLE

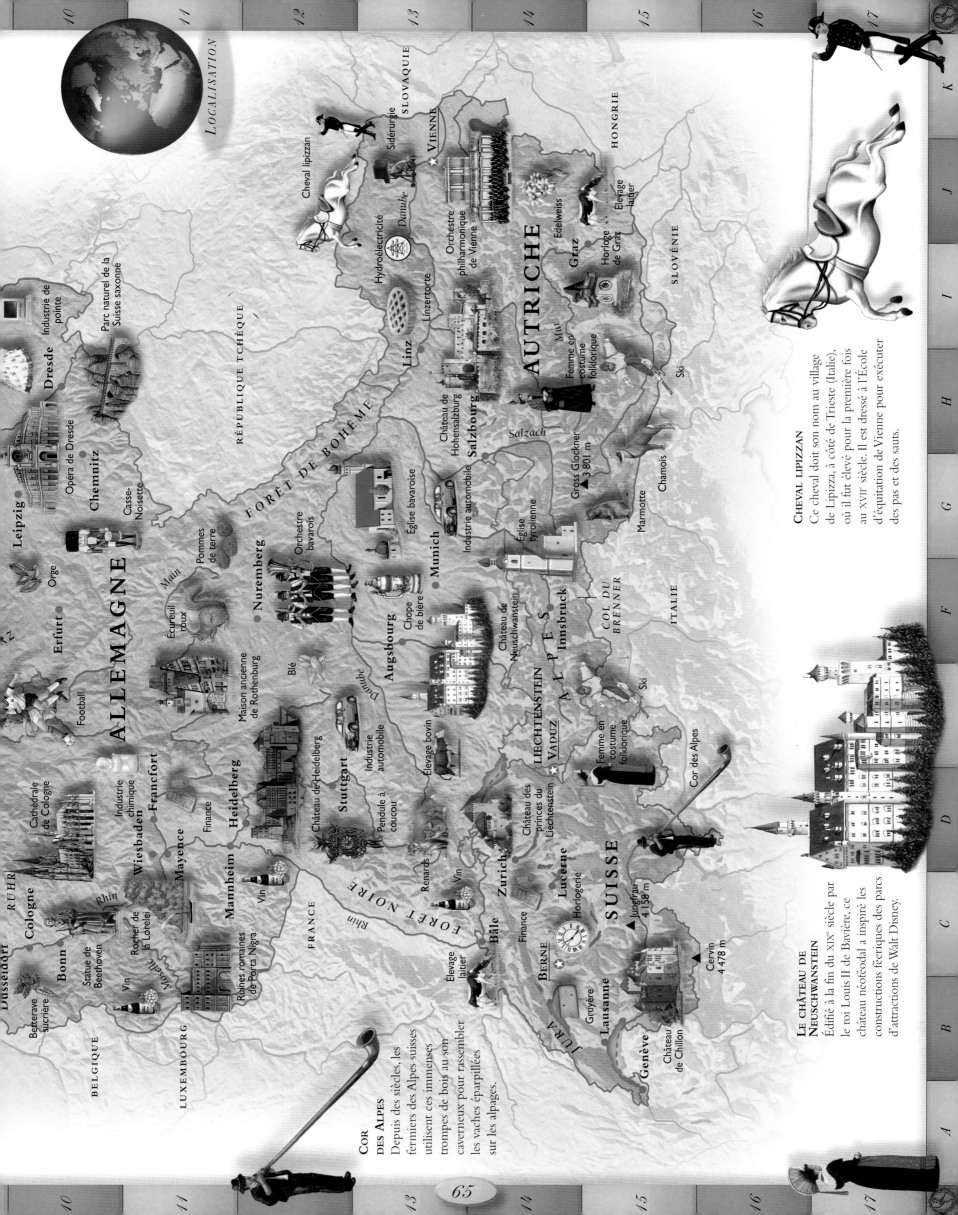

LOCALISATION

ALLEMAGNE

BELGIQUE
LUXEMBOURG

Düsseldorf
RUHR
Cologne
Bonn
Statue de Beethoven
Rocher de la Lorelei
Vin
Betterave sucrière
Moselle
Rhin
Ruines romaines de Porta Nigra
Mayence
Wiesbaden
Francfort
Finance
Industrie chimique
Cathédrale de Cologne
Erfurt
Orge
Écureuil roux
Main
Leipzig
Chemnitz
Casse-Noisette
Opéra de Dresde
Dresde
Parc naturel de la Suisse saxonne
Industrie de pointe
Football
Mannheim
Heidelberg
Château de Heidelberg
Stuttgart
Industrie automobile
Pendule à coucou
Blé
Nuremberg
Orchestre bavarois
Pommes de terre
FORÊT DE BOHÊME
RÉPUBLIQUE TCHÈQUE
SLOVAQUIE
Cheval lipizzan
Sidérurgie
Danube
Hydroélectricité
VIENNE
Linz
Linzertorte
Orchestre philharmonique de Vienne
AUTRICHE
HONGRIE
Église bavaroise
Augsbourg
Chope de bière
Munich
Château de Hohensalzburg
Salzbourg
Salzach
Gross Glockner ▲ 3 801 m
Graz
Horloge de Graz
Edelweiss
Femme en costume folklorique
Élevage laitier
SLOVÉNIE
Chamois
Ski
Élevage bovin
Château de Neuschwanstein
Église tyrolienne
Innsbruck
COL DU BRENNER
ALPES
Marmotte
ITALIE
LIECHTENSTEIN
VADUZ
Château des princes du Liechtenstein
Femme en costume folklorique
Ski
Cor des Alpes
FRANCE
Renards
Vin
Élevage laitier
FORÊT NOIRE
Rhin
Bâle
Zurich
Finance
Lucerne
Horlogerie
BERNE
SUISSE
Jungfrau ▲ 4 158 m
Gruyère
Lausanne
Genève
Château de Chillon
Cervin ▲ 4 478 m
JURA

CHEVAL LIPIZZAN
Ce cheval doit son nom au village de Lipizza, à côté de Trieste (Italie), où il fut élevé pour la première fois au XVIIᵉ siècle. Il est dressé à l'École d'équitation de Vienne pour exécuter des pas et des sauts.

LE CHÂTEAU DE NEUSCHWANSTEIN
Édifié à la fin du XIXᵉ siècle par le roi Louis II de Bavière, ce château néoféodal a inspiré les constructions féeriques des parcs d'attractions de Walt Disney.

COR DES ALPES
Depuis des siècles, les fermiers des Alpes suisses utilisent ces immenses trompes de bois au son caverneux pour rassembler les vaches éparpillées sur les alpages.

Italie

Située dans le sud de l'Europe, l'Italie comprend une longue péninsule en forme de botte, deux grandes îles (la Sicile et la Sardaigne) et 70 îlots. Deux petits États, Saint-Marin et la cité du Vatican, sont enclavés à l'intérieur de la péninsule, le premier au nord-est du pays, le second dans Rome même. La cité du Vatican, plus petit État du monde, est le domaine du pape, chef de l'Église catholique romaine. Les montagnes couvrent 75 % du sol italien. Au nord, les Alpes dessinent un grand arc montagneux qui sert de frontière. La chaîne des Apennins forme l'ossature de la péninsule. Entre ces deux massifs s'étend la plaine du Pô, plane et drainée par le Pô et ses affluents. Principale région agricole d'Italie, elle constitue aussi le cœur industriel du pays avec notamment Milan

(mode, design) et Turin (industrie automobile). L'Italie reçoit chaque année plus de 50 millions de touristes attirés par les nombreuses cités d'art et d'histoire, les ruines antiques et les plages ensoleillées. Blé, citrons, olives et vigne sont les principales cultures agricoles, l'Italie étant le premier producteur mondial d'olives et de vin. Les tremblements de terre et les éruptions volcaniques sont fréquents. En Sicile, l'Etna est en activité permanente : on a recensé au moins 260 éruptions depuis 70 av. J.-C. À 90 km au sud de la Sicile se dresse l'archipel de Malte. État indépendant depuis 1964, Malte fut successivement occupée au cours de son histoire par les Romains, les Arabes, les Turcs, les Français et les Anglais.

LE COLISÉE
Construit à Rome au Ier siècle de notre ère, cet amphithéâtre romain accueillait des combats de gladiateurs et des joutes nautiques.

ITALIE
POPULATION : 58 147 733 * CAPITALE : ROME

MALTE
POPULATION : 401 880 * CAPITALE : LA VALETTE

SAINT-MARIN
POPULATION : 29 615 * CAPITALE : SAINT-MARIN

CITÉ DU VATICAN
POPULATION : 821 HABITANTS

◆ LE SAIS-TU ? ◆

Édifiée entre 1170 et 1350, la tour de Pise est un campanile de 55 m de haut. Avec l'achèvement du troisième étage, l'édifice a commencé à s'enfoncer sous son poids et à s'incliner. Des travaux de consolidation du sol ont aujourd'hui stabilisé l'inclinaison, qui est de 4,50 m par rapport à la verticale.

LE VÉSUVE ET POMPÉI
L'éruption du Vésuve, en 79, a enfoui la cité de Pompéi sous une épaisse couche de cendres. Les premières fouilles archéologiques datent

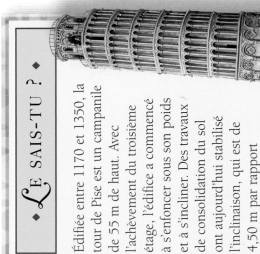

SLOVÉNIE

CROATIE

AUTRICHE

Alpinisme

Chamois

Marmotte

Bolzano

Les Dolomites

Maïs

Trieste

Golfe de Venise

Sole

DOLOMITES

Ski

Lutherie

Brescia

Lac de Garde

Élevage laitier
Vérone

Betterave sucrière

Padoue

Blé

Pont du Rialto

Venise

Église San Vitale

Ravenne

Rimini

SAINT-MARIN
★ SAINT-MARIN

Forteresse de la Rocca, Saint-Marin

SUISSE

Lac de Côme

Industrie automobile

Baptistère de Parme

Po

Riz

Ferrare

Pâtes

Cathédrale de Florence

APENNI

Ancône

Lac Majeur
Mode

Milan

Cathédrale de Milan

Parme
Parmesan

Modène

Bologne

Cervin
4 478 m

Mt Rose
4 634 m

Hydroélectricité

Turin

Industrie automobile

Vin

Riz

Noisettes

Tourisme **Gênes**

Marbre

La Spezia

Tour penchée de Pise

Arno
Pise

Florence

Chianti (vin)

Arezzo

Sienne

Livourne

Mt Blanc
4 807 m

FRANCE

Ski

Olives

Bateau de pêche

Golfe de Gênes

Calmar

Golfe de Venise

ITALIE

LOCALISATION

CITÉ DU VATICAN ★ ROME

Mer Adriatique

Mer Tyrrhénienne

Mer Ionienne

Mer Méditerranée

Canal d'Otrante

Golfe de Tarente

Rougets
Pétrole
Hippocampe
Pieuvre
Pommes de terre
Crabe
● Foggia
Bari
● Brindisi
Maisons traditionnelles des Pouilles
Vigneron
Tarente
Huîtres
Pescara ●
Football
Monastère du Mt Cassin
Pizzaiolo
Naples ■
Vésuve 1277 m
Le Vésuve et les ruines de Pompéi
Salerne
Capri
Ischia
Vin
Élevage caprin
Olives
Cosenza ●
Anchois
Lézard des murailles
Grand barracuda
Élevage ovin
Reggio de Calabre ●
Oranges
Messine ●
Tourisme
Syracuse ●
Stromboli
ÎLES LIPARI
Aiguilles de mer
Tourisme
Porte-conteneurs
Loup
Garde du Vatican
Tournesol
Tibre
Colisée

Ustica ○
Espadon
Palerme ●
Temple de la Concorde, Agrigente
Blé
Mt Etna 3 323 m
Agrumes
Sicile
Pétrole
Vin
Sardines

SAINT-MARIN
Fondée au ivᵉ siècle par des chrétiens fuyant les persécutions religieuses, Saint-Marin est la plus petite et la plus ancienne république du monde.

MALTE ★ LA VALETTE
Tourisme

Sardaigne
Sassari ●
Cagliari ●
Plongée sous-marine
Thons
Sardines
Olives
Élevage ovin
Élevage caprin
Minerai de fer
Femme en costume traditionnel
Tourisme
Sardines

KILOMÈTRES
0 25 50 75 150
0 50 100

Via Appia (voie romaine)

◆ IDÉE : réaliser une mosaïque ◆

Une mosaïque est un assemblage de cubes de pierre ou de verre colorés, fixés par un ciment et formant un dessin. Sous la Rome antique, murs et sols des édifices publics et privés étaient ornés de mosaïques. Celles de l'église San Vitale, à Ravenne, achevée en 547, sont d'un coloris éclatant. Tu peux réaliser ta propre mosaïque en remplaçant les cubes de pierre ou de verre par du papier coloré.

❶ Découpe des carrés de 5 mm de côté dans différentes feuilles de papier de couleur.

❷ Sur une feuille de papier blanc ou de couleur, dessine un motif simple : une fleur, un paysage, un animal ou un objet.

❸ Pour former ta mosaïque, colle les différents carrés de couleur, en les assemblant soigneusement à l'intérieur des formes de ton dessin.

67

Balkans

Balkans *Voir aussi la page 108*

PÉNINSULE DU SUD-EST DE L'EUROPE baignée par la Méditerranée et la mer Noire, les Balkans sont une zone de passage entre l'Europe et l'Asie. Les peuples y sont souvent mélangés, mais restent divisés par leur culture, leur histoire, leur langue et leur religion. Depuis le XIXe siècle, des conflits ont modifié à plusieurs reprises les frontières des États de la région. En 1991, la Slovénie, la Croatie, la Bosnie-Herzégovine et la Macédoine ont proclamé leur indépendance, provoquant l'éclatement de la Yougoslavie et une guerre sanglante. Aujourd'hui, la Yougoslavie est réduite à la Serbie, le Monténégro ayant accédé à l'indépendance en 2006. Les deux tiers de la péninsule sont occupés par des reliefs montagneux et escarpés. À l'ouest, la côte dalmate est dominée par des

montagnes et des hauts plateaux souvent couverts de forêts, qui se prolongent à l'est vers la Bulgarie. Enserrée dans les Balkans, la vallée des Roses est le principal producteur mondial d'essence de rose, qui sert à la fabrication des parfums. Le Danube relie les grands centres économiques de la région aux ports de la mer Noire. Au sud des Balkans, la Grèce est une péninsule déchiquetée, aux sols ingrats parcourus par des troupeaux de chèvres et de moutons. Son climat méditerranéen permet cependant de faire pousser des céréales, des oliviers, de la vigne et des fruits. Toujours proche, la mer, parsemée d'îles, baigne des côtes échancrées de criques et de calanques. La Grèce est visitée chaque année par des millions de touristes attirés par sa civilisation antique, la mer et le soleil.

ALBANIE
Population : 3 600 523 * Capitale : Tirana

BOSNIE-HERZÉGOVINE
Population : 4 552 198 * Capitale : Sarajevo

BULGARIE
Population : 7 322 858 * Capitale : Sofia

CROATIE
Population : 4 493 312 * Capitale : Zagreb

GRÈCE
Population : 10 706 290 * Capitale : Athènes

MACÉDOINE
Population : 2 055 915 * Capitale : Skopje

MONTÉNÉGRO
Population : 684 736 * Capitale : Podgorica

ROUMANIE
Population : 22 276 245 * Capitale : Bucarest

SERBIE
Population : 10 150 265 * Capitale : Belgrade

SLOVÉNIE
Population : 2 009 245 * Capitale : Ljubljana

ÉCHELLE

N
O · E
S

MILES
0   25   50   75   100   150

KILOMÈTRES
0   50   100   150

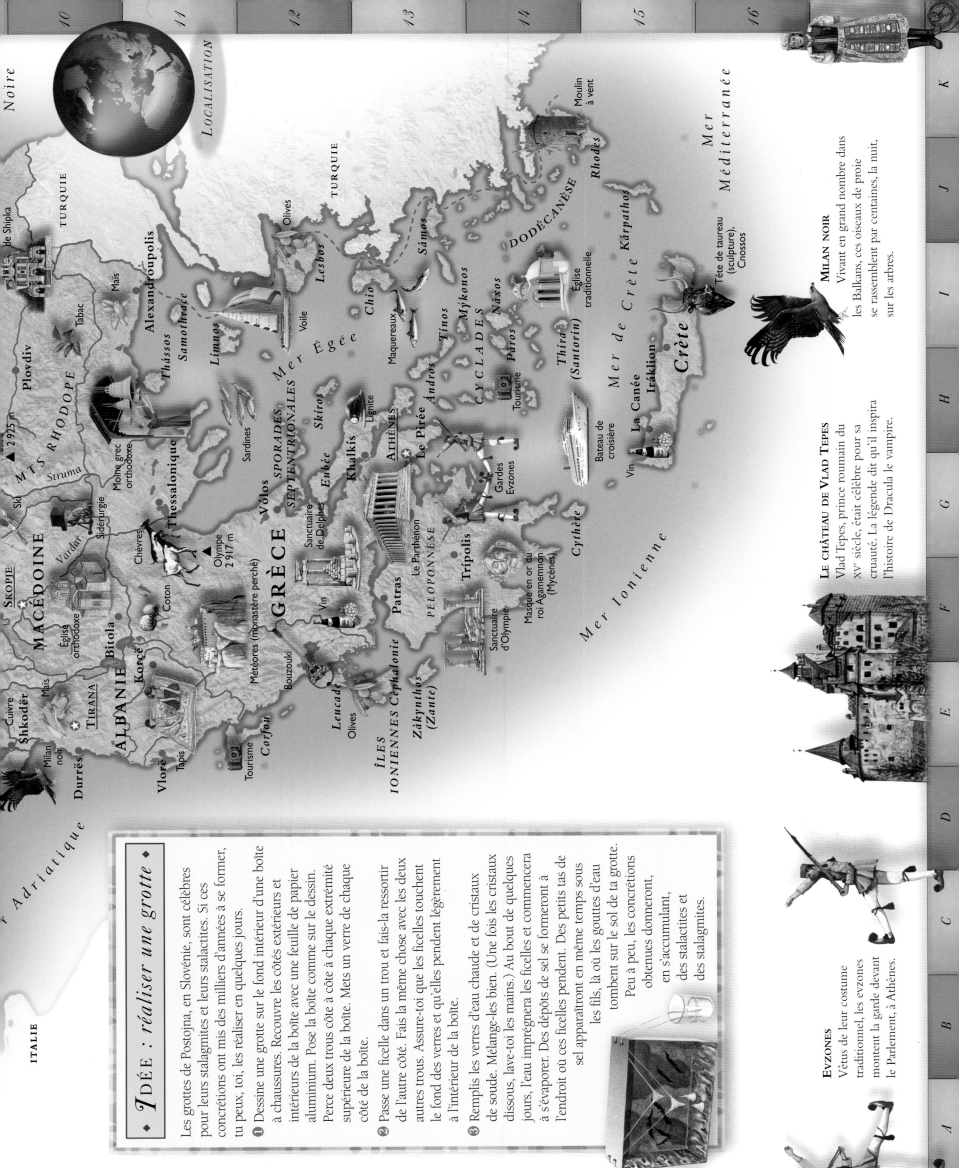

LOCALISATION

Noire

Adriatique

ITALIE

TURQUIE

de Shipka

Plovdiv

▲ 2 925 m

MTS RHODOPE

Skı

Struma

Vardar

SKOPIE

MACÉDOINE

Cuivre

Shkodër

Milan noir

Maïs

ALBANIE

Bitola

Korçë

TIRANA

Durrës

Vlorë

Tapis

Tourisme

Coton

Chèvres

Église orthodoxe

Sidérurgie

Thessalonique

Moine grec orthodoxe

Maïs

Tabac

Alexandroúpolis

Thássos

Samothrace

Límnos

Lesbos

Olives

Voile

TURQUIE

Mer Égée

SPORADES SEPTENTRIONALES

Vólos

GRÈCE

Sardines

Météores (monastère perché)

Olympe 2 917 m

Sanctuaire de Delphes

Vin

Bouzouki

Corfou

Leucade

Olives

Zákynthos (Zante)

ÎLES IONIENNES Céphalonie

Mer Ionienne

Skíros

Eubée

Khalkís

Chio

Maquereaux

Sámos

ATHÈNES

Le Pirée

Le Parthénon

Patras

PÉLOPONNÈSE

Trípolis

Sanctuaire d'Olympie

Masque en or du roi Agamemnon (Mycènes)

Gardes Evzones

Cythère

Andros

Tinos

Mýkonos

CYCLADES

Páros

Náxos

Tourisme

Thíra (Santorin)

Lignite

DODÉCANÈSE

Moulin à vent

Rhodes

Kárpathos

Mer de Crète

La Canée

Iráklion

Crète

Vin

Église traditionnelle

Tête de taureau (sculpture), Cnossos

Mer Méditerranée

Mer

• IDÉE : réaliser une grotte •

Les grottes de Postojna, en Slovénie, sont célèbres pour leurs stalagmites et leurs stalactites. Si ces concrétions ont mis des milliers d'années à se former, tu peux, toi, les réaliser en quelques jours.

❶ Dessine une grotte sur le fond intérieur d'une boîte à chaussures. Recouvre les côtés extérieurs et intérieurs de la boîte avec une feuille de papier aluminium. Pose la boîte comme sur le dessin. Perce deux trous côte à côte à chaque extrémité supérieure de la boîte. Mets un verre de chaque côté de la boîte.

❷ Passe une ficelle dans un trou et fais-la ressortir de l'autre côté. Fais la même chose avec les deux autres trous. Assure-toi que les ficelles touchent le fond des verres et qu'elles pendent légèrement à l'intérieur de la boîte.

❸ Remplis les verres d'eau chaude et de cristaux de soude. Mélange-les bien. (Une fois les cristaux dissous, lave-toi les mains.) Au bout de quelques jours, l'eau imprégnera les ficelles et commencera à s'évaporer. Des dépôts de sel se formeront à l'endroit où ces ficelles pendent. Des petits tas de sel apparaîtront en même temps sous les fils, là où les gouttes d'eau tombent sur le sol de ta grotte. Peu à peu, les concrétions obtenues donneront, en s'accumulant, des stalactites et des stalagmites.

EVZONES
Vêtus de leur costume traditionnel, les evzones montent la garde devant le Parlement, à Athènes.

LE CHÂTEAU DE VLAD TEPES
Vlad Tepes, prince roumain du XVᵉ siècle, était célèbre pour sa cruauté. La légende dit qu'il inspira l'histoire de Dracula le vampire.

MILAN NOIR
Vivant en grand nombre dans les Balkans, ces oiseaux de proie se rassemblent par centaines, la nuit, sur les arbres.

Europe de l'Est

À LA FIN DU XXᵉ SIÈCLE, des bouleversements politiques ont modifié la carte de cette région. Rattachés auparavant à l'URSS, les pays Baltes (Estonie, Lettonie, Lituanie), la Biélorussie, la Moldavie et l'Ukraine sont devenus des États indépendants en 1990-1991. En 1993, la Tchécoslovaquie s'est divisée en deux États : la République tchèque et la Slovaquie. Le premier a la forme d'un quadrilatère délimité par des massifs montagneux ; le second est occupé aux trois quarts par le massif des Carpates. Une vaste prairie plane et fertile couvre la Hongrie et l'Ukraine. La majeure partie de la Pologne est formée de plaines et de bas plateaux parcourus du sud au nord par de grands fleuves se jetant dans la mer Baltique, aux côtes marécageuses bordées de dunes. Plus de 9 000 lacs d'origine glaciaire ceinturent, à l'est, les pays Baltes. Durant l'hiver, froid et rigoureux, le gel entrave souvent la circulation dans la mer Baltique, nécessitant l'intervention de brise-glace. Les deux tiers des habitants de l'Europe de l'Est vivent en ville. Beaucoup travaillent dans les mines, la sidérurgie et les chantiers navals. Souvent très polluantes, ces industries ont, par leurs rejets, détruit les forêts polonaises et tchèques, et rendu la baignade dangereuse dans les lacs hongrois. L'explosion accidentelle d'un réacteur de la centrale nucléaire de Tchernobyl près de Kiev, en 1986, a contaminé une vaste région à cheval sur l'Ukraine et la Biélorussie, rendant toute culture impropre. L'Ukraine reste cependant l'un des greniers à blé du monde.

◆ CHERCHE ◆

- Quelle sorte de verre fabrique-t-on en République tchèque ?
- Cite un minerai extrait dans l'est de la Hongrie.
- Avec quoi est faite la soupe appelée bortsch, en Ukraine ?

BIÉLORUSSIE
POPULATION : 9 724 723 * CAPITALE : MINSK

ESTONIE
POPULATION : 1 315 912 * CAPITALE : TALLINN

HONGRIE
POPULATION : 9 956 108 * CAPITALE : BUDAPEST

LETTONIE
POPULATION : 2 259 810 * CAPITALE : RIGA

LITUANIE
POPULATION : 3 575 439 * CAPITALE : VILNIUS

MOLDAVIE
POPULATION : 4 320 490 * CAPITALE : CHIŞINĂU

POLOGNE
POPULATION : 38 518 241 * CAPITALE : VARSOVIE

RÉPUBLIQUE TCHÈQUE
POPULATION : 10 228 744 * CAPITALE : PRAGUE

SLOVAQUIE
POPULATION : 5 447 502 * CAPITALE : BRATISLAVA

UKRAINE
POPULATION : 46 299 862 * CAPITALE : KIEV

Mer Baltique

Chantier naval

Hareng

KALININ
(RUSSI

Costumes traditionnels

Gdańsk

Bois

Camping

Bisons

Szczecin

Industrie chimique

POLOGNE

Château Royal

Cheval de traîneau

Bydgoszcz

Poznań

Industrie alimentaire

Oder

Textile

ALLEMAGNE

Château d'Oleśnica

Lódź

Élevag

Église Ste-Marie-du-Tyn

Monts des Géants

Blé

Pommes

Charbon

SUDÈTES

Wrocław

Maisons baroques

Sidérurgie

Vistule

Plzeň

Prague

Industrie automobile

Katowice

Cracovie

FORÊT DE BOHÊME

Cristal de Bohême

RÉPUBLIQUE TCHÈQUE

Football

Charbon

Brno

SLOVAQUIE

Stalag
Krásn

Château de Bratislava

Košice

Cavalier de l'Hortobágy

AUTRICHE

BRATISLAVA

Ba
(alun

BUDAPEST

De

SLOVÉNIE

HONGRIE

Le Parlement

Danube

Volaille

Maïs

Jambons

CROATIE

Pécs

EX-YOUGOSLAVIE

L'ÉGLISE SAINTE-MARIE-DU-TYN
Les clochers de cette église de Prague (XIVᵉ siècle) portent les noms d'Adam et Ève. Celui de droite est plus large que l'autre.

CAVALIERS DE L'HORTOBÁGY
Située en Hongrie, la région de l'Hortobágy est célèbre pour ses élevages de chevaux. Les habitants sont fiers de leurs qualités de cavaliers.

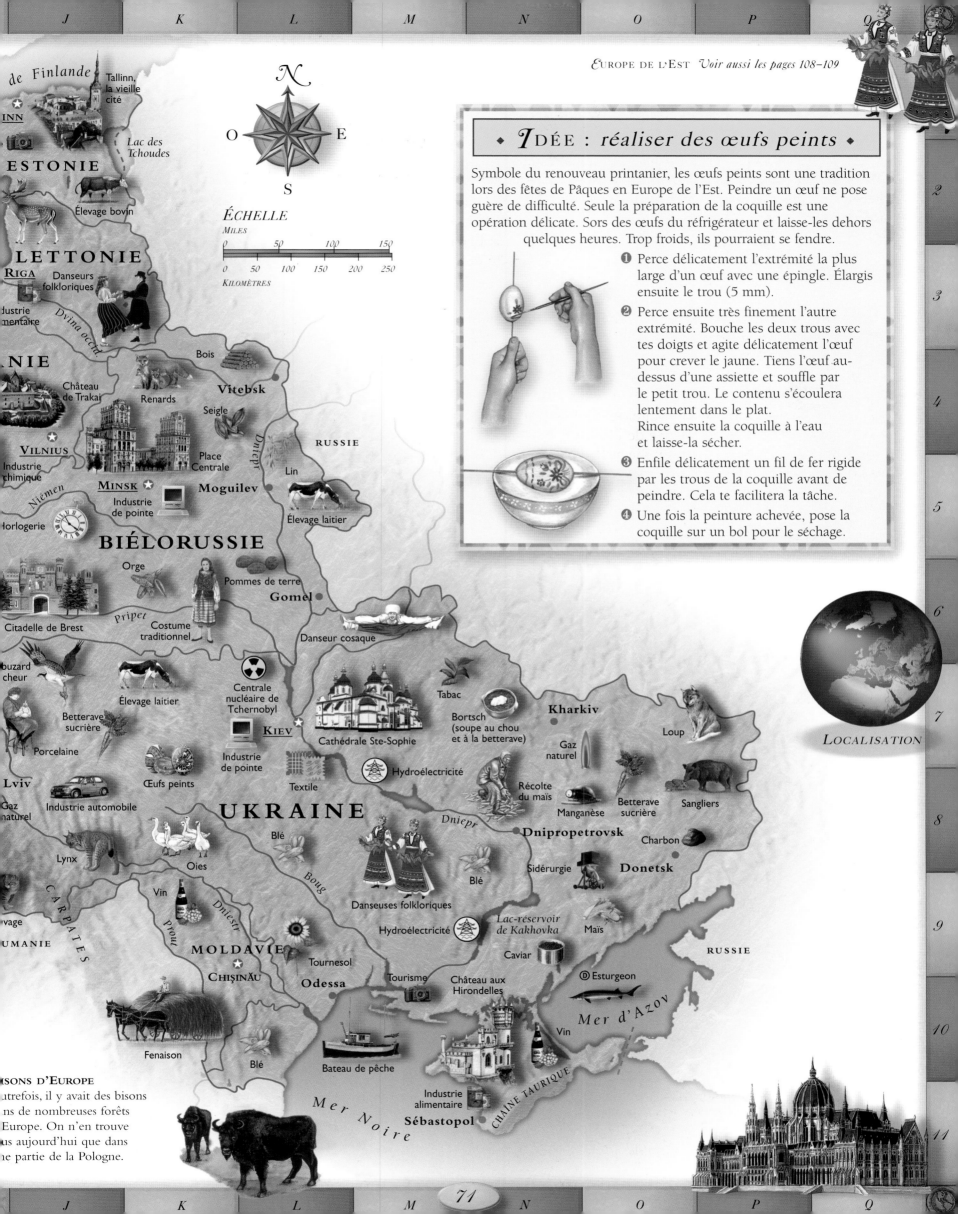

J K L M N O P Q

de Finlande

Tallinn, la vieille cité

…INN

Lac des Tchoudes

ESTONIE

Élevage bovin

LETTONIE

RIGA

Danseurs folkloriques

…dustrie …mentaire

Dvina occid.

…NIE

Château de Trakai

Renards

Bois

Vitebsk

Seigle

RUSSIE

Place Centrale

Lin

VILNIUS

Industrie chimique

Niémen

MINSK

Moguilev

Élevage laitier

…rlogerie

Industrie de pointe

BIÉLORUSSIE

Orge

Pommes de terre

Gomel

Citadelle de Brest

Pripet

Costume traditionnel

Danseur cosaque

…buzard …cheur

Élevage laitier

Betterave sucrière

Porcelaine

Centrale nucléaire de Tchernobyl

KIEV

Cathédrale Ste-Sophie

Tabac

Bortsch (soupe au chou et à la betterave)

Kharkiv

Gaz naturel

Loup

Industrie de pointe

Œufs peints

Textile

Hydroélectricité

Récolte du maïs

Lviv

Gaz naturel

Industrie automobile

UKRAINE

Manganèse

Betterave sucrière

Sangliers

Dniepr

Dnipropetrovsk

Charbon

Lynx

Oies

Blé

Danseuses folkloriques

Blé

Sidérurgie

Donetsk

Boug

Dniestr

Vin

Prout

Hydroélectricité

Lac-réservoir de Kakhovka

Maïs

CARPATES

…vage

MOLDAVIE

Tournesol

Caviar

RUSSIE

…UMANIE

CHIŞINĂU

Odessa

Tourisme

Château aux Hirondelles

Esturgeon

Vin

Mer d'Azov

Fenaison

Blé

Bateau de pêche

Industrie alimentaire

CHAÎNE TAURIQUE

Sébastopol

Mer Noire

Idée : réaliser des œufs peints

Symbole du renouveau printanier, les œufs peints sont une tradition lors des fêtes de Pâques en Europe de l'Est. Peindre un œuf ne pose guère de difficulté. Seule la préparation de la coquille est une opération délicate. Sors des œufs du réfrigérateur et laisse-les dehors quelques heures. Trop froids, ils pourraient se fendre.

❶ Perce délicatement l'extrémité la plus large d'un œuf avec une épingle. Élargis ensuite le trou (5 mm).

❷ Perce ensuite très finement l'autre extrémité. Bouche les deux trous avec tes doigts et agite délicatement l'œuf pour crever le jaune. Tiens l'œuf au-dessus d'une assiette et souffle par le petit trou. Le contenu s'écoulera lentement dans le plat. Rince ensuite la coquille à l'eau et laisse-la sécher.

❸ Enfile délicatement un fil de fer rigide par les trous de la coquille avant de peindre. Cela te facilitera la tâche.

❹ Une fois la peinture achevée, pose la coquille sur un bol pour le séchage.

LOCALISATION

ÉCHELLE

MILES
0   50   100   150

0 50 100 150 200 250
KILOMÈTRES

…SONS D'EUROPE

…utrefois, il y avait des bisons …ns de nombreuses forêts … Europe. On n'en trouve …us aujourd'hui que dans …e partie de la Pologne.

J K L M N O P Q

Pays nordiques

Les pays du Nord de l'Europe sont le Danemark, la Finlande, l'Islande, la Norvège et la Suède. Le terme de Scandinavie s'applique à la vaste péninsule occupée par la Norvège et la Suède. La bordure occidentale de la péninsule est délimitée par des côtes rocheuses et abruptes bordées de 150 000 îles et découpées par une succession de profondes vallées glaciaires envahies par la mer, les fjords. L'intérieur est occupé par de hauts plateaux et des sommets élevés couverts de glaciers. À l'est, les terres basses et marécageuses de Suède et de Finlande sont constellées de dizaines de milliers de lacs et couvertes de forêts de conifères abritant élans, ours bruns et loups. Le climat est rude et froid dans la moitié nord, avec des hivers longs, sombres et neigeux, mais

plus tempéré au sud, où les terres sont plus fertiles. 3 % seulement du sol norvégien est cultivable, contre plus de 75 % au Danemark. Située à l'ouest, à 1 000 km des côtes de Norvège, l'Islande est une île d'origine volcanique. La partie centrale, inhabitée et d'aspect lunaire, est recouverte de glaciers (13 000 km²), de champs de lave, de cratères. Le volcanisme se manifeste par la présence de nombreux geysers, de sources chaudes et de volcans en activité.

DANEMARK
Population : 5 468 120 * Capitale : Copenhague

FINLANDE
Population : 5 238 460 * Capitale : Helsinki

ISLANDE
Population : 301 931 * Capitale : Reykjavik

NORVÈGE
Population : 4 627 926 * Capitale : Oslo

SUÈDE
Population : 9 031 088 * Capitale : Stockholm

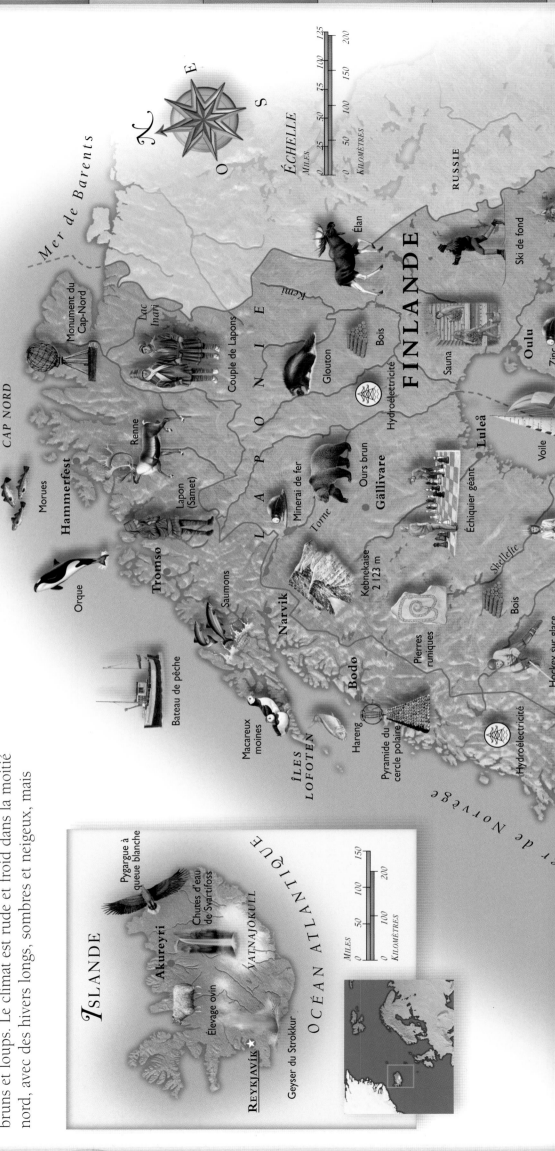

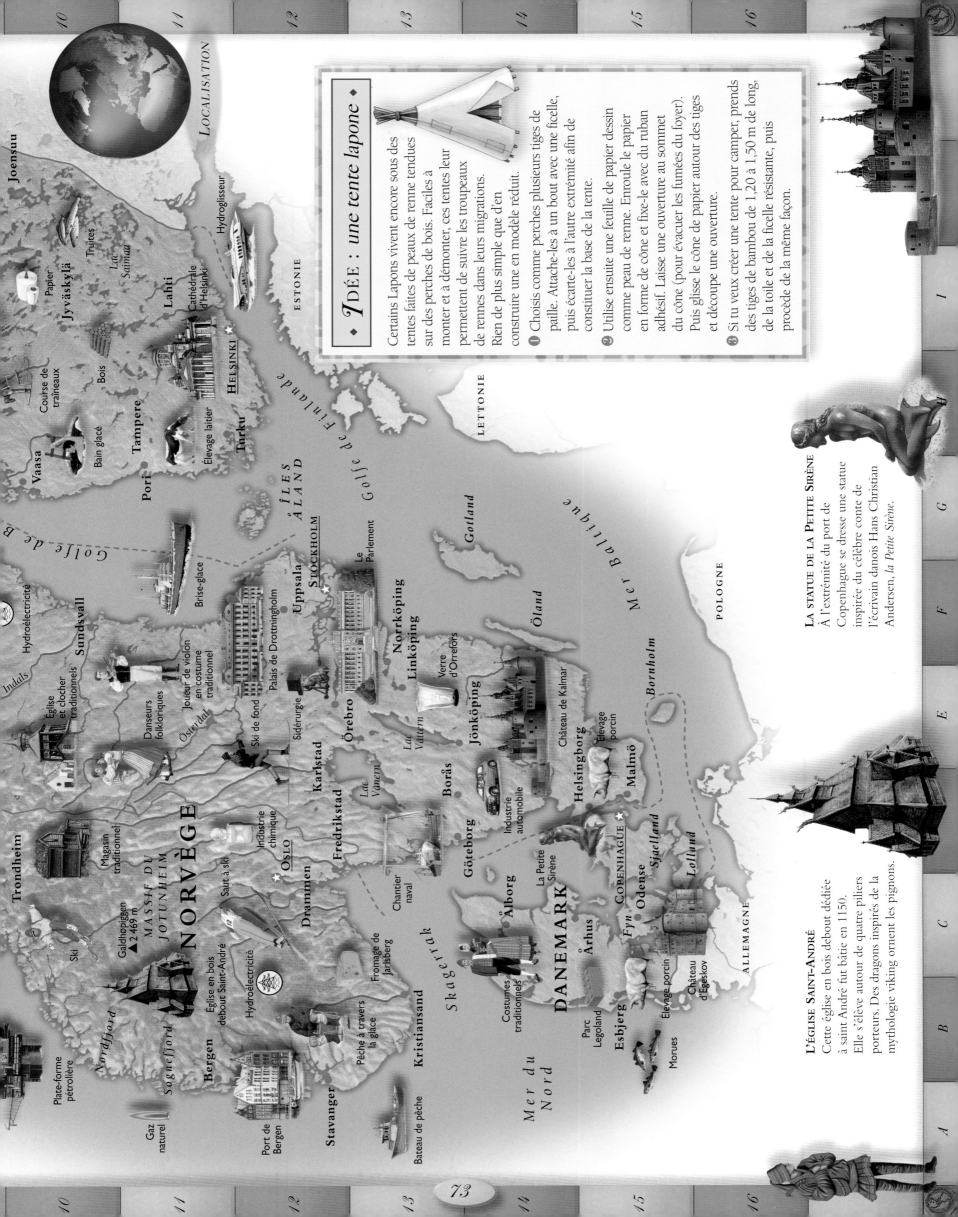

◆ IDÉE : une tente lapone ◆

Certains Lapons vivent encore sous des tentes faites de peaux de renne tendues sur des perches de bois. Faciles à monter et à démonter, ces tentes leur permettent de suivre les troupeaux de rennes dans leurs migrations. Rien de plus simple que d'en construire une en modèle réduit.

❶ Choisis comme perches plusieurs tiges de paille. Attache-les à un bout avec une ficelle, puis écarte-les à l'autre extrémité afin de constituer la base de la tente.

❷ Utilise ensuite une feuille de papier dessin comme peau de renne. Enroule le papier en forme de cône et fixe-le avec du ruban adhésif. Laisse une ouverture au sommet du cône (pour évacuer les fumées du foyer). Puis glisse le cône de papier autour des tiges et découpe une ouverture.

❸ Si tu veux créer une tente pour camper, prends des tiges de bambou de 1,20 à 1,50 m de long, de la toile et de la ficelle résistante, puis procède de la même façon.

LA STATUE DE LA PETITE SIRÈNE
À l'extrémité du port de Copenhague se dresse une statue inspirée du célèbre conte de l'écrivain danois Hans Christian Andersen, *la Petite Sirène*.

L'ÉGLISE SAINT-ANDRÉ
Cette église en bois debout dédiée à saint André fut bâtie en 1150. Elle s'élève autour de quatre piliers porteurs. Des dragons inspirés de la mythologie viking ornent les pignons.

LOCALISATION

Joensuu
Truites
Papier
Jyväskylä
Lac Saïmaa
Lahti
Cathédrale d'Helsinki
Hydroglisseur
ESTONIE
Course de traîneaux
Bois
Bain glacé
Élevage laitier
Vaasa
Tampere
Turku
Pori
HELSINKI
Golfe de Finlande
LETTONIE
ÎLES ÅLAND
Golfe de Botnie
Sundsvall
Hydroélectricité
Indals
Église et clocher traditionnels
Danseurs folkloriques
Joueur de violon en costume traditionnel
Österdal
Brise-glace
Palais de Drottningholm
Ski de fond
Uppsala
Le Parlement
STOCKHOLM
Gotland
POLOGNE
Mer Baltique
Öland
Sidérurgie
Örebro
Norrköping
Linköping
Verre d'Orrefors
Karlstad
Lac Vättern
Jönköping
Lac Vänern
Borås
Château de Kalmar
Bornholm
Fredrikstad
Industrie chimique
Göteborg
Industrie automobile
Helsingborg
Élevage porcin
Malmö
NORVÈGE
Trondheim
Magasin traditionnel
Plate-forme pétrolière
Gaz naturel
Nordfjord
Sognefjord
Bergen
Port de Bergen
Ski
Galdhøpiggen ▲ 2 469 m
MASSIF DU JOTUNHEIM
Saut à ski
Église en bois debout Saint-André
Hydroélectricité
OSLO
Drammen
Chantier naval
Fromage de Jarlsberg
Kristiansand
Skagerrak
Stavanger
Bateau de pêche
Mer du Nord
DANEMARK
Parc Legoland
Esbjerg
Morues
Ålborg
Århus
Costumes traditionnels
Élevage porcin
Fyn
COPENHAGUE
La Petite Sirène
Odense
Château d'Egeskov
Sjaelland
Lolland
ALLEMAGNE

73

Asie

L'ASIE, LE PLUS GRAND DE TOUS LES CONTINENTS, s'étend sur près de la moitié du globe et couvre un tiers des terres émergées. Elle abrite aussi bien les plus hauts sommets du monde que le point le plus bas. L'Asie fut le berceau de nombreuses grandes religions et civilisations ; aujourd'hui, sa population représente 60 % des habitants de la planète. La plupart des Asiatiques vivent dans l'est et le sud du continent, au climat chaud et humide, où s'étendent de larges zones boisées et des plaines fertiles. Déserts et montagnes se partagent le sud-ouest et le cœur du continent, tandis qu'au nord les steppes d'Asie centrale débouchent sur les immenses forêts russes. La toundra ceinture la côte nord du continent. La Russie est le plus grand pays d'Asie (et du monde) par sa superficie, mais sa voisine la Chine la dépasse par le nombre de ses habitants.

LE CONTINENT

Superficie : 44 391 162 km²
(Russie d'Europe non incluse)
Population : 3 902 404 193 habitants
(Russie d'Europe non incluse)
États indépendants : Afghanistan, Arabie saoudite, Arménie, Azerbaïdjan, Bahreïn, Bangladesh, Bhoutan, Birmanie (ou Myanmar), Brunei, Cambodge, Chine, Chypre, Corée du Nord, Corée du Sud, Émirats arabes unis, Géorgie, Inde, Indonésie, Iran, Iraq, Israël, Japon, Jordanie, Kazakhstan, Kirghizistan, Koweït, Laos, Liban, Malaisie, Maldives, Mongolie, Népal, Oman, Ouzbékistan, Pakistan, Philippines, Qatar, Russie, Singapour, Sri Lanka (ex-Ceylan), Syrie, Tadjikistan, Taïwan, Thaïlande, Timor-Oriental, Turkménistan, Turquie, Viêt Nam, Yémen

RECORDS DU MONDE

PLUS HAUT SOMMET
LE MONT EVEREST, CHINE-NÉPAL : 8 850 M

POINT LE PLUS BAS
LA MER MORTE, ISRAËL-JORDANIE : 411 M
EN DESSOUS DU NIVEAU DE LA MER

PLUS GRAND LAC
LA MER CASPIENNE, ASIE OCCIDENTALE : 371 800 KM²

**LAC AU PLUS FORT DÉBIT,
LE PLUS PROFOND ET LE PLUS VIEUX**
LE LAC BAÏKAL, RUSSIE : 23 000 KM³ D'EAU ;
1 367 M DE PROFONDEUR ; 25 MILLIONS D'ANNÉES

ÉTAT LE PLUS VASTE
LA RUSSIE : 17 075 383 KM²

ÉTAT LE PLUS PEUPLÉ
LA CHINE : 1 321 851 888 HABITANTS

AGGLOMÉRATION LA PLUS PEUPLÉE
TÔKYÔ, JAPON : 35 197 000 HABITANTS

PLUS LONG MUR
LA GRANDE MURAILLE DE CHINE : 3 460 KM

PLUS LONGUE LIGNE DE CHEMIN DE FER
LE TRANSSIBÉRIEN, RUSSIE : 9 297 KM

RECORD DU CONTINENT

PLUS LONG FLEUVE
LE YANGZI JIANG (FLEUVE BLEU) :
5 980 KM

PRINCIPAUX SOMMETS ET FLEUVES

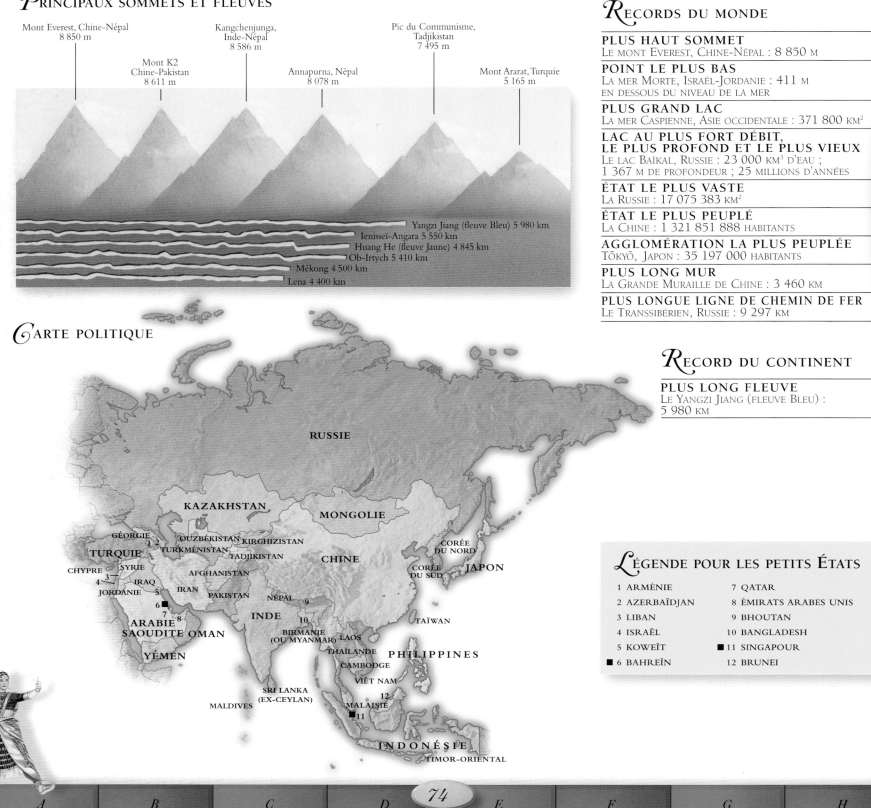

Mont Everest, Chine-Népal
8 850 m

Mont K2
Chine-Pakistan
8 611 m

Kangchenjunga,
Inde-Népal
8 586 m

Annapurna, Népal
8 078 m

Pic du Communisme,
Tadjikistan
7 495 m

Mont Ararat, Turquie
5 165 m

Yangzi Jiang (fleuve Bleu) 5 980 km
Ienisseï-Angara 5 550 km
Huang He (fleuve Jaune) 4 845 km
Ob-Irtych 5 410 km
Mékong 4 500 km
Lena 4 400 km

CARTE POLITIQUE

RUSSIE

KAZAKHSTAN

MONGOLIE

GÉORGIE
OUZBÉKISTAN KIRGHIZISTAN
TURKMÉNISTAN
TURQUIE
TADJIKISTAN
CHINE
CORÉE
DU NORD
CHYPRE SYRIE
AFGHANISTAN
CORÉE
DU SUD
JAPON
IRAQ
IRAN
PAKISTAN
NÉPAL
JORDANIE
TAÏWAN
INDE
ARABIE
SAOUDITE OMAN
BIRMANIE
(OU MYANMAR)
LAOS
YÉMEN
THAÏLANDE
PHILIPPINES
CAMBODGE
VIÊT NAM
SRI LANKA
(EX-CEYLAN)
MALDIVES
MALAISIE
INDONÉSIE
TIMOR-ORIENTAL

LÉGENDE POUR LES PETITS ÉTATS

1 ARMÉNIE
2 AZERBAÏDJAN
3 LIBAN
4 ISRAËL
5 KOWEÏT
6 BAHREÏN
7 QATAR
8 ÉMIRATS ARABES UNIS
9 BHOUTAN
10 BANGLADESH
11 SINGAPOUR
12 BRUNEI

Russie

LE PLUS VASTE PAYS DU MONDE représente à lui seul les deux tiers de l'Asie et un tiers de l'Europe et couvre onze fuseaux horaires ! Quand les habitants de Saint-Pétersbourg, à l'ouest, se couchent, les mineurs et les gardiens de troupeaux de rennes qui vivent dans l'extrémité orientale de la Russie se lèvent. La majeure partie de la Russie a un climat froid, avec des étés allant du doux au frais et des hivers du froid au glacial. Dans le Nord, où règne la toundra, les températures peuvent baisser jusqu'à – 70 °C. Contrastant avec ces steppes herbeuses, une large ceinture de forêts de conifères (la taïga) traverse presque tout le pays. Les monts Oural séparent la Russie d'Europe de la Russie d'Asie : à l'ouest, la partie européenne ne recouvre qu'un quart du territoire mais regroupe les quatre cinquièmes de la population, les grandes industries et les terres les plus fertiles. À l'est de l'Oural et jusqu'à l'océan Pacifique s'étend la Sibérie,

immense région de plus de 12 millions de kilomètres carrés (soit vingt-cinq fois la France). En Sibérie méridionale, non loin de la Mongolie, le lac Baïkal, le plus profond du monde, contient un cinquième de l'eau douce de la planète. Peu peuplée du fait d'un milieu naturel hostile, la Sibérie ne manque pas de ressources (pétrole et charbon). La presqu'île du Kamtchatka est le point le plus à l'est de la Russie ; au nord-est, le détroit de Béring ne sépare la Russie de l'Alaska que de 80 km.

RUSSIE
POPULATION : 141 377 752 ∗ CAPITALE : MOSCOU

Carte

OCÉA

TERRE FRANÇOIS-JOSEPH

NORVÈGE
Brise-glace
Mer de Barents
NOUVELLE-ZEMBLE
Mourmansk
Mer de Kara

Minerai de fer et cuivre
Macareux moines
Aiglefins
Phoques du Groenland
Pêche à travers la glace
Nickel et platine

FINLANDE
Arkhangelsk
Charbon
Gaz naturel

KALININGRAD (RUSSIE)
ESTONIE
LETTONIE
Lac Ladoga
Lac Onega
Bois
Femme Nenet

LITUANIE
Œuf de Fabergé
Saint-Pétersbourg
Échecs
Troïka

BIÉLORUSSIE
Élevage laitier
MTS OURAL
Pétrole
PLAINE DE SIBÉRIE OCCIDENTAL

Cathédrale Saint-Dimitri
Pope (prêtre orthodoxe)
Membres du peuple khantys
Gardien de troupeaux dans la steppe

Église Basile-le-Bienheureux
Iaroslavl
Ballet
MOSCOU
Viatka
Minerai de fer
Oies

Nijni-Novgorod
Matriochkas
Seigle
Perm
Bauxite (aluminum)
Charrette de foin
Ob

Le Kremlin
Église de la Nativité
Kazan
Balalaïka
Grand tétras

Gymnaste
Oufa
Iekaterinbourg
Avoine

UKRAINE
Don
Samara
Maïs
Tcheliabinsk
Samovar
Omsk
Novossibirsk
Krasno

Rostov-sur-le-Don
Saratov
Volga
Blé
Fermiers
KAZAKHSTAN
Grand tétras
Sanglier

Mer Noire
Krasnodar
Canal Volga-Don
Volgograd
Le Transsibérie

CAUCASE
Mt Elbrouz 5 642 m ▲
Caviar
Astrakhan
Blé

Groznyi
Pêcheur d'esturgeons
Hydroé

GÉORGIE
Mer Caspienne
Élevage ovin

AZERBAÏDJAN

ÉGLISE BASILE-LE-BIENHEUREUX
Cette église haute en couleur, aux dômes en bulbe, fut édifiée à Moscou au XVIe siècle pour immortaliser la victoire du tsar Ivan le Terrible à Kazan.

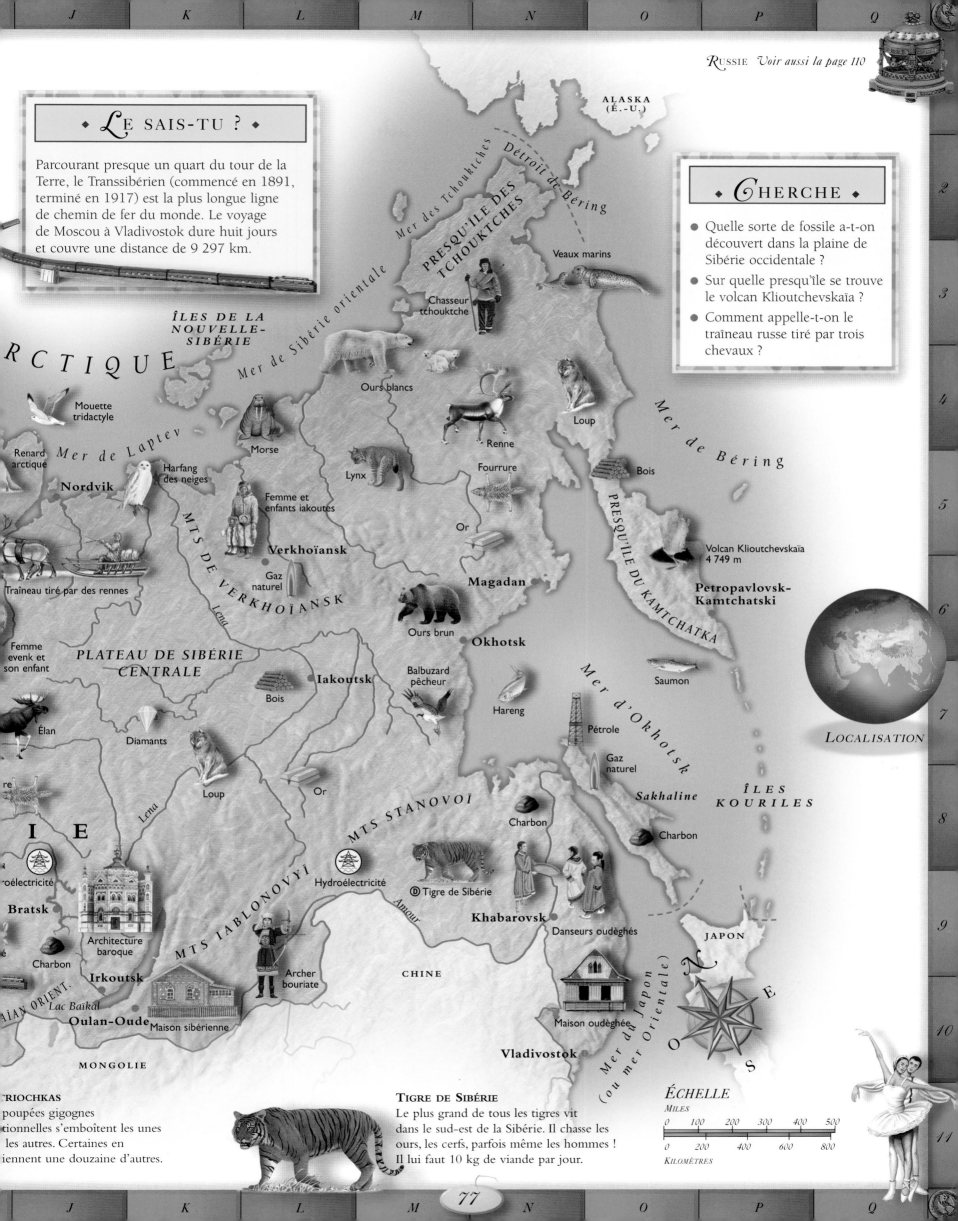

ALASKA
(É.-U.)

◆ CHERCHE ◆

● Quelle sorte de fossile a-t-on
découvert dans la plaine de
Sibérie occidentale ?

● Sur quelle presqu'île se trouve
le volcan Klioutchevskaïa ?

● Comment appelle-t-on le
traîneau russe tiré par trois
chevaux ?

Mer des Tchouktches

Détroit de Béring

PRESQU'ÎLE DES
TCHOUKTCHES

Veaux marins

Chasseur
tchouktche

ÎLES DE LA
NOUVELLE-
SIBÉRIE

Mer de Sibérie orientale

ARCTIQUE

Ours blancs

Loup

Mer de Béring

Mouette
tridactyle

Morse

Renne

Bois

Renard
arctique

Mer de Laptev

Harfang
des neiges

Lynx

Fourrure

PRESQU'ÎLE DU KAMTCHATKA

Nordvik

Femme et
enfants iakoutes

Or

Volcan Klioutchevskaïa
4 749 m

Traîneau tiré par des rennes

Verkhoïansk

MTS DE VERKHOÏANSK

Gaz
naturel

Magadan

Petropavlovsk-
Kamtchatski

Femme
evenk et
son enfant

PLATEAU DE SIBÉRIE
CENTRALE

Lena

Ours brun

Okhotsk

Balbuzard
pêcheur

Saumon

Élan

Bois

Iakoutsk

Mer d'Okhotsk

Hareng

Diamants

Pétrole

IE

Lena

Gaz
naturel

ÎLES
KOURILES

Loup

Or

Sakhaline

roélectricité

Charbon

Bratsk

MTS IABLONOVYÏ

MTS STANOVOÏ

Hydroélectricité

Tigre de Sibérie

Charbon

Architecture
baroque

Amour

Danseurs oudèghés

JAPON

Charbon

Khabarovsk

é

IAN ORIENT.

Irkoutsk

Archer
bouriate

CHINE

N

Lac Baïkal

Oulan-Oude

Maison sibérienne

Maison oudèghée

Mer du Japon
(ou mer Orientale)

O

E

LOCALISATION

MONGOLIE

Vladivostok

S

TIGRE DE SIBÉRIE

Le plus grand de tous les tigres vit
dans le sud-est de la Sibérie. Il chasse les
ours, les cerfs, parfois même les hommes !
Il lui faut 10 kg de viande par jour.

ÉCHELLE
MILES

0   100   200   300   400   500

0   200   400   600   800

KILOMÈTRES

Eurasie centrale

ON APPELLE EURASIE L'ENSEMBLE formé par l'Europe et l'Asie. L'Eurasie centrale s'étend du sud-est de la péninsule balkanique jusqu'au cœur de l'Asie. La Turquie forme un pont entre les deux continents, qui sont séparés par le détroit du Bosphore. L'intérieur du pays est accidenté et aride, mais ses fertiles régions côtières donnent du thé, du tabac ainsi que les plus grosses récoltes mondiales de raisins et de noisettes. Au sud de la Turquie se trouve l'île de Chypre, havre de peuples d'origine turque et grecque. À l'est de la Turquie, la Géorgie,

l'Arménie et l'Azerbaïdjan, encadrés par le Caucase, disposent de riches ressources naturelles : autrefois, Bakou fournissait la moitié du pétrole mondial. De l'autre côté de la mer Caspienne le désert recouvre la majeure partie du Turkménistan, de l'Ouzbékistan et du Kazakhstan. Jadis, la route de la soie traversait ces terres, reliant des villes comme Samarkand et Tachkent. Dans le Nord, le désert se transforme en steppe ; au sud-est, les monts Tian Shan occupent la majorité du Kirghizistan et du Kazakhstan. Nombre de fleuves d'Eurasie centrale sont détournés pour irriguer les cultures : la mer d'Aral, jadis le quatrième lac du monde, a perdu plus de la moitié de sa superficie ; de nombreux bateaux de pêcheurs sont désormais échoués à plus de 30 km des rives…

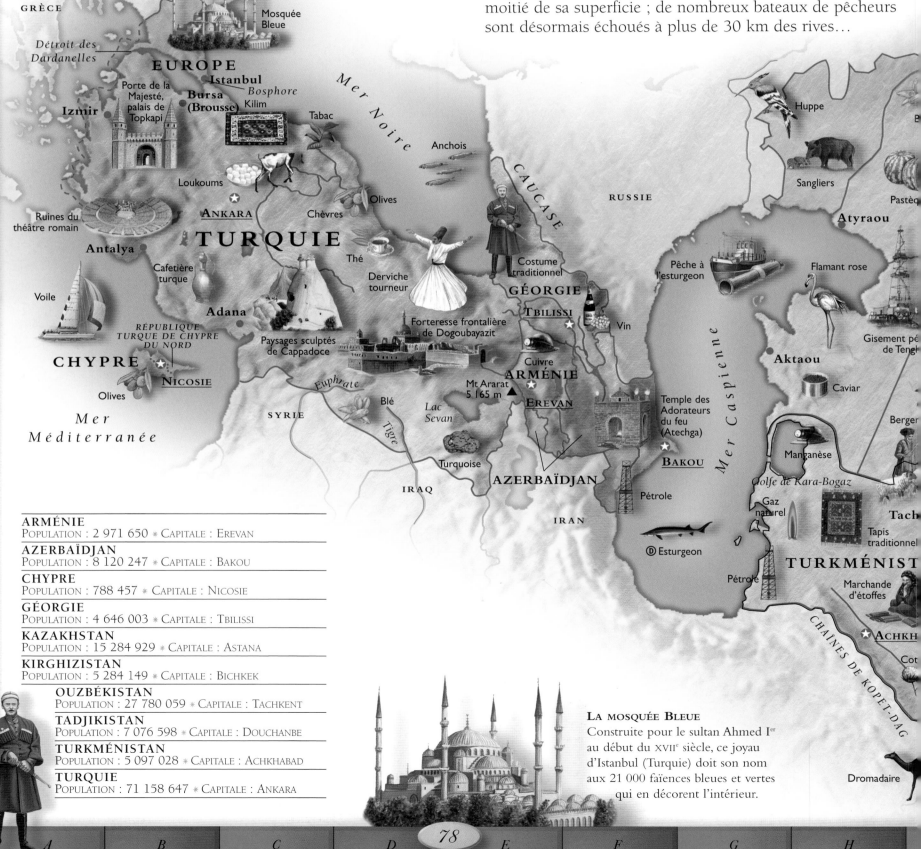

ARMÉNIE
POPULATION : 2 971 650 * CAPITALE : EREVAN

AZERBAÏDJAN
POPULATION : 8 120 247 * CAPITALE : BAKOU

CHYPRE
POPULATION : 788 457 * CAPITALE : NICOSIE

GÉORGIE
POPULATION : 4 646 003 * CAPITALE : TBILISSI

KAZAKHSTAN
POPULATION : 15 284 929 * CAPITALE : ASTANA

KIRGHIZISTAN
POPULATION : 5 284 149 * CAPITALE : BICHKEK

OUZBÉKISTAN
POPULATION : 27 780 059 * CAPITALE : TACHKENT

TADJIKISTAN
POPULATION : 7 076 598 * CAPITALE : DOUCHANBE

TURKMÉNISTAN
POPULATION : 5 097 028 * CAPITALE : ACHKHABAD

TURQUIE
POPULATION : 71 158 647 * CAPITALE : ANKARA

LA MOSQUÉE BLEUE
Construite pour le sultan Ahmed Ier au début du XVIIe siècle, ce joyau d'Istanbul (Turquie) doit son nom aux 21 000 faïences bleues et vertes qui en décorent l'intérieur.

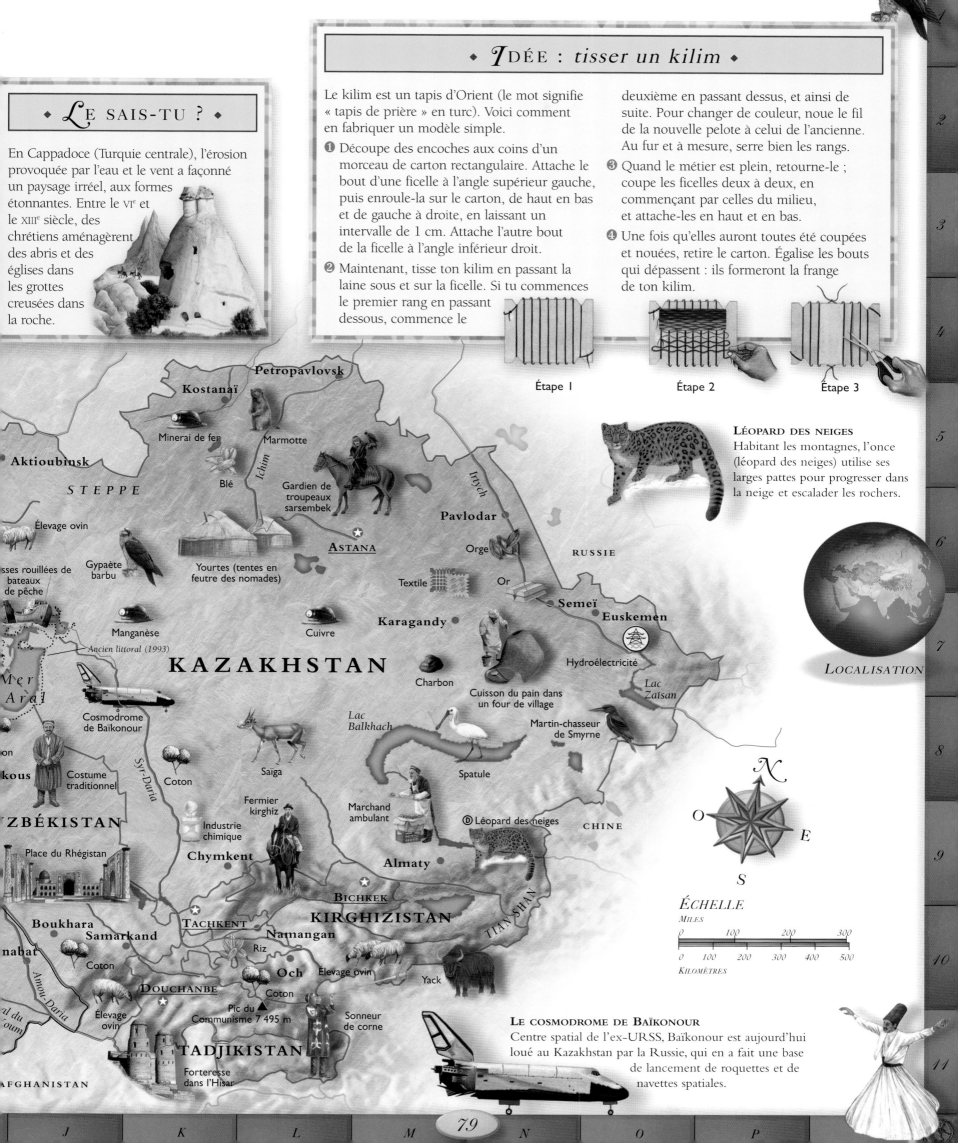

◆ LE SAIS-TU ? ◆

En Cappadoce (Turquie centrale), l'érosion provoquée par l'eau et le vent a façonné un paysage irréel, aux formes étonnantes. Entre le VIe et le XIIIe siècle, des chrétiens aménagèrent des abris et des églises dans les grottes creusées dans la roche.

◆ IDÉE : *tisser un kilim* ◆

Le kilim est un tapis d'Orient (le mot signifie « tapis de prière » en turc). Voici comment en fabriquer un modèle simple.

❶ Découpe des encoches aux coins d'un morceau de carton rectangulaire. Attache le bout d'une ficelle à l'angle supérieur gauche, puis enroule-la sur le carton, de haut en bas et de gauche à droite, en laissant un intervalle de 1 cm. Attache l'autre bout de la ficelle à l'angle inférieur droit.

❷ Maintenant, tisse ton kilim en passant la laine sous et sur la ficelle. Si tu commences le premier rang en passant dessous, commence le deuxième en passant dessus, et ainsi de suite. Pour changer de couleur, noue le fil de la nouvelle pelote à celui de l'ancienne. Au fur et à mesure, serre bien les rangs.

❸ Quand le métier est plein, retourne-le ; coupe les ficelles deux à deux, en commençant par celles du milieu, et attache-les en haut et en bas.

❹ Une fois qu'elles auront toutes été coupées et nouées, retire le carton. Égalise les bouts qui dépassent : ils formeront la frange de ton kilim.

Étape 1   Étape 2   Étape 3

LÉOPARD DES NEIGES
Habitant les montagnes, l'once (léopard des neiges) utilise ses larges pattes pour progresser dans la neige et escalader les rochers.

LOCALISATION

LE COSMODROME DE BAÏKONOUR
Centre spatial de l'ex-URSS, Baïkonour est aujourd'hui loué au Kazakhstan par la Russie, qui en a fait une base de lancement de roquettes et de navettes spatiales.

Map labels:

Petropavlovsk
Kostanaï
Minerai de fer
Marmotte
Blé
Ichim
Gardien de troupeaux sarsembek
Aktioubinsk
STEPPE
Élevage ovin
Gypaète barbu
Yourtes (tentes en feutre des nomades)
ASTANA
Pavlodar
Orge
Irtych
RUSSIE
Or
Textile
Semeï
Euskemen
Karagandy
Cuivre
Manganèse
Hydroélectricité
Ancien littoral (1993)
KAZAKHSTAN
Charbon
Lac Zaïsan
Cuisson du pain dans un four de village
Mer Aral
Cosmodrome de Baïkonour
Lac Balkhach
Martin-chasseur de Smyrne
Saïga
Spatule
Coton
OUZBÉKISTAN
Costume traditionnel
Fermier kirghiz
Marchand ambulant
Ⓓ Léopard des neiges
CHINE
Place du Rhégistan
Industrie chimique
Chymkent
Almaty
Boukhara
Samarkand
Coton
Riz
BICHKEK
TACHKENT
Namangan
KIRGHIZISTAN
TIAN SHAN
Amou-Daria
Och
Élevage ovin
Yack
Syr-Daria
DOUCHANBE
Coton
Pic du Communisme 7 495 m
Sonneur de corne
Élevage ovin
TADJIKISTAN
Forteresse dans l'Hisar
AFGHANISTAN

N O E S

ÉCHELLE
MILES
0   100   200   300
0   100   200   300   400   500
KILOMÈTRES

Moyen-Orient

Le MOYEN-ORIENT EST UNE TERRE D'ANTIQUES CITÉS et de déserts immenses. C'est le berceau de plusieurs des plus anciennes cultures et des plus importantes religions que la Terre ait connues, à commencer par les trois grands monothéismes : le judaïsme, le christianisme et l'islam. Les terres fertiles sont rares et se concentrent sur la côte méditerranéenne, le long du Tigre et de l'Euphrate, en Iraq, sur les hautes terres du nord de l'Iran et du Yémen. Le reste des territoires est généralement aride et très chaud. Des déserts occupent une grande partie de la Syrie, de la Jordanie, d'Israël et de l'Arabie saoudite, couvrant ainsi la majeure partie de la péninsule d'Arabie où, en certains endroits, il n'a pas plu depuis dix ans ! Des siècles durant, les habitants du Moyen-Orient ont dû s'ingénier à utiliser au mieux leurs maigres réserves d'eau. Aujourd'hui, les usines de dessalement installées sur les rives du golfe Persique transforment l'eau de mer en eau douce. La région du Golfe possède la moitié des réserves de gaz et de pétrole de la planète, ce qui a fait la richesse de certains États producteurs et exportateurs : en moyenne, les salariés des Émirats arabes unis gagnent le double de ceux des États-Unis. À l'inverse, le Yémen, qui n'a que peu de pétrole, est l'un des pays les plus pauvres du monde.

ARABIE SAOUDITE
POPULATION : 27 601 038 * CAPITALE : RIYAD

BAHREÏN
POPULATION : 708 573 * CAPITALE : MANĀMA

ÉMIRATS ARABES UNIS
POPULATION : 4 444 011 * CAPITALE : ABU DHABI

IRAN
POPULATION : 65 397 521 * CAPITALE : TÉHÉRAN

IRAQ
POPULATION : 27 499 638 * CAPITALE : BAGDAD

ISRAËL
POPULATION : 6 426 679 * CAPITALE : JÉRUSALEM

JORDANIE
POPULATION : 6 053 193 * CAPITALE : AMMAN

KOWEÏT
POPULATION : 2 505 559 * CAPITALE : KOWEÏT

LIBAN
POPULATION : 3 925 502 * CAPITALE : BEYROUTH

OMAN
POPULATION : 3 204 897 * CAPITALE : MASCATE

QATAR
POPULATION : 907 229 * CAPITALE : al-DAWHA

SYRIE
POPULATION : 19 314 747 * CAPITALE : DAMAS

YÉMEN
POPULATION : 22 230 531 * CAPITALE : SANAA

◆ LE SAIS-TU ? ◆

Le désert du Rub' al-Khālī, dans le sud de l'Arabie saoudite, est le plus vaste désert de sable du monde. Grand comme la France, il n'abrite ni ville, ni village ; seuls y vivent des nomades que l'on appelle Bédouins.

TURQUIE

Alep · Krak des Chevaliers

CHYPRE Lattaquié

Mer Méditerranée LIBAN **SYRIE** DÉSERT DE SYRIE

BEYROUTH ☆ Damas

Coupole du Rocher, Jérusalem CISJORDANIE ☆ AMMAN Dattier

Tel Aviv-Jaffa Gaza ☆ Jérusalem
BANDE DE GAZA Mer Morte

ISRAËL JORDANIE Scorpion

Mur des Lamentations, Jérusalem Vautour oricou

Tombes royales à Pétra (al-Batrā) DÉSERT DU NEFOUD

ÉGYPTE

HEDJAZ Tombes-grottes à Madā'in Sālih

Mérou Da

Gecko-léopard

Perles Médine

Femme voilée

La Mecque

Djedda

SOUDAN

Barracuda

Bateau de pêche

ÉRYTHRÉE

Ho

LA COUPOLE DU ROCHER (ISRAËL)
Ce temple musulman se dresse derrière le mur des Lamentations, un lieu sacré pour les juifs. À l'intérieur se trouve un rocher qui passe pour être le centre du monde.

FEMME VOILÉE
La tradition veut que les femmes musulmanes cachent leur visage et leurs cheveux aux étrangers. Nombreuses sont celles qui portent un grand voile noir, appelé tchador en Iran.

ARMÉNIE   AZERBAÏDJAN

Tabac

Tabriz

Mer Caspienne   TURKMÉNISTAN

Orge   Recht

ⒹEsturgeon   Caviar

soul   Coton   Mechhed

Pétrole   TÉHÉRAN   Turquoise

Mosquée   Musicien   DACHT-E KAVIR
du Vendredi,   (GRAND DÉSERT SALÉ)
Sâmarrâ   Vannage du grain

Femme kurde   Mosquée   PLATEAU
Royale   D'IRAN

DAD   Ispahan

R   Tissage   ⒹPanthère   DÉSERT DE LOUT
de tapis

Pétrole   AFGHANISTAN

in   IRAN
de du désert)   Bas-relief,   Kermān
Bassora   Ābādān   Persépolis

at (temple), Ur   Vin   Chirāz   Cité fortifiée de Bam   PAKISTAN
KOWEÏT   Pétrole
Berger
KOWEÏT   en manteau
de feutre
Course de   Caracal
dromadaires   Pétrole   Golfe
Pétrole   Persique

Vautour fauve   Chèvres

BAHREÏN
Damman
Château   MANĀMA   QATAR   Pétrole   Doubaï   OMAN
d'eau

AL-DAWHA   Pétrolier
RIYAD   Fort Zubara   Gaz   ABU
naturel   DHABI   MASCATE

ÉMIRATS   Dattier
Pur-sang   ARABES UNIS
ARABIE   arabe   Sūr   LOCALISATION
SAOUDITE   (FRONTIÈRE
INDÉTERMINÉE)   Mosquée
Al-Khouwair   Sardines

de   Téléphone   Noix de coco
uée   à l'énergie
solaire   N

Tente de Bédouins
DÉSERT DU RUB' AL-KHĀLÎ   Récolte   O   E
d'encens
Hamadryas   S

Chat des sables   Femme   OMAN   ÉCHELLE
au puits   MILES
Abricots   ⒹOryx   0 50 100 150 200 250
d'Arabie
Requin-   0 100 200 300 400
izz   YÉMEN   Salāla   tigre   KILOMÈTRES
Café   Pétrole
Aden   Al-Hajjara   Hommes fumant
le narguilé   **ORYX D'ARABIE**
OUTI   Cette espèce d'antilope est peut-
être à l'origine du mythe de la
Socotra   licorne. En effet, vue de profil,
(Yémen)   sa tête semble ne porter qu'une
seule corne.

◆ CHERCHE ◆

● À quelles courses d'animaux
assiste-t-on en Arabie
saoudite ?

● Cite une pierre précieuse
du nord-est de l'Iran.

● Dans quel État du Moyen-
Orient se trouve la Coupole
du Rocher ?

Asie méridionale

L'Asie méridionale, dite aussi sous-continent indien, est séparée du reste de l'Asie par une série de barrières montagneuses. Au nord-est, l'Himalaya – la plus haute chaîne de montagnes du monde – s'étire sur le nord de l'Inde et les deux petits royaumes du Népal et du Bhoutan. Au nord-ouest, les massifs de l'Hindou Kouch – la deuxième plus haute chaîne du monde – s'étendent du nord-ouest de l'Afghanistan au Pakistan. Plus au sud, c'est le domaine des plaines gigantesques qui courent du Pakistan au Bangladesh, couvrant la majeure partie de l'Inde du Nord. Ensuite, l'immense plateau triangulaire du Deccan domine l'Inde du Sud. Au large de la côte sud, l'île de Sri Lanka (ex-Ceylan) termine le sous-continent indien. L'Asie méridionale possède de vastes zones de

terres fertiles, des réserves minérales et des industries en plein essor, mais ces ressources ne suffisent pas à subvenir aux besoins d'une population très importante. Un cinquième de la population mondiale vit dans cette région, et le taux de natalité y est très élevé : rien qu'en Inde, 20 millions d'enfants naissent chaque année !
La majorité des habitants vit dans des villages et cultive de quoi subvenir à ses besoins. En Inde, au Sri Lanka et au Bangladesh, les agriculteurs sont tributaires des pluies d'été (moussons). Si celles-ci sont trop faibles, les cultures ne poussent pas. Mais, en cas de trop forte mousson, les cultures et les maisons risquent d'être dévastées par des torrents de boue.

AFGHANISTAN
Population : 31 889 923 * Capitale : Kaboul
BANGLADESH
Population : 150 448 339 * Capitale : Dacca
BHOUTAN
Population : 2 327 849 * Capitale : Thimbu
INDE
Population : 1 129 866 154 * Capitale : New Delhi
MALDIVES
Population : 369 031 * Capitale : Malé
NÉPAL
Population : 28 901 790 * Capitale : Katmandou
PAKISTAN
Population : 164 741 924 * Capitale : Islāmābād
SRI LANKA (EX-CEYLAN)
Population : 20 926 315 * Capitale : Colombo

◆ *Idée : un motif Tadj Mahall* ◆

Pour immortaliser l'amour qu'il portait à son épouse, l'empereur Chah Djahan fit édifier, près d'Agra, un tombeau de marbre blanc : le Tadj Mahall. Commencés en 1632, les travaux demandèrent seize années d'efforts à plus de 20 000 ouvriers. Décorés de motifs floraux, les carreaux sont incrustés de pierres semi-précieuses. Avec du papier, crée ton propre motif « Tadj Mahall ».

❶ Dessine des motifs floraux sur du papier blanc.
❷ Colorie chaque fleur, puis utilise éclats de miroir, paillettes, morceaux d'emballages en plastique ou boutons de couleur pour imiter les incrustations précieuses du Tadj Mahall.

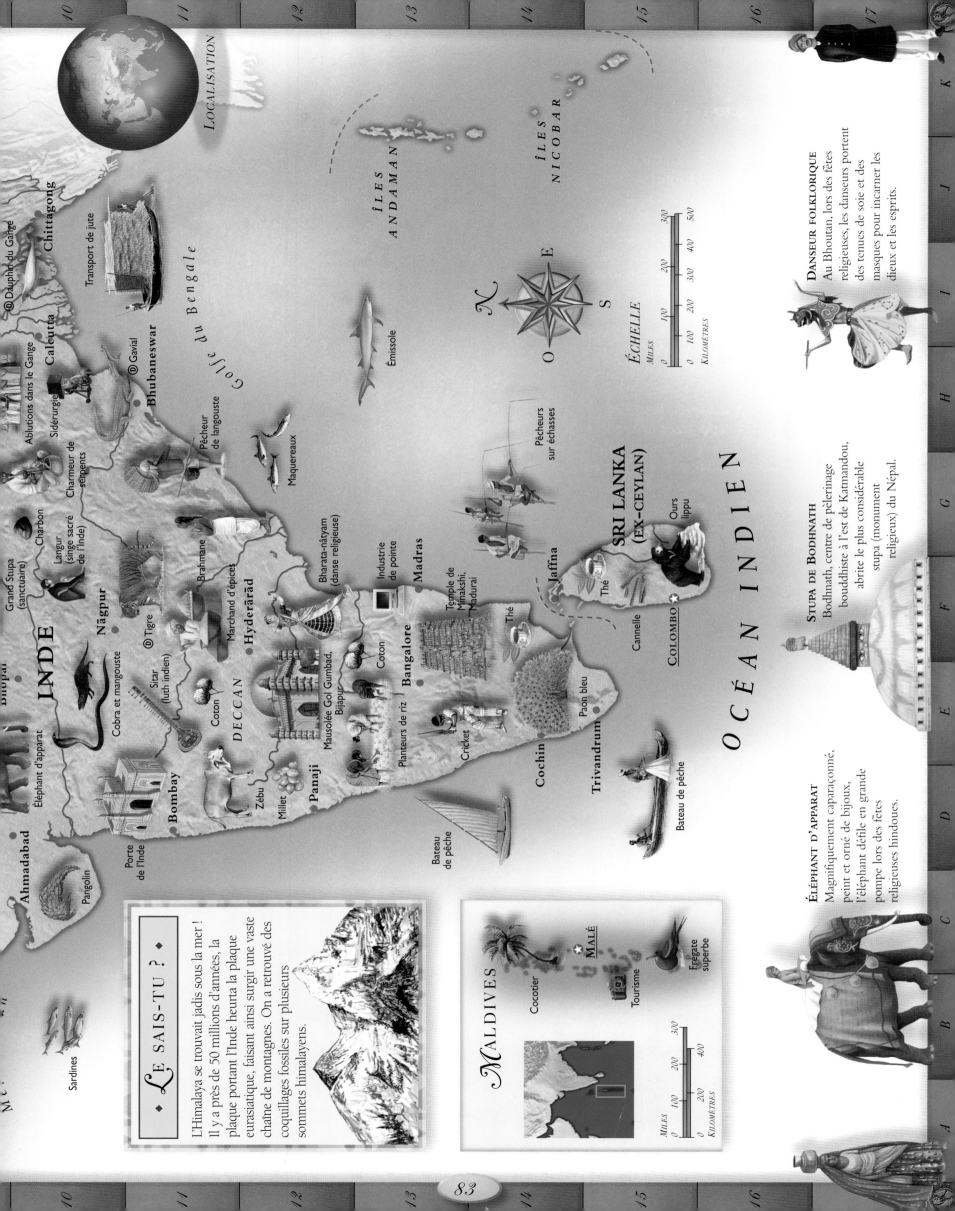

LOCALISATION

INDE

DECCAN

Ahmadabad
Pangolin
Porte de l'Inde
Sardines

Éléphant d'apparat
Charbon
Grand Stupa (sanctuaire)
Langur (singe sacré de l'Inde)
Charmeur de serpents
Siderurgie
Ablutions dans le Gange
© Dauphin du Gange

Calcutta
Chittagong
Transport de jute

Bhubaneswar
© Gavial

Golfe du Bengale

ÎLES ANDAMAN

ÎLES NICOBAR

Brahmane
Nāgpur
© Tigre
Cobra et mangouste
Sitar (luth indien)
Marchand d'épices
Hyderābād
Mausolée Gol Gumbad, Bijapur

Bombay
Zébu
Millet
Panaji
Coton

Bharata-nâtyam (danse religieuse)
Industrie de pointe
Madras
Temple de Minakshi, Madurai
Coton
Thé
Bangalore
Planteurs de riz
Cricket
Paon bleu
Bateau de pêche
Cochin
Trivandrum
Bateau de pêche

Pêcheur de langouste
Maquereaux
Émissole

Pêcheurs sur échasses

SRI LANKA (EX-CEYLAN)
Jaffna
Ours lippu
Thé
Cannelle
COLOMBO

OCÉAN INDIEN

N O E S
ÉCHELLE
MILES
0 100 200 300 400 500
KILOMÈTRES
0 100 200 300

• LE SAIS-TU ? •
L'Himalaya se trouvait jadis sous la mer ! Il y a près de 50 millions d'années, la plaque portant l'Inde heurta la plaque eurasiatique, faisant ainsi surgir une vaste chaîne de montagnes. On a retrouvé des coquillages fossiles sur plusieurs sommets himalayens.

MALDIVES
Cocotier
MALÉ
Tourisme
Frégate superbe
MILES
0 100 200 300
KILOMÈTRES
0 200 400

ÉLÉPHANT D'APPARAT
Magnifiquement caparaçonné, peint et orné de bijoux, l'éléphant défile en grande pompe lors des fêtes religieuses hindoues.

STUPA DE BODHNATH
Bodhnath, centre de pèlerinage bouddhiste à l'est de Katmandou, abrite le plus considérable stupa (monument religieux) du Népal.

DANSEUR FOLKLORIQUE
Au Bhoutan, lors des fêtes religieuses, les danseurs portent des tenues de soie et des masques pour incarner les dieux et les esprits.

83

Asie du Sud-Est

Le Sud-Est asiatique se compose, d'une part, d'une zone continentale – la péninsule indochinoise, que se partagent la Birmanie, le Laos, le Viêt Nam, le Cambodge, la Thaïlande et la Malaisie – et, d'autre part, des archipels voisins, qui regroupent quelque 20 000 îles. Dans cette région chaude et humide, les côtes qui s'allongent sur des milliers de kilomètres attirent les populations, car les eaux y sont très poissonneuses. Le riz est la principale production agricole et la base même de l'alimentation. On le cultive dans des rizières en plaine et en terrasses dans les montagnes. Depuis quelques années, de plus en plus de villageois migrent vers les grandes villes, à la recherche d'un travail. C'est ainsi qu'en peu de temps Bangkok, Hô Chi Minh-Ville, Manille et Djakarta se sont hissées au rang des mégapoles les plus peuplées de la planète. L'Asie du Sud-Est dispose de nombreuses richesses naturelles : pierres précieuses en Birmanie, pétrole et gaz naturel à Brunei (l'un des pays les plus riches du monde), et la Malaisie est le premier pays exportateur d'étain. Le bois est la ressource la plus courante, et les immenses forêts du Sud-Est asiatique fournissent plus des trois quarts de la production mondiale de bois durs et précieux. Malheureusement, la déforestation menace de nombreuses espèces animales et végétales... Conscients du danger, plusieurs pays ont transformé de vastes zones de forêts en magnifiques parcs nationaux.

BIRMANIE (OU MYANMAR)
Population : 47 373 958 * Capitale : Yangon (Rangoon)

BRUNEI
Population : 374 577 * Capitale : Bandar Seri Begawan

CAMBODGE
Population : 13 995 904 * Capitale : Phnom Penh

INDONÉSIE
Population : 234 603 997 * Capitale : Djakarta

LAOS
Population : 6 521 998 * Capitale : Vientiane

MALAISIE (OU MALAYSIA)
Population : 24 821 286 * Capitale : Kuala Lumpur

PHILIPPINES
Population : 91 077 287 * Capitale : Manille

SINGAPOUR
Population : 4 553 009 * Capitale : Singapour

THAÏLANDE
Population : 65 068 149 * Capitale : Bangkok

TIMOR-ORIENTAL
Population : 1 084 971 * Capitale : Dili

VIÊT NAM
Population : 85 262 356 * Capitale : Hanoi

FEMME-GIRAFE
Les femmes padaungs du Myanmar portent dès l'enfance des anneaux de métal autour du cou. On leur en ajoute au fur et à mesure qu'elles grandissent, ce qui leur allonge le cou.

TOURS PETRONAS
Avec leurs 452 m, ces deux tours de Malaisie dépassent de 9 m la Sears Tower de Chicago ; ce sont les plus hautes tours jumelles du monde.

CHERCHE

- Dans quel pays peut-on faire ses courses sur un marché flottant ?
- Cite une arme utilisée par les chasseurs de Malaisie.
- Quel « dragon » vit sur une île d'Indonésie ?

N
O — E
S

ÉCHELLE

MILES
0   100   200   300   400
0   150   300   450   600
KILOMÈTRES

IDÉE : un volcan en éruption

Le Sud-Est asiatique compte plus de volcans en activité que toute autre partie du monde. L'île de Java, à elle seule, en possède cinquante, qui peuvent entrer en éruption n'importe quand. Mais celui que tu vas fabriquer ne présente aucun danger !

❶ Au centre d'un plateau, façonne une montagne avec de la terre humide. Creuse un cratère au sommet et places-y un petit récipient.

❷ Verse environ 1/4 de tasse d'eau chaude dans le récipient. Incorpores-y en remuant une cuillerée à soupe de bicarbonate de soude, plus quelques gouttes de colorant alimentaire rouge et de liquide vaisselle. Ajoute 1/4 de tasse de vinaigre pour que ton volcan entre en éruption. La rencontre du vinaigre et du bicarbonate de soude crée du gaz carbonique. Sous la pression de ce dernier, le liquide rouge et mousseux déborde du récipient, telle la lave jaillissant hors du cratère sous la pression des profondeurs.

Dugongs

Autobus tout-terrain

Barque (coquille de noix)

Poissons-perroquets

Luçon   Baguio
Cuivre
ⒹAigle des singes
Espadon
MANILLE
Mindoro   Legaspi

PHILIPPINES

Panay   Samar
Ananas   Bacolod
Cebu
Palawan
Pêche à la traîne
Negros
Riz
Requin-tigre

Mer de Chine ridionale

Femme dayak
Pétrole
Kota Kinabalu
BANDAR SERI BEGAWAN
Mt Kinabalu 4 101 m
Sandakan
Mer de Sulu
Danseuse musulmane
Mindanao
Davao

OCÉAN PACIFIQUE

LOCALISATION

Pêcheuse d'oursins

E BRUNEI
SABAH
Mer de Célèbes

SARAWAK
Grottes Mulu
Chasse à la sarbacane
Manado
Halmahera
Plongeur et bénitier

Orang-outang
Brève ozarine
Pétrole
Noix de coco
Clous de girofle
Pétrole

Paradisier grand-émeraude
Jayapura

KALIMANTAN
Bornéo
Hydrosaure
PAPOUASIE

Balikpapan
Nasique
Célèbes (Sulawesi)
Grains de poivre
Noix muscade
Céram
Homme de la tribu des Asmat
Puncak Jaya 5 040 m

Fleur de la rafflésie
Bandjarmasin
Riz
Tarsier   *Buru*   Amboine
Nouvelle-Guinée

ⒹTortue-luth
Ujung Pandang
Mer de Banda
Gobie de Bali
Kai
Aru
PAPOUASIE-NOUVELLE-GUINÉE
Bananes

INDONÉSIE
Dragon de Komodo
Raie manta

de de dur
Surabaya
Mer de Flores
Tourisme
Bali   *Sumbawa*
Flores
Sumba
DILI
TIMOR-ORIENTAL
Tanimbar
Mer d'Arafura

Lombok
Marionnette
Maïs
Requin-marteau
Masque balinais
Noix de coco
Kupang
Mer de Timor

AUSTRALIE

Asie : l'Est

L'Asie orientale se compose d'un quart du continent asiatique et de plusieurs petites îles. Elle est dominée par la Chine, troisième pays du monde par la superficie (et premier par la population). La Chine est à peine plus grande que les États-Unis, mais elle compte plus de quatre fois sa population. 80 % des Chinois vivent dans le tiers oriental du pays, où la terre est fertile, le climat doux et humide. Si l'est de la Chine possède de grandes villes, la majorité de sa population est composée de paysans qui vivent dans des villages où ils élèvent des cochons et des poulets, font pousser du riz, du blé et des légumes. La Chine occidentale est sèche, accidentée et peu peuplée. Au sud-ouest se trouve le Tibet, parfois appelé le « toit du monde » car il se situe sur le plateau le plus élevé de la planète et contient une partie du plus haut massif de montagnes au monde, l'Himalaya. La Chine du Nord abrite le désert de Gobi, qui s'étend jusqu'en Mongolie, peuplée de bergers nomades. À l'est, la Corée du Sud et Taïwan connaissent un fort développement économique et industriel, notamment les secteurs textile, automobile et électronique. Sur la côte sud, l'ancienne petite colonie portugaise de Macao est le lieu le plus densément peuplé de la planète avec 25 625 habitants au kilomètre carré. Macao est retournée sous domination chinoise en 1999, comme l'avait déjà fait, en 1997, sa voisine Hong Kong, ancienne colonie britannique. Avec ses hautes tours modernes, Hong Kong est la troisième place financière du monde ; c'est aussi le plus actif des ports asiatiques.

CHINE
POPULATION : 1 321 851 888 ∗ CAPITALE : PÉKIN (OU BEIJING)

CORÉE DU NORD
POPULATION : 23 301 725 ∗ CAPITALE : PYONGYANG

CORÉE DU SUD
POPULATION : 49 044 790 ∗ CAPITALE : SÉOUL

MONGOLIE
POPULATION : 2 951 786 ∗ CAPITALE : OULAN-BATOR

TAÏWAN
POPULATION : 22 858 872 ∗ CAPITALE : TAIPEI

◆ LE SAIS-TU ? ◆

La Grande Muraille de Chine court sur 3 460 km à travers le nord du pays. C'est la seule construction humaine visible à l'œil nu depuis la Lune ! Bâtie au IIIe siècle pour mettre « l'empire du Milieu » à l'abri des envahisseurs barbares, elle a été renforcée et agrandie au XIVe siècle, mille ans plus tard.

ÉCHELLE

MILES

KILOMÈTRES

GUERRIERS FANTÔMES
L'empereur chinois Qin Shi Huangdi fit modeler plus de 6 000 de ces soldats en terre cuite pour l'accompagner sous terre et veiller sur lui en montant la garde dans l'autre monde.

GRAND PANDA
Il ne reste plus que 1 600 de ces pandas sur terre ; tous vivent bien cachés dans les forêts de bambou de la Chine centrale, près de Chengdu.

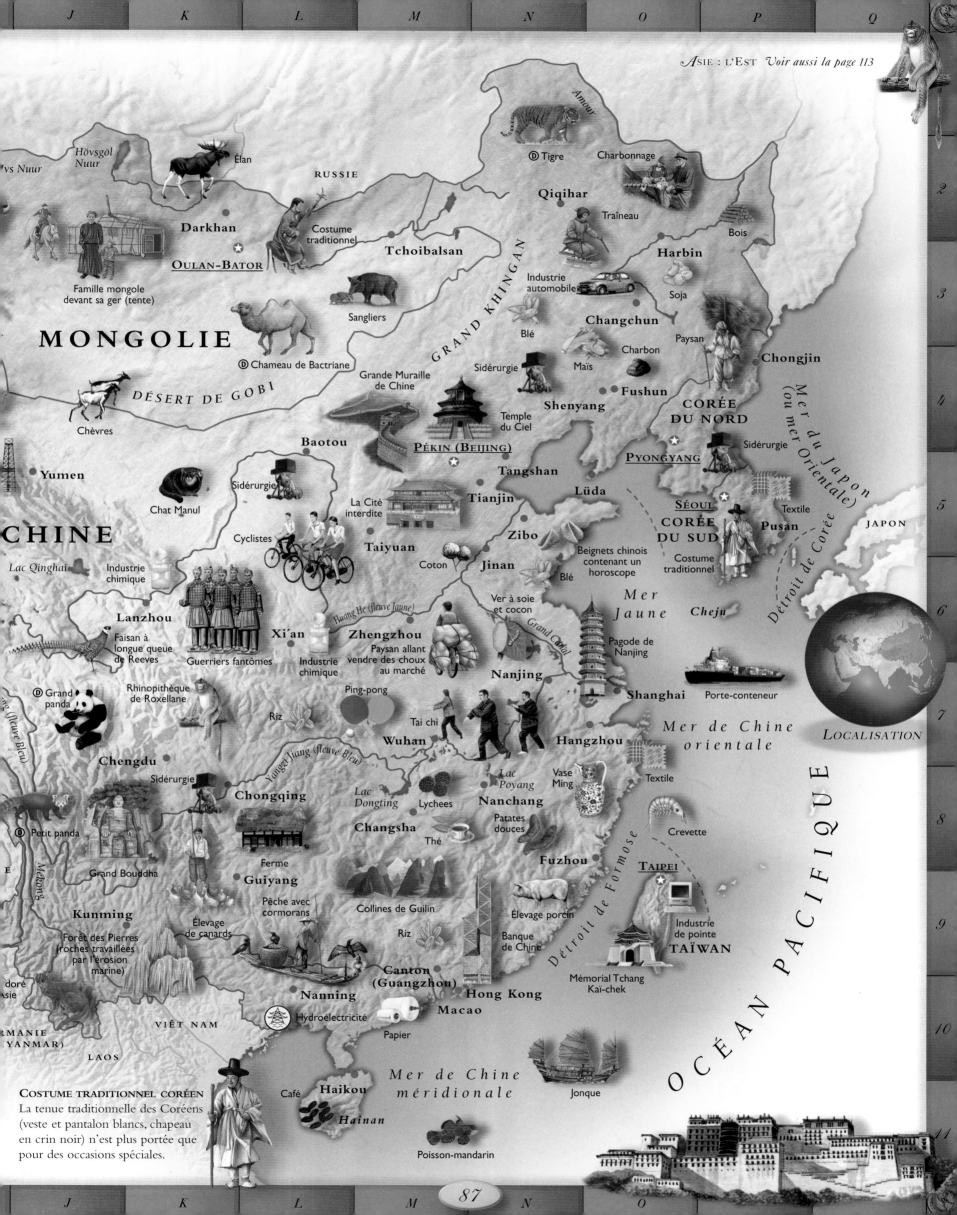

COSTUME TRADITIONNEL CORÉEN
La tenue traditionnelle des Coréens (veste et pantalon blancs, chapeau en crin noir) n'est plus portée que pour des occasions spéciales.

Japon

L'Empire du Soleil-Levant s'étend à l'est de la côte orientale du continent asiatique. Il est formé de quatre îles principales et de plus de 4 000 petites îles. La moitié nord du Japon a un climat froid, avec des hivers enneigés et des étés doux. Dans la moitié sud, plus tropicale, les hivers sont doux, les étés humides. La majeure partie du pays est montagneuse et couverte de forêts. Les tremblements de terre sont fréquents et le Japon compte une bonne cinquantaine de volcans en activité. Bien que sa superficie totale soit quasiment équivalente à celle de l'État américain du Montana, le Japon est 140 fois plus peuplé. Les trois quarts de la population vivent dans les villes, les plus grandes se trouvant sur Honshū, l'île la plus étendue. La capitale du Japon, Tōkyō, englobe dans sa banlieue plus de 80 cités, formant ainsi la plus vaste agglomération urbaine du monde, où se concentrent près de 35 millions d'habitants. Il y a tant de monde le matin pour aller travailler dans le « centre-ville » que les compagnies de transports en commun emploient des « pousseurs » pour entasser le maximum de voyageurs dans les wagons... Malgré la faible surface de ses terres cultivées, le Japon produit suffisamment pour couvrir une grande part de ses besoins alimentaires. Les produits de la mer constituent la première ressource nationale, et la flotte de pêche nippone est sans rivale. Le Japon est devenu une puissance industrielle majeure, notamment dans les secteurs automobile, naval et électronique.

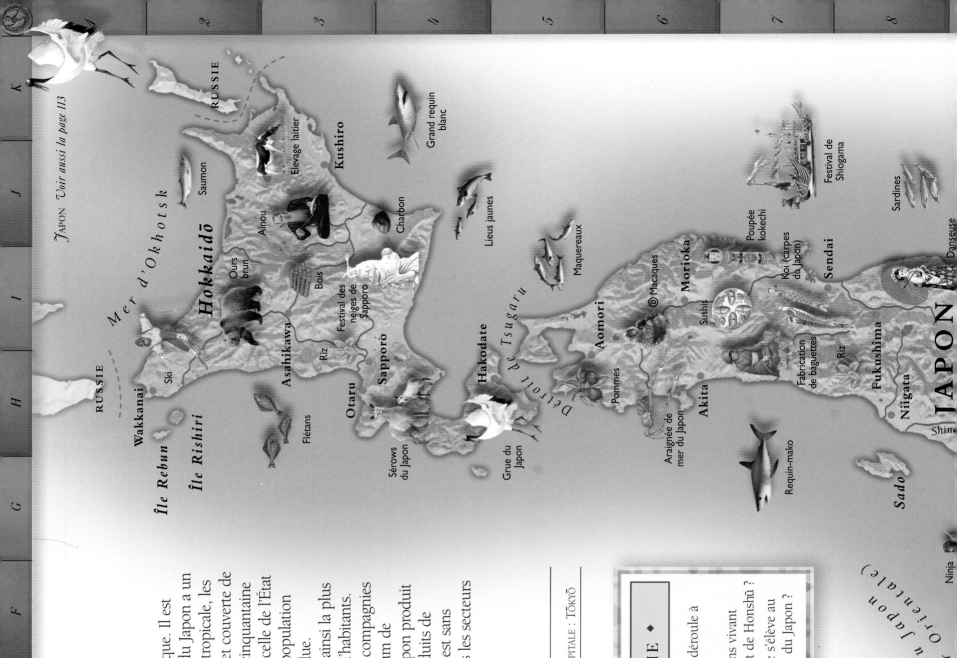

RUSSIE

RUSSIE

Mer d'Okhotsk

Saumon

Élevage laitier

Ainou

Hokkaidō

Ours brun

Bois

Festival des neiges de Sapporo

Kushiro

Charbon

Lieus jaunes

Grand requin blanc

Maquereaux

Festival de Shiogama

Poupée kokechi

Sardines

Danseuse

Wakkanai

Île Rebun

Île Rishiri

RUSSIE

Ski

Flétans

Asahikawa

Riz

Otaru

Sapporo

Hakodate

Sérows du Japon

Grue du Japon

Détroit de Tsugaru

© Macaques

Aomori

Pommes

Araignée de mer du Japon

Morioka

Sushis

Akita

Fabrication de baguettes

Koï (carpes du Japon)

Sendai

Riz

Fukushima

Niigata

Shin

Requin-mako

Sado

JAPON

Mer du Japon (Mer Orientale)

Ninja

JAPON
Population : 127 433 494 * Capitale : Tōkyō

◆ Cherche ◆

- Quel célèbre festival se déroule à Sapporo ?
- Cite 2 espèces de requins vivant au large de la côte ouest de Honshū ?
- Quelle montagne sacrée s'élève au sud-ouest de la capitale du Japon ?

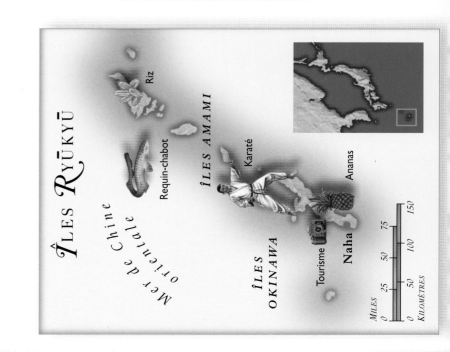

Îles Ryūkyū

Mer de Chine orientale

Riz

ÎLES AMAMI

Requin-chabot

Karaté

ÎLES OKINAWA

Tourisme

Naha

Ananas

MILES
0   25   50   75

KILOMÈTRES
0   50   100   150

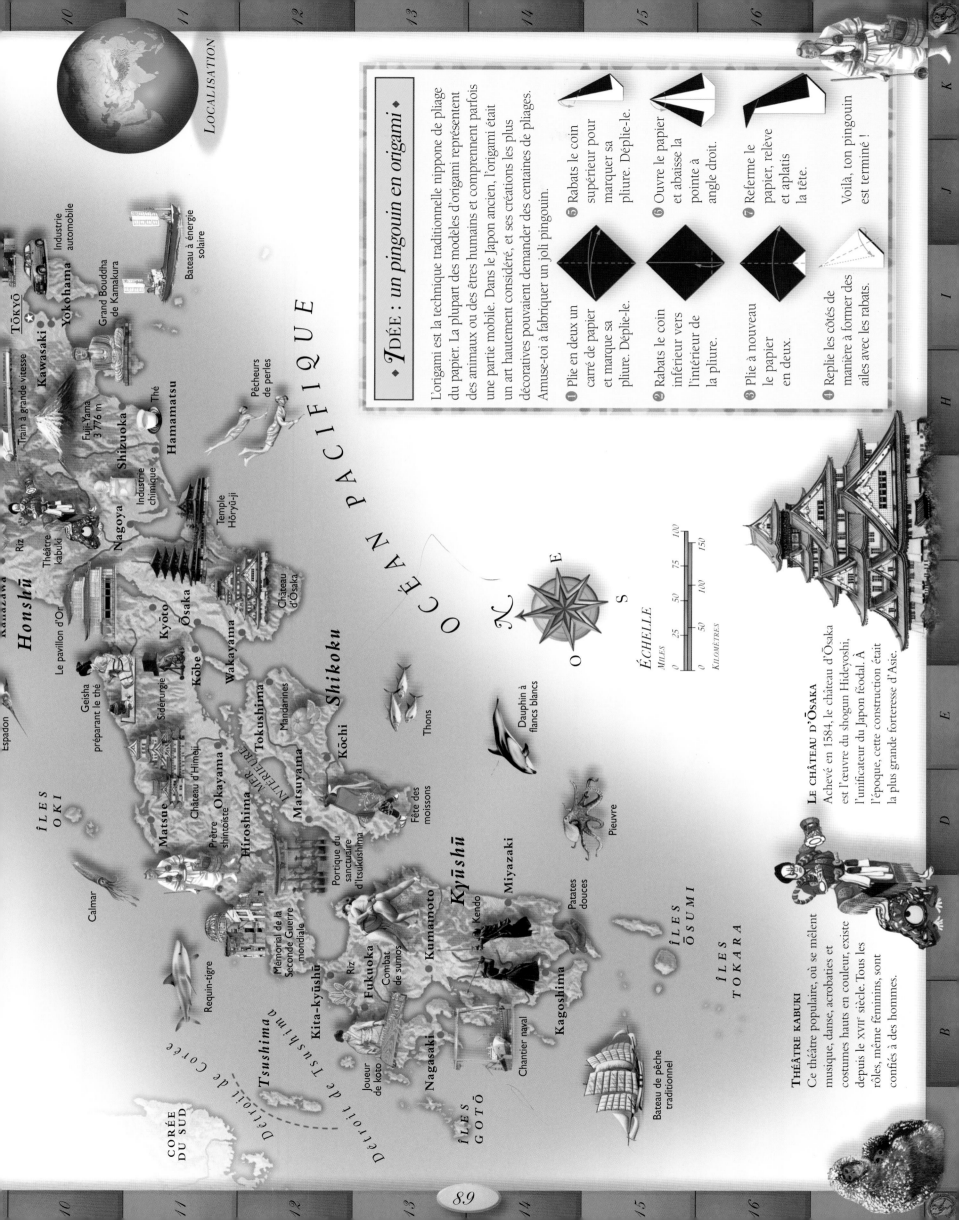

LOCALISATION

Honshū

Kanazawa

Train à grande vitesse

TŌKYŌ

Kawasaki — Industrie automobile

Yokohama — Bateau à énergie solaire

Grand Bouddha de Kamakura

Thé

Fuji-Yama 3 776 m

Shizuoka

Hamamatsu — Pêcheurs de perles

Riz

Théâtre kabuki

Le pavillon d'Or

Geisha préparant le thé

Nagoya — Industrie chimique

Temple Hōryū-ji

Kyōto

Ōsaka

Château d'Ōsaka

Kōbe

Wakayama

Sidérurgie

ÎLES OKI

Calmar

Matsue

Château d'Himeji

Okayama

Hiroshima

Prêtre shintoïste

MER INTÉRIEURE

Tokushima

Mandarines

Shikoku

Matsuyama

Kōchi

Fête des moissons

Portique du sanctuaire d'Itsukushima

Mémorial de la Seconde Guerre mondiale

Requin-tigre

Espadon

Kyūshū

Fukuoka — Riz

Combat de sumos

Kita-kyūshū

Kumamoto

Kendo

Miyazaki

Patates douces

Kagoshima

Chantier naval

Nagasaki

Joueur de koto

ÎLES GOTŌ

Tsushima

Détroit de Tsushima

CORÉE DU SUD

Thons

Dauphin à flancs blancs

Pieuvre

ÎLES ŌSUMI

ÎLES TOKARA

OCÉAN PACIFIQUE

Bateau de pêche traditionnel

N E S O

ÉCHELLE

MILES

0 25 50 75 100

KILOMÈTRES

0 50 100 150

◆ *IDÉE : un pingouin en origami* ◆

L'origami est la technique traditionnelle nippone de pliage du papier. La plupart des modèles d'origami représentent des animaux ou des êtres humains et comprennent parfois une partie mobile. Dans le Japon ancien, l'origami était un art hautement considéré, et ses créations les plus décoratives pouvaient demander des centaines de pliages. Amuse-toi à fabriquer un joli pingouin.

1 Plie en deux un carré de papier et marque sa pliure. Déplie-le.

2 Rabats le coin inférieur vers l'intérieur de la pliure.

3 Plie à nouveau le papier en deux.

4 Replie les côtés de manière à former des ailes avec les rabats.

5 Rabats le coin supérieur pour marquer sa pliure. Déplie-le.

6 Ouvre le papier et abaisse la pointe à angle droit.

7 Referme le papier, relève et aplatis la tête.

Voilà, ton pingouin est terminé !

LE CHÂTEAU D'ŌSAKA

Achevé en 1584, le château d'Ōsaka est l'œuvre du shogun Hideyoshi, l'unificateur du Japon féodal. À l'époque, cette construction était la plus grande forteresse d'Asie.

THÉÂTRE KABUKI

Ce théâtre populaire, où se mêlent musique, danse, acrobaties et costumes hauts en couleur, existe depuis le XVIIe siècle. Tous les rôles, même féminins, sont confiés à des hommes.

Afrique

D<small>EUXIÈME PLUS GRAND CONTINENT DU MONDE</small>, l'Afrique est un vaste plateau bordé d'étroites plaines côtières. Une forêt tropicale couvre une bonne partie du centre du continent. Au nord et au sud de cette forêt s'étendent des prairies (savanes) et des déserts. Le Sahara, plus vaste désert du monde, se déploie dans tout le nord de l'Afrique, de l'océan Atlantique à la mer Rouge. Sa superficie est presque aussi grande que celle des États-Unis. Les déserts du Kalahari et du Namib occupent la majeure partie du sud-ouest du continent. À l'est, la Grande Vallée du Rift est constituée par une série de cuvettes résultant de fractures de l'écorce terrestre ; elle court de la Syrie, au Moyen-Orient, jusqu'au Mozambique. L'Afrique comprend 53 pays, de l'immense Soudan aride aux petites îles tropicales des Seychelles. Des populations principalement arabes habitent le nord du continent. Dans le sud du Sahara (« Afrique noire ») vivent des populations noires organisées en tribus.

L<small>E</small> CONTINENT

Superficie : 30 354 852 km²
Population : 933 448 292 habitants
États indépendants : Afrique du Sud, Algérie, Angola, Bénin, Botswana, Burkina, Burundi, Cameroun, îles du Cap-Vert, archipel des Comores, Congo, Côte d'Ivoire, Djibouti, Égypte, Érythrée, Éthiopie, Gabon, Gambie, Ghana, Guinée, Guinée-Bissau, Guinée équatoriale, Kenya, Lesotho, Liberia, Libye, Madagascar, Malawi, Mali, Maroc, île Maurice, Mauritanie, Mozambique, Namibie, Niger, Nigeria, Ouganda, République centrafricaine, République démocratique du Congo (ex-Zaïre), Rwanda, São Tomé et Príncipe, Sénégal, Seychelles, Sierra Leone, Somalie, Soudan, Swaziland, Tanzanie, Tchad, Togo, Tunisie, Zambie, Zimbabwe

P<small>RINCIPAUX SOMMETS ET FLEUVES</small>

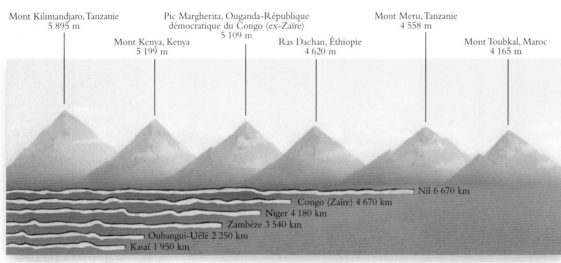

Mont Kilimandjaro, Tanzanie 5 895 m
Mont Kenya, Kenya 5 199 m
Pic Margherita, Ouganda-République démocratique du Congo (ex-Zaïre) 5 109 m
Ras Dachan, Éthiopie 4 620 m
Mont Meru, Tanzanie 4 558 m
Mont Toubkal, Maroc 4 165 m

Nil 6 670 km
Congo (Zaïre) 4 670 km
Niger 4 180 km
Zambèze 3 540 km
Oubangui-Uélé 2 250 km
Kasaï 1 950 km

R<small>ECORDS DU MONDE</small>

PLUS GRAND DÉSERT
L<small>E</small> S<small>AHARA</small>, <small>NORD DE L'</small>A<small>FRIQUE</small> : 9 269 000 <small>KM</small>²

PLUS LONG FLEUVE
L<small>E</small> N<small>IL</small>, <small>NORD DE L'</small>A<small>FRIQUE</small> : 6 670 <small>KM</small>

PLUS GRAND LAC ARTIFICIEL
L<small>E LAC</small> V<small>OLTA</small>, G<small>HANA</small> : 8 482 <small>KM</small>²

TEMPÉRATURE LA PLUS ÉLEVÉE
À A<small>L'</small>A<small>ZÎZÎAH</small>, L<small>IBYE</small> : <small>TEMPÉRATURE DE</small> 58 °C <small>À L'OMBRE ENREGISTRÉE LE</small> 13 <small>SEPTEMBRE</small> 1922

R<small>ECORDS DU CONTINENT</small>

PLUS HAUT SOMMET
L<small>E</small> K<small>ILIMANDJARO</small>, T<small>ANZANIE</small> : 5 895 <small>M</small>

POINT LE PLUS BAS
L<small>E LAC</small> A<small>SSAL</small>, D<small>JIBOUTI</small> : 152 <small>M EN DESSOUS DU NIVEAU DE LA MER</small>

PLUS GRAND LAC
L<small>E LAC</small> V<small>ICTORIA</small>, A<small>FRIQUE DE L'</small>E<small>ST</small> : 69 485 <small>KM</small>²

ÉTAT LE PLUS VASTE
L<small>E</small> S<small>OUDAN</small> : 2 505 825 <small>KM</small>²

ÉTAT LE PLUS PEUPLÉ
L<small>E</small> N<small>IGERIA</small> : 135 031 164 <small>HABITANTS</small>

VILLE LA PLUS PEUPLÉE
L<small>E</small> C<small>AIRE</small>, É<small>GYPTE</small> : 16 100 000 <small>HABITANTS</small>

C<small>ARTE POLITIQUE</small>

MADÈRE (PORTUGAL)
TUNISIE
MAROC
ÎLES CANARIES (ESPAGNE)
ALGÉRIE
LIBYE
ÉGYPTE
SAHARA OCCIDENTAL (MAROC)
MAURITANIE
MALI
NIGER
TCHAD
SOUDAN
ÉRYTHRÉE
ÎLES DU CAP-VERT
SÉNÉGAL
DJIBOUTI
GAMBIE
GUINÉE-BISSAU
BURKINA
BÉNIN
GUINÉE
CÔTE D'IVOIRE
NIGERIA
RÉPUBLIQUE CENTRAFRICAINE
ÉTHIOPIE
SIERRA LEONE
GHANA
CAMEROUN
LIBERIA
TOGO
SOMALIE
SÃO TOMÉ ET PRÍNCIPE
OUGANDA
GABON
RÉPUBLIQUE DÉMOCRATIQUE DU CONGO (EX-ZAÏRE)
KENYA
CONGO
RWANDA
BURUNDI
GUINÉE ÉQUATORIALE
ASCENSION (R.-U.)
TANZANIE
SEYCHELLES
ANGOLA
ARCHIPEL DES COMORES
MAYOTTE (FRANCE)
ZAMBIE
MALAWI
STE-HÉLÈNE (R.-U.)
MOZAMBIQUE
ÎLE MAURICE
NAMIBIE
ZIMBABWE
MADAGASCAR
RÉUNION (FRANCE)
BOTSWANA
SWAZILAND
LESOTHO
AFRIQUE DU SUD

◆ L<small>E</small> SAIS-TU ? ◆

L'énorme volume d'eau qui se déverse des chutes Victoria, à la frontière de la Zambie et du Zimbabwe, provoque un grondement assourdissant et un nuage d'écume qui peut être vu à plus de 32 km de là. Les populations locales parlent de « la fumée qui tonne ».

Afrique

CARTE PHYSIQUE

EUROPE

ASIE

Cercle polaire arctique

Mer Méditerranée

Détroit de Gibraltar

Madère

CHAÎNES DE L'ATLAS

DÉSERT LIBYQUE

ÎLES
CANARIES

Mt Toubkal
4 165 m

MASSIF DU
HOGGAR

Nil

Tropique du Cancer

SAHARA

Lac
Nasser

DÉSERT
DE NUBIE

TIBESTI

Mer Rouge

Golfe d'Aden

S DU
-VERT

Lac
Tchad

Ras Dachan
4 620 m

Socotra

Sénégal

Niger

Lac
Assal

S   A   H   E   L

Nil Bleu

PLATEAU
ÉTHIOPIEN

Lac Volta

Bénoué

MASSIF DE
L'ADAMAOUA

Nil Blanc

Uélé

Oubangui

Bioko

Príncipe

São Tomé

Pic
Margherita
5 109 m

Lac
Victoria

GRANDE VALLÉE DU RIFT

Équateur

Golfe de
Guinée

BASSIN
DU
CONGO

Mt Kenya 5 199 m

Congo (Zaire)

Kasai

Mt Meru
4 558 m

Mt Kilimandjaro
5 895 m

Zanzibar

Lac
Tanganyika

Ascension

SEYCHELLES

Lac
Malawi

ARCHIPEL DES
COMORES

Ste-Hélène

DÉSERT DU NAMIB

Okavango

Marais
de l'Okavango

Zambèze

Lac de
Kariba

Canal du Mozambique

Madagascar

Île Maurice

DÉSERT DU
KALAHARI

Limpopo

Réunion

Tropique du Capricorne

OCÉAN   ATLANTIQUE

Orange

DRAKENSBERG

OCÉAN   INDIEN

CAP DE
BONNE-ESPÉRANCE

Cercle polaire antarctique

Afrique : le Nord

Le Sahara, le plus grand désert du monde, couvre plus de la moitié de l'Afrique septentrionale. Que ce soit sur ses plaines dénudées et rocailleuses ou sur ses dunes mobiles, la chaleur est violente, l'eau est rare et il y a peu de terres arables. À dos de dromadaire, les nomades du Sahara se déplacent avec moutons et chèvres à travers le désert, à la recherche de points d'eau et de pâturages. Les seules terres fertiles se trouvent au nord et à l'est du Sahara, dans les vallées des chaînes de l'Atlas ou le long des rives du Nil, en Égypte. La vallée du Nil, cultivée depuis des millénaires, est encore aujourd'hui l'une des régions le plus densément peuplées du monde. L'Algérie et la Libye présentent peu de terres fertiles, mais elles possèdent de grandes réserves de pétrole et de gaz naturel. Au sud du Sahara s'étend une large ceinture de steppes, le Sahel. La sécheresse y est fréquente et le désert gagne du terrain. Plus au sud,

on trouve les forêts tropicales pluviales de l'Afrique centrale. En bordure du golfe de Guinée, les forêts ont fait place à des exploitations agricoles ou à de grandes plantations de cacao, de café et de coton. Du pétrole et d'autres minerais ont été découverts en de nombreux pays entourant le golfe, mais une minorité d'habitants profitent de cette richesse.

ALGÉRIE
Population : 33 333 216 ∗ Capitale : Alger

BÉNIN
Population : 8 078 314 ∗ Capitales : Cotonou, Porto-Novo

BURKINA
Population : 14 326 203 ∗ Capitale : Ouagadougou

CAMEROUN
Population : 18 060 382 ∗ Capitale : Yaoundé

ÎLES DU CAP-VERT
Population : 423 613 ∗ Capitale : Praia

CÔTE D'IVOIRE
Population : 18 013 409 ∗ Capitale : Yamoussoukro

DJIBOUTI
Population : 496 374 ∗ Capitale : Djibouti

ÉGYPTE
Population : 80 335 036 ∗ Capitale : Le Caire

ÉRYTHRÉE
Population : 4 906 585 ∗ Capitale : Asmara

ÉTHIOPIE
Population : 75 511 887 ∗ Capitale : Addis-Abeba

GAMBIE
Population : 1 688 359 ∗ Capitale : Banjul

GHANA
Population : 22 931 299 ∗ Capitale : Accra

GUINÉE
Population : 9 947 814 ∗ Capitale : Conakry

GUINÉE-BISSAU
Population : 1 472 780 ∗ Capitale : Bissau

GUINÉE ÉQUATORIALE
Population : 555 201 ∗ Capitale : Malabo

LIBERIA
Population : 3 195 931 ∗ Capitale : Monrovia

LIBYE
Population : 6 036 914 ∗ Capitale : Tripoli

MALI
Population : 11 995 402 ∗ Capitale : Bamako

MAROC
Population : 33 757 175 ∗ Capitale : Rabat

MAURITANIE
Population : 3 270 065 ∗ Capitale : Nouakchott

NIGER
Population : 12 894 865 ∗ Capitale : Niamey

NIGERIA
Population : 135 031 164 ∗ Capitale : Abuja

RÉPUBLIQUE CENTRAFRICAINE
Population : 4 369 038 ∗ Capitale : Bangui

SÉNÉGAL
Population : 12 521 851 ∗ Capitale : Dakar

SIERRA LEONE
Population : 6 144 562 ∗ Capitale : Freetown

SOMALIE
Population : 9 118 773 ∗ Capitale : Mogadiscio

SOUDAN
Population : 39 379 358 ∗ Capitale : Khartoum

TCHAD
Population : 9 885 661 ∗ Capitale : N'Djamena

TOGO
Population : 5 701 579 ∗ Capitale : Lomé

TUNISIE
Population : 10 276 158 ∗ Capitale : Tunis

ESPAGNE

Sardines — Tanger — Ceuta (ESPAGNE) — ALG
RABAT — Fès — Melilla — Oran
Casablanca — (ESPAGNE)
MADÈRE (PORTUGAL) — MAROC — Blé — Arc romain
Minaret de la mosquée de la Koutoubia — Marrakech — Teinture de laine pour les tapis
Mt Toubkal 4 165 m — CHAÎNES DE L'ATLAS
ÎLES CANARIES (ESPAGNE)
La'youne — Tindouf — ALGÉR
SAHARA OCCID. (MAROC) — Nomades transportant de l'eau — Scorpion
Dauphin — Nomade avec un dromadaire — Tamanrasse
Habitant de Chingetti préparant le thé — Femme portant des denrées au marché — MASS HOG
Pêcheur Imraguen — MAURITANIE — MALI
Nouakchott — Hippopotame
Serpentaire
Pilage du mil — Tombouctou — Autruche
Sénégal — Niger — SAHEL
Dakar — Nasses — Homm Boro
SÉNÉGAL — Ségou — BURKINA — NIAMEY — M
Banjul — Bamako — Ouagadougou — Hutte de pêcheur
GAMBIE — Coton
Bissau — GUINÉE — Ivoirien portant du vin de palme — BÉNIN
GUINÉE-BISSAU — Cacao — Ignames — Niger
Bauxite (aluminium) — Cercopithèque diane — CÔTE D'IVOIRE — GHANA — TOGO — N
Conakry — Lac Volta — Banane
Freetown — Diamants — Cotonou — Ibad
SIERRA LEONE — YAMOUSSOUKRO — Lomé
Monrovia — Manioc — Café — PORTO-NOVO — Lagos
LIBERIA — Abidjan — Accra — Pétrole
Bananes — B
Golfe de Guinée

AUTRUCHE
Plus grand oiseau du monde, l'autruche est incapable de voler mais peut courir à 65 km/h.

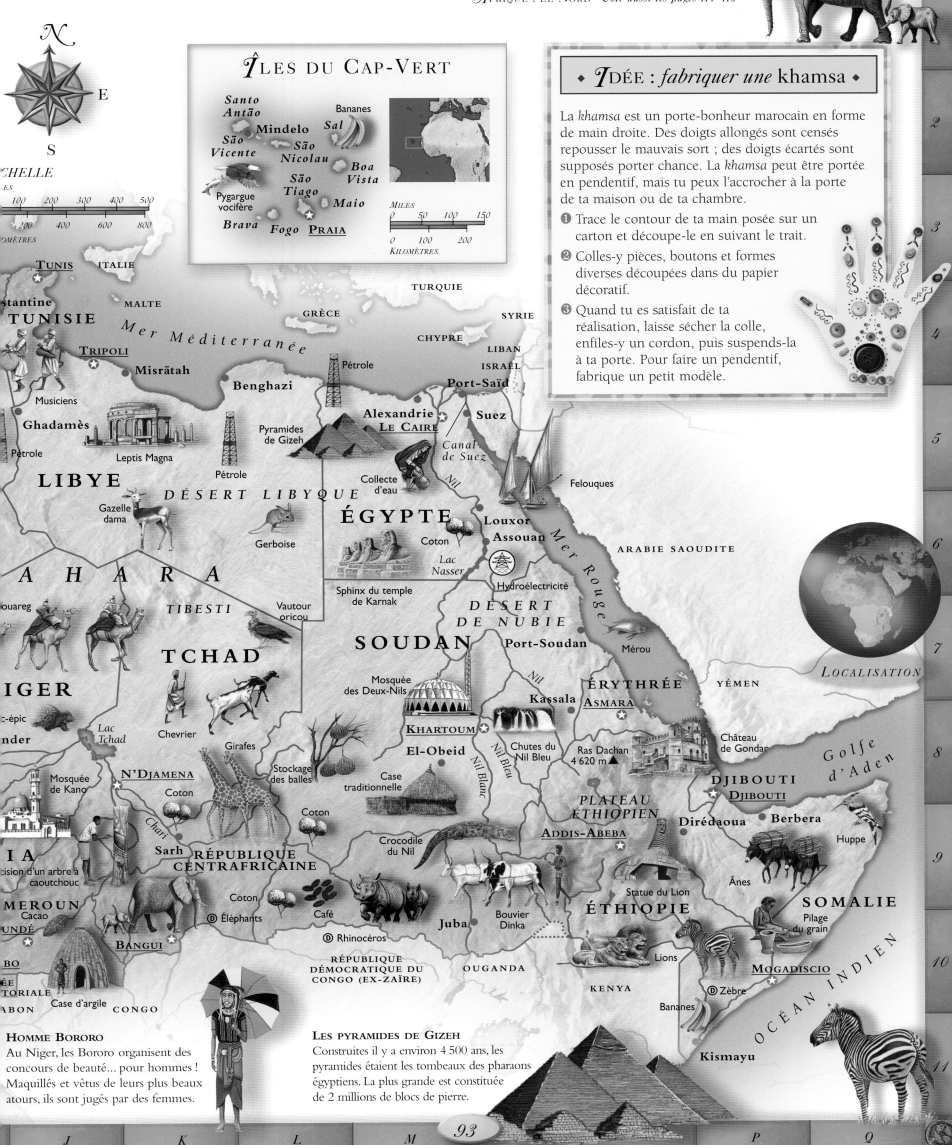

ÎLES DU CAP-VERT

Santo Antão
São Vicente
Mindelo
São Nicolau
Bananes
Sal
Boa Vista
São Tiago
Maio
Pygargue vocifère
Brava
Fogo
Praia

MILES
0 50 100 150
KILOMÈTRES
0 100 200

◆ IDÉE : *fabriquer une* khamsa ◆

La *khamsa* est un porte-bonheur marocain en forme de main droite. Des doigts allongés sont censés repousser le mauvais sort ; des doigts écartés sont supposés porter chance. La *khamsa* peut être portée en pendentif, mais tu peux l'accrocher à la porte de ta maison ou de ta chambre.

❶ Trace le contour de ta main posée sur un carton et découpe-le en suivant le trait.

❷ Colles-y pièces, boutons et formes diverses découpées dans du papier décoratif.

❸ Quand tu es satisfait de ta réalisation, laisse sécher la colle, enfiles-y un cordon, puis suspends-la à ta porte. Pour faire un pendentif, fabrique un petit modèle.

ÉCHELLE
MILES
100 200 300 400 500
KILOMÈTRES
200 400 600 800

TUNIS
ITALIE
Constantine
MALTE
TUNISIE
Mer Méditerranée
GRÈCE
TURQUIE
SYRIE
CHYPRE
LIBAN
ISRAËL
Musiciens
TRIPOLI
Misrātah
Benghazi
Pétrole
Port-Saïd
Ghadamès
Pétrole
Alexandrie
LE CAIRE
Suez
Pyramides de Gizeh
Canal de Suez
LIBYE
DÉSERT LIBYQUE
Leptis Magna
Pétrole
Collecte d'eau
Nil
Felouques
Gazelle dama
ÉGYPTE
Coton
Louxor
Assouan
ARABIE SAOUDITE
Gerboise
Lac Nasser
Mer Rouge
SAHARA
Sphinx du temple de Karnak
Hydroélectricité
Vautour oricou
DÉSERT DE NUBIE
TIBESTI
SOUDAN
Port-Soudan
Mérou
TCHAD
ÉRYTHRÉE
YÉMEN
LOCALISATION
NIGER
Mosquée des Deux-Nils
Nil
Kassala
ASMARA
Porc-épic
Lac Tchad
Chevrier
Khartoum
Chutes du Nil Bleu
Ras Dachan 4 620 m
Château de Gondar
El-Obeid
Girafes
Golfe d'Aden
N'DJAMENA
Coton
Stockage des balles
Case traditionnelle
Nil Blanc
Nil Bleu
PLATEAU ÉTHIOPIEN
DJIBOUTI
DJIBOUTI
Mosquée de Kano
Coton
Coton
Dirédaoua
Berbera
Chari
Sarh
RÉPUBLIQUE CENTRAFRICAINE
Crocodile du Nil
ADDIS-ABEBA
Huppe
NIGERIA
Incision d'un arbre à caoutchouc
Coton
Café
Ânes
CAMEROUN
Cacao
Ⓓ Éléphants
Ⓓ Rhinocéros
Juba
Bouvier Dinka
Statue du Lion
ÉTHIOPIE
SOMALIE
Pilage du grain
YAOUNDÉ
BANGUI
RÉPUBLIQUE DÉMOCRATIQUE DU CONGO (EX-ZAÏRE)
Lions
GUINÉE ÉQUATORIALE
Case d'argile
CONGO
OUGANDA
Ⓓ Zèbre
MOGADISCIO
GABON
KENYA
Bananes
OCÉAN INDIEN
Kismayu

HOMME BORORO
Au Niger, les Bororo organisent des concours de beauté... pour hommes ! Maquillés et vêtus de leurs plus beaux atours, ils sont jugés par des femmes.

LES PYRAMIDES DE GIZEH
Construites il y a environ 4 500 ans, les pyramides étaient les tombeaux des pharaons égyptiens. La plus grande est constituée de 2 millions de blocs de pierre.

Afrique : le Sud

AU NORD-OUEST DE CETTE RÉGION, le fleuve Congo et ses nombreux affluents traversent d'immenses forêts tropicales humides. Les cours d'eau sont le domaine des crocodiles, et les forêts denses, celui des chimpanzés, des gorilles et des oiseaux tropicaux. La plupart des habitants vivent dans des villages situés près des rivières et cultivent des lopins défrichés. Les forêts pluviales s'étendent en direction de l'est jusqu'à la Grande Vallée du Rift, spectaculaire chapelet de fossés escarpés qui descend sur toute la partie orientale de l'Afrique. Dans ces fossés se trouvent nombre de lacs profonds et de volcans, dont le mont Kilimandjaro, plus haut sommet d'Afrique. Au fond de ces fossés et sur les plateaux herbeux qui les environnent, des troupeaux de zèbres, de gnous et d'antilopes sont chassés par les lions, guépards et autres prédateurs. Afin de protéger la faune et la flore de ces régions, de nombreux États ont créé des réserves naturelles qui attirent les touristes du monde entier. De l'extrémité sud de la vallée du Rift au Mozambique, une steppe herbeuse, appelée veld, s'étend à l'ouest vers les déserts du Kalahari et du Namib. En Afrique du Sud, le veld est une importante région agricole, également riche en ressources minières (notamment cuivre, or et diamants). Au large de la côte du Mozambique se trouve Madagascar, la quatrième plus grande île du monde. Elle est célèbre pour sa faune unique au monde, qui compte de nombreuses espèces de lémuriens.

AFRIQUE DU SUD
POPULATION : 43 647 658 * CAPITALES :
LE CAP, PRETORIA

ANGOLA
POPULATION : 10 593 171 * CAPITALE : LUANDA

BOTSWANA
POPULATION : 1 591 232 * CAPITALE : GABORONE

BURUNDI
POPULATION : 6 373 002 * CAPITALE : BUJUMBURA

ARCHIPEL DES COMORES
POPULATION : 614 382 * CAPITALE : MORONI

CONGO
POPULATION : 2 958 448 * CAPITALE : BRAZZAVILLE

GABON
POPULATION : 1 233 353 * CAPITALE : LIBREVILLE

KENYA
POPULATION : 31 138 735 * CAPITALE : NAIROBI

LESOTHO
POPULATION : 2 207 954 * CAPITALE : MASERU

MADAGASCAR
POPULATION : 16 473 477 * CAPITALE : ANTANANARIVO

MALAWI
POPULATION : 10 701 824 * CAPITALE : LILONGWE

ÎLE MAURICE
POPULATION : 1 200 206 * CAPITALE : PORT LOUIS

MOZAMBIQUE
POPULATION : 19 607 519 * CAPITALE : MAPUTO

NAMIBIE
POPULATION : 1 820 916 * CAPITALE : WINDHOEK

OUGANDA
POPULATION : 24 699 073 * CAPITALE : KAMPALA

RÉPUBLIQUE DÉMOCRATIQUE DU CONGO (EX-ZAÏRE)
POPULATION : 55 225 478 * CAPITALE : KINSHASA

RWANDA
POPULATION : 7 398 074 * CAPITALE : KIGALI

SÃO TOMÉ ET PRÍNCIPE
POPULATION : 170 372 * CAPITALE : SÃO TOMÉ

SEYCHELLES
POPULATION : 80 098 * CAPITALE : VICTORIA

SWAZILAND
POPULATION : 1 123 605 * CAPITALE : MBABANE

TANZANIE
POPULATION : 37 187 939 * CAPITALES : DAR ES-SALAAM, DODOMA

ZAMBIE
POPULATION : 9 959 037 * CAPITALE : LUSAKA

ZIMBABWE
POPULATION : 11 376 676 * CAPITALE : HARARE

ÉCHELLE
MILES
0   100   200   300   400

0   100   200   300   400   500   600
KILOMÈTRES

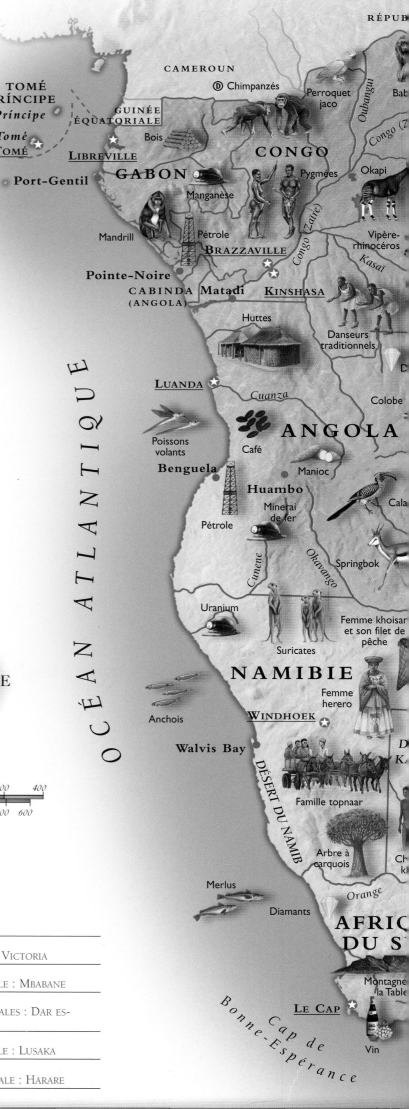

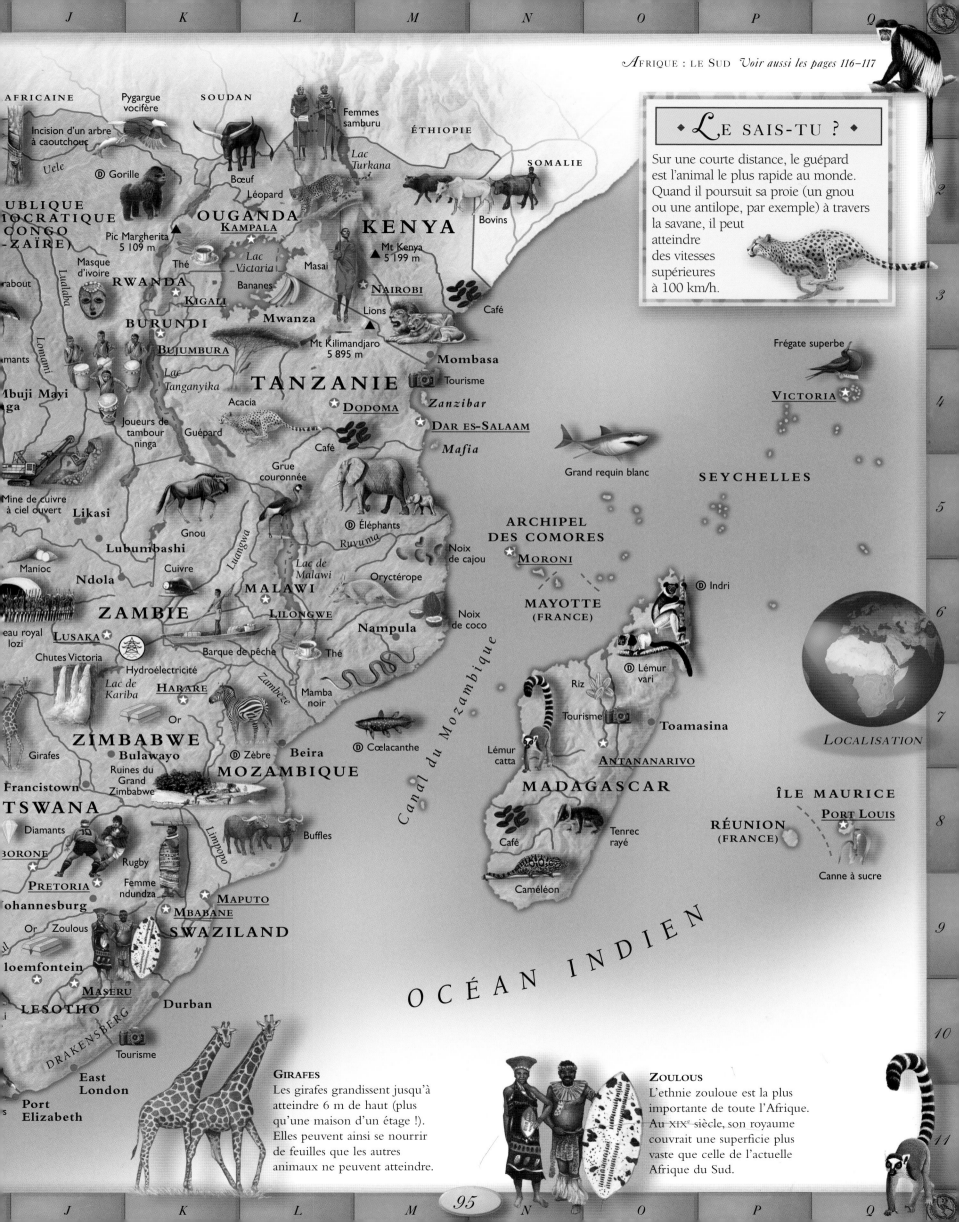

AFRICAINE

Pygargue vocifère

SOUDAN

Incision d'un arbre à caoutchouc

Uele

Ⓓ Gorille

Bœuf

Léopard

Femmes samburu

ÉTHIOPIE

Lac Turkana

SOMALIE

UBLIQUE MOCRATIQUE CONGO -ZAÏRE)

Masque d'ivoire

RWANDA

OUGANDA

KAMPALA

Pic Margherita 5 109 m

Thé

Lac Victoria

Bananes

Masai

KENYA

Mt Kenya 5 199 m ▲

NAIROBI

Lions

Café

Bovins

rabout

Ⓛ E SAIS-TU ?

Sur une courte distance, le guépard est l'animal le plus rapide au monde. Quand il poursuit sa proie (un gnou ou une antilope, par exemple) à travers la savane, il peut atteindre des vitesses supérieures à 100 km/h.

Lualaba

Lomani

KIGALI

BURUNDI

BUJUMBURA

Joueurs de tambour ninga

Lac Tanganyika

Mwanza

Mt Kilimandjaro 5 895 m ▲

Mombasa

📷 Tourisme

Zanzibar

Frégate superbe

VICTORIA

mants

Mbuji Mayi

ga

TANZANIE

Acacia

DODOMA

Mafia

DAR ES-SALAAM

Grand requin blanc

SEYCHELLES

Guépard

Café

Grue couronnée

Ⓓ Éléphants

Noix de cajou

ARCHIPEL DES COMORES

MORONI

Ⓓ Indri

Mine de cuivre à ciel ouvert

Likasi

Gnou

Luangwa

Ruvuma

Lubumbashi

Manioc

Ndola

Cuivre

Lac de Malawi

MALAWI

LILONGWE

Oryctérope

Noix de coco

MAYOTTE (FRANCE)

Ⓓ Lémur vari

ZAMBIE

eau royal lozi

LUSAKA

Chutes Victoria

Barque de pêche

Thé

Nampula

Riz

Ⓓ Lémur vari

LOCALISATION

Hydroélectricité

Lac de Kariba

HARARE

Zambèze

Mamba noir

Toamasina

Girafes

ZIMBABWE

Bulawayo

Or

Ⓓ Zèbre

Beira

Ⓓ Cœlacanthe

Lémur catta

📷 Tourisme

Francistown

Ruines du Grand Zimbabwe

MOZAMBIQUE

ANTANANARIVO

ÎLE MAURICE

TSWANA

Diamants

Limpopo

Buffles

MADAGASCAR

PORT LOUIS

ORONE

Rugby

Femme ndundza

RÉUNION (FRANCE)

Café

Tenrec rayé

Canne à sucre

PRETORIA

MAPUTO

MBABANE

ohannesburg

Or

Zoulous

SWAZILAND

Caméléon

loemfontein

MASERU

Durban

i

LESOTHO

DRAKENSBERG

📷 Tourisme

East London

Port Elizabeth

s

OCÉAN INDIEN

Canal du Mozambique

GIRAFES

Les girafes grandissent jusqu'à atteindre 6 m de haut (plus qu'une maison d'un étage !). Elles peuvent ainsi se nourrir de feuilles que les autres animaux ne peuvent atteindre.

ZOULOUS

L'ethnie zouloue est la plus importante de toute l'Afrique. Au XIXᵉ siècle, son royaume couvrait une superficie plus vaste que celle de l'actuelle Afrique du Sud.

*A*ustralie et Océanie

S'ÉTENDANT DE L'OCÉAN INDIEN au centre de l'océan Pacifique, l'Australie et l'Océanie couvrent une vaste zone du globe. Mais l'océan est prépondérant dans cette région, qui est donc assez peu peuplée. L'Australie est la plus grande masse de terre ; cette île est si vaste qu'on la considère comme un continent. L'Océanie est formée de milliers d'îlots éparpillés dans l'océan Pacifique, à l'est de l'Australie. On les divise en trois groupes : Micronésie, Mélanésie, Polynésie, et on y inclut les grandes îles de Nouvelle-Zélande. Il y a deux principaux types d'îles du Pacifique : les îles hautes et accidentées sont les sommets de volcans sous-marins et de chaînes montagneuses submergées ; les atolls coralliens sont des îles basses et sableuses construites par les récifs de corail formés au sommet de montagnes sous-marines. Certaines de ces îles sont si petites qu'elles n'apparaissent pas sur les cartes ordinaires.

*L*E CONTINENT

Superficie : 8 507 753 km²
Population : 34 468 443 habitants
États indépendants : Australie, Belau, îles Fidji, États fédérés de Micronésie, Kiribati, îles Marshall, Nauru, Nouvelle-Zélande, Papouasie-Nouvelle-Guinée, îles Salomon, Samoa occidentales, Tonga, Tuvalu, Vanuatu

*R*ECORDS DU MONDE

PLUS LONG RÉCIF DE CORAIL
LES RÉCIFS DE LA GRANDE BARRIÈRE, AUSTRALIE : 2 025 KM

PLUS GRAND ROCHER
AYERS ROCK (ULURU), AUSTRALIE : 348 M DE HAUT, 2,5 KM DE LONG, 1,6 KM DE LARGE

PLUS GRANDE ÎLE SABLEUSE
L'ÎLE FRASER, AUSTRALIE : 120 KM DE LONG

*P*RINCIPAUX SOMMETS ET FLEUVES

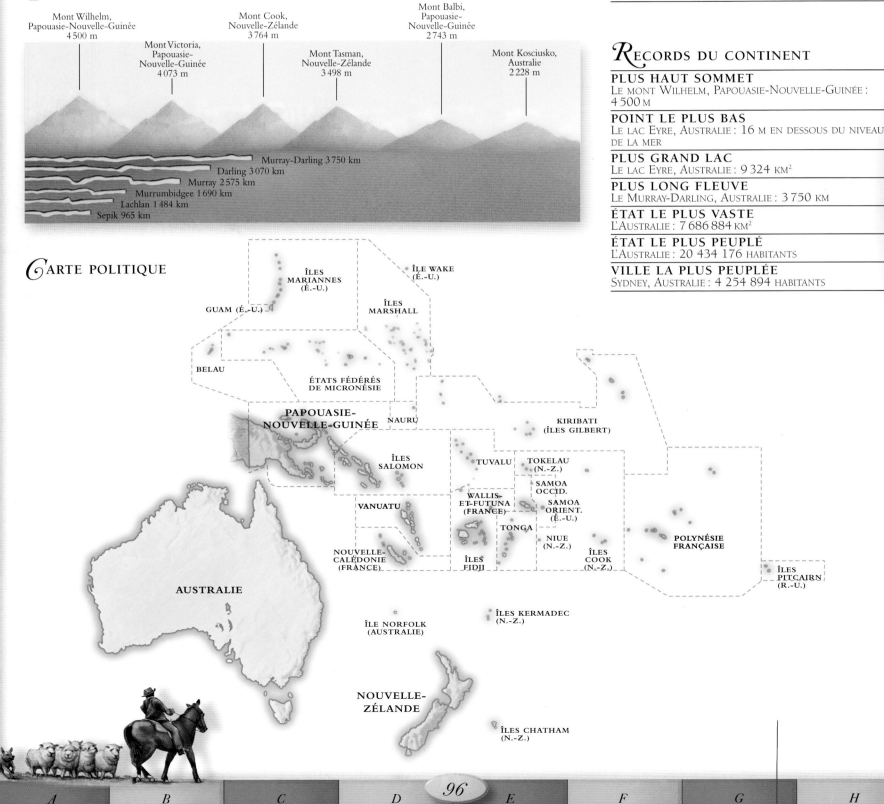

Mont Wilhelm, Papouasie-Nouvelle-Guinée 4 500 m
Mont Victoria, Papouasie-Nouvelle-Guinée 4 073 m
Mont Cook, Nouvelle-Zélande 3 764 m
Mont Tasman, Nouvelle-Zélande 3 498 m
Mont Balbi, Papouasie-Nouvelle-Guinée 2 743 m
Mont Kosciusko, Australie 2 228 m

Murray-Darling 3 750 km
Darling 3 070 km
Murray 2 575 km
Murrumbidgee 1 690 km
Lachlan 1 484 km
Sepik 965 km

*R*ECORDS DU CONTINENT

PLUS HAUT SOMMET
LE MONT WILHELM, PAPOUASIE-NOUVELLE-GUINÉE : 4 500 M

POINT LE PLUS BAS
LE LAC EYRE, AUSTRALIE : 16 M EN DESSOUS DU NIVEAU DE LA MER

PLUS GRAND LAC
LE LAC EYRE, AUSTRALIE : 9 324 KM²

PLUS LONG FLEUVE
LE MURRAY-DARLING, AUSTRALIE : 3 750 KM

ÉTAT LE PLUS VASTE
L'AUSTRALIE : 7 686 884 KM²

ÉTAT LE PLUS PEUPLÉ
L'AUSTRALIE : 20 434 176 HABITANTS

VILLE LA PLUS PEUPLÉE
SYDNEY, AUSTRALIE : 4 254 894 HABITANTS

*C*ARTE POLITIQUE

ÎLES MARIANNES (É.-U.)
ÎLE WAKE (É.-U.)
GUAM (É.-U.)
ÎLES MARSHALL
BELAU
ÉTATS FÉDÉRÉS DE MICRONÉSIE
PAPOUASIE-NOUVELLE-GUINÉE
NAURU
KIRIBATI (ÎLES GILBERT)
ÎLES SALOMON
TUVALU
TOKELAU (N.-Z.)
SAMOA OCCID.
WALLIS-ET-FUTUNA (FRANCE)
SAMOA ORIENT. (É.-U.)
VANUATU
TONGA
POLYNÉSIE FRANÇAISE
NIUE (N.-Z.)
NOUVELLE-CALÉDONIE (FRANCE)
ÎLES FIDJI
ÎLES COOK (N.-Z.)
ÎLES PITCAIRN (R.-U.)
AUSTRALIE
ÎLE NORFOLK (AUSTRALIE)
ÎLES KERMADEC (N.-Z.)
NOUVELLE-ZÉLANDE
ÎLES CHATHAM (N.-Z.)

CARTE PHYSIQUE

Cercle polaire arctique

ASIE

AMÉRIQUE DU NORD

OCÉAN PACIFIQUE

Tropique du Cancer

ÎLES HAWAII

ÎLES MARIANNES

MICRONÉSIE

ÎLES MARSHALL

ÎLES CAROLINES

ÎLES DE LA LIGNE

MÉLANÉSIE

Équateur

KIRIBATI
(ÎLES GILBERT)

Nauru

ÎLES PHOENIX

Nouvelle-Guinée

Nouvelle-Bretagne

Sepik

ÎLES SALOMON

ÎLES MARQUISES

Mt Wilhelm 4 500 m

Mt Balbi 2 743 m

Tokelau

ARCHIPEL DES TUAMOTU

Mer d'Arafura

Détroit de Torres

Mt Victoria 4 073 m

Tuvalu

ÎLES COOK

PÉN. DU CAP YORK

POLYNÉSIE

Mer de Corail

Vanuatu

ÎLES FIDJI

ÎLES SAMOA

ÎLES DE LA SOCIÉTÉ

GRAND DÉSERT DE SABLE

Nouvelle-Calédonie

Tonga

ÎLES PITCAIRN

MTS MACDONNELL

CORDILLÈRE AUSTRALIENNE

Australie

Récifs de la Grande Barrière

Tropique du Capricorne

GRAND DÉSERT VICTORIA

Île Fraser

Grande Baie australienne

Lac Eyre

Darling

Île Norfolk

ÎLES KERMADEC

Lachlan

Île Lord Howe

Murrumbidgee Murray

Mt Kosciusko 2 228 m

Île du Nord

Tasmanie

Mer de Tasman

Nouvelle-Zélande

ÎLES CHATHAM

Mt Tasman 3 498 m

Mt Cook 3 764 m

Île Stewart

Île du Sud

Île Macquarie

Australie et Papouasie-Nouvelle-Guinée

L'Australie est aussi vaste que les États-Unis sans l'Alaska, mais elle est moins peuplée que le Texas. L'immense intérieur aride, surnommé l'Outback, comprend surtout des déserts, des savanes épineuses, des réserves minières. Il sert de pâturage à d'innombrables moutons et bovins, mais peu de gens y vivent. La plupart des Australiens habitent dans ou près des villes, le long des côtes est, sud-est et sud-ouest, régions tempérées et fertiles. Le nord-est de l'Australie connaît un climat et une vététation tropicaux, avec des zones de forêt dense. Le Sud-Est est plus froid, et les montagnes enneigées n'y sont pas rares. La plupart des peuples indigènes australiens, les Aborigènes, vivent en ville, mais quelques-uns suivent encore la tradition dans l'Outback. Les Aborigènes sont venus en Australie il y a plus de 40 000 ans à partir de la Nouvelle-Guinée, à l'époque où cette île était reliée à l'Australie. La Papouasie-Nouvelle-Guinée, territoire australien jusqu'en 1975, est formée de plusieurs chaînes insulaires. Elle est couverte de jungle et bordée de plaines marécageuses. On y trouve surtout des villages, où les gens vivent de leurs jardins potagers et de leurs animaux. Ayant peu de contacts avec le monde extérieur, ces communautés ont conservé leurs traditions et leur langue. La Papouasie-Nouvelle-Guinée possède plus de 700 langues, plus qu'aucun autre pays au monde.

AUSTRALIE
Population : 20 434 176 * Capitale : Canberra
PAPOUASIE-NOUVELLE-GUINÉE
Population : 5 795 887 * Capitale : Port Moresby

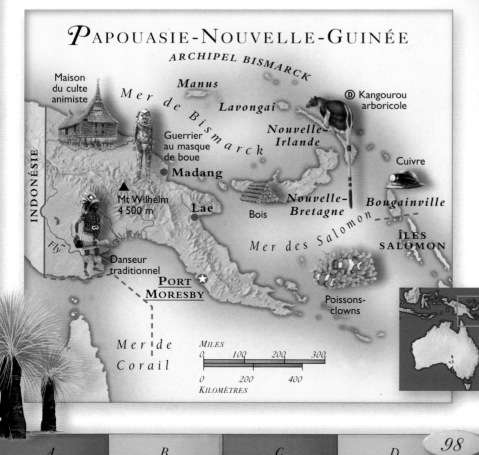

PAPOUASIE-NOUVELLE-GUINÉE

ARCHIPEL BISMARCK

INDONÉSIE

Maison du culte animiste

Mer de Bismarck

Manus

Lavongai

Nouvelle-Irlande

Kangourou arboricole

Guerrier au masque de boue

Madang

Cuivre

Mt Wilhelm 4 500 m

Lae

Bois

Nouvelle-Bretagne

Bougainville

Mer des Salomon

ÎLES SALOMON

Danseur traditionnel

PORT MORESBY

Poissons-clowns

Mer de Corail

Fly

MILES
0 100 200 300
0 200 400
KILOMÈTRES

INDONÉSIE

TIMOR ORIENTAL

Mer de Timor

Me

N
O E
S

ÉCHELLE
MILES
0 100 200 300

0 100 200 300 400 500
KILOMÈTRES

Poisson-ananas

PLATEAU DE KIMBERLEY Bung

Baobab

Broome

Derby

Fitzroy

Élevage d'huîtres perlières

Cratère de mété de Wolfe Cre

GRAND DÉSERT DE SABLE

Grand dauphin

Port Hedland

Minerai de fer

Kangourou roux

Danseu aborigè

DÉSERT DE GIBSON

Xanthorrées

Émeu

Moloch (diable cornu)

Cacatoès rosalbin

Boomera

Scinques à langue bleue

AUSTRALIE-OCCIDENTALE

A

Hippocampe feuillu

Clochetons (formations rocheuses)

Tonte des moutons

Or

GRAND DÉSER VICTOR

PLAIN

Geraldton

Kalgoorlie

Perruches ondulées

PERTH

CHAÎNE DE DARLING

Cricket

Grand requ

Cygne noir

Blé

Échidné

Bunbury

Vin

Albany

Grande B

Baleine de Biscaye

OCÉAN INDIEN

DANSEUR TRADITIONNEL
En Papouasie-Nouvelle-Guinée, les tribus locales organisent des festivals de danse et de chant appelés *sing-sing*. À cette occasion les membres de la tribu portent des coiffes et se peignent le corps et le visage.

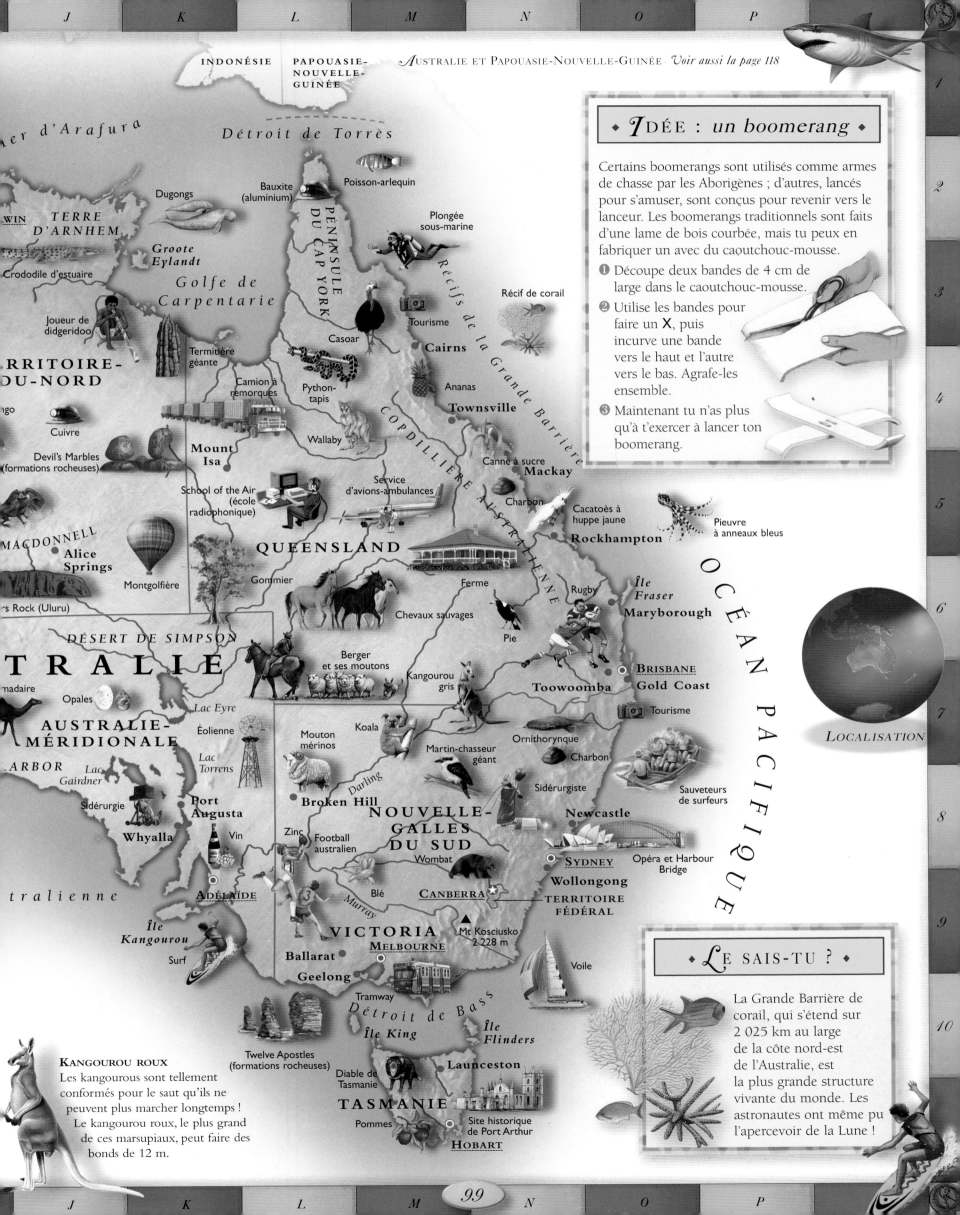

INDONÉSIE   PAPOUASIE-NOUVELLE-GUINÉE   *Australie et Papouasie-Nouvelle-Guinée · Voir aussi la page 118*

Mer d'Arafura

Détroit de Torrès

★ IDÉE : un boomerang ★

Certains boomerangs sont utilisés comme armes de chasse par les Aborigènes ; d'autres, lancés pour s'amuser, sont conçus pour revenir vers le lanceur. Les boomerangs traditionnels sont faits d'une lame de bois courbée, mais tu peux en fabriquer un avec du caoutchouc-mousse.

❶ Découpe deux bandes de 4 cm de large dans le caoutchouc-mousse.

❷ Utilise les bandes pour faire un **X**, puis incurve une bande vers le haut et l'autre vers le bas. Agrafe-les ensemble.

❸ Maintenant tu n'as plus qu'à t'exercer à lancer ton boomerang.

Poisson-arlequin

Dugongs

Bauxite (aluminium)

-WIN   TERRE D'ARNHEM

Groote Eylandt

Plongée sous-marine

Crododile d'estuaire

Récif de corail

Golfe de Carpentarie

PÉNINSULE DU CAP YORK

Tourisme

Joueur de didgeridoo

Cairns

-RRITOIRE- -DU-NORD

Casoar

Termitière géante

Récifs de la Grande Barrière

Ananas

Cuivre

Camion à remorques

Python-tapis

Townsville

Devil's Marbles (formations rocheuses)

-ngo

Mount Isa

Wallaby

Canne à sucre   **Mackay**

CORDILLÈRE AUSTRALIENNE

School of the Air (école radiophonique)

Service d'avions-ambulances

Charbon

Cacatoès à huppe jaune

Pieuvre à anneaux bleus

-MACDONNELL   **Alice Springs**

Montgolfière

QUEENSLAND

Rockhampton

OCÉAN

-rs Rock (Uluru)

Gommier

Ferme

Rugby

Île Fraser

Maryborough

DÉSERT DE SIMPSON

Chevaux sauvages

Pie

-TRALIE

Berger et ses moutons

Kangourou gris

Toowoomba

○ **BRISBANE**   **Gold Coast**

-madaire

Opales

Koala

Mouton mérinos

Ornithorynque

Tourisme

PACIFIQUE

AUSTRALIE- MÉRIDIONALE

Éolienne

Lac Eyre

Martin-chasseur géant

Charbon

LOCALISATION

-ARBOR   Lac Gairdner

Lac Torrens

Darling

Sidérurgiste

Sauveteurs de surfeurs

Sidérurgie

Broken Hill

Port Augusta

Zinc

Football australien

NOUVELLE- GALLES DU SUD

Newcastle

Whyalla

Vin

Wombat

SYDNEY ○

Opéra et Harbour Bridge

-tralienne

Île Kangourou

ADÉLAÏDE ○

Blé

CANBERRA

Wollongong

Murray

VICTORIA

Mt Kosciusko 2 228 m

TERRITOIRE FÉDÉRAL

Surf

MELBOURNE ○

Voile

★ LE SAIS-TU ? ★

Ballarat

Geelong

Tramway

La Grande Barrière de corail, qui s'étend sur 2 025 km au large de la côte nord-est de l'Australie, est la plus grande structure vivante du monde. Les astronautes ont même pu l'apercevoir de la Lune !

Détroit de Bass

Île King

Île Flinders

Twelve Apostles (formations rocheuses)

Launceston

Diable de Tasmanie

KANGOUROU ROUX

Les kangourous sont tellement conformés pour le saut qu'ils ne peuvent plus marcher longtemps ! Le kangourou roux, le plus grand de ces marsupiaux, peut faire des bonds de 12 m.

TASMANIE

Pommes

Site historique de Port Arthur

HOBART

Nouvelle-Zélande et sud-ouest du Pacifique

DISSÉMINÉES DANS L'IMMENSE ÉTENDUE OCÉANIQUE et très éloignées les unes des autres, les îles du sud-ouest du Pacifique sont parmi les contrées les plus isolées du globe. L'ensemble le plus vaste et le plus méridional est la Nouvelle-Zélande, constituée de deux grandes îles (l'île du Nord et l'île du Sud) et de plusieurs îles plus petites. La Nouvelle-Zélande est un pays moderne, industrialisé. Environ 70 % de la population vit dans l'île du Nord, qui compte plusieurs volcans actifs. Le lac Taupo, le plus grand du pays, se loge dans un cratère formé lors de l'explosion d'un volcan. Les volcans voisins, le Ruapehu et le Ngauruhoe, ont récemment connu plusieurs éruptions. Les Alpes néo-zélandaises forment l'« épine dorsale » de l'île du Sud. Sur leur versant occidental, des forêts pluviales tempérées ont poussé tout autour d'une ligne de puissants glaciers dévalant vers la côte. Plus de la moitié de la Nouvelle-Zélande est consacrée aux cultures et aux pâturages des moutons. Les premiers habitants, le peuple Maori, forment le sixième de la population. La plupart des autres Néo-Zélandais sont les descendants d'immigrants britanniques. Des milliers d'îles tropicales s'étendent au nord et à l'est de la Nouvelle-Zélande. Le tourisme est une industrie en plein essor dans les îles Fidji et Vanuatu, par exemple. Quelques îles ont développé des villes autour des affaires, mais la plupart des insulaires vivent dans de petits villages. Ils pêchent (crabes, homards, tortues ou thons) et cultivent (patates douces, bananiers…). Le produit le plus exporté est le coprah, tiré de la noix de coco et servant à fabriquer du savon et des bougies.

ÎLES FIDJI
POPULATION : 918 675 ∗ CAPITALE : SUVA

NOUVELLE-ZÉLANDE
POPULATION : 4 115 771 ∗ CAPITALE : WELLINGTON

ÎLES SALOMON
POPULATION : 566 842 ∗ CAPITALE : HONIARA

SAMOA OCCIDENTALES
POPULATION : 214 265 ∗ CAPITALE : APIA

TONGA
POPULATION : 116 921 ∗ CAPITALE : NUKU'ALOFA

VANUATU
POPULATION : 211 971 ∗ CAPITALE : PORT-VILA

Barracuda

Kaori

Whangarei

Île du Nord

Rugby

Île de la Grande Barrière

Industrie chimique

Sphénodon

Auckland

Voile

Baie de Plenty

Kiwis

Waikato

Hamilton

Geyser

Élevage laitier

Rotorua

Lac Taupo

Gaz naturel

Danse guerrière traditionnelle des Ma...

New Plymouth

Mt Egmont 2 518 m

Ruapehu 2 796 m

Wanganui

Napier

Plate-forme pétrolière

Hastings

Wanganui

Élevage ovin

Vivaneaux

Détroit de Cook

Palmerston North

Fougère arborescente géante

Lower Hutt

Le Parlement

NOUVELLE-ZÉLANDE

Bois

Nelson

WELLINGTON

Mer de Tasman

Élevage ovin

Greymouth

Île du Sud

Cachalot

Ski

Cathédrale de Christchurch

Alpes néo-zélandaises

Lis du mont Cook

Christchurch

Milford Sound

Mt Cook 3 764 m

Textile

Timaru
Hydroélectricité

Crevette

Waitaki

Queenstown

Lac Wakatipu

OCÉAN PACIFIQUE

Clutha

Nestor kéa

Ⓓ Talève takahé

Invercargill

Dunedin

Randonnée

N

Ⓓ Baleines bleues

Colonie d'albatros

Détroit de Foveaux

Bateau de pêche aux huîtres

O ——— E

Île Stewart

S

ÉCHELLE

MILES

0 ——— 50 ——— 100

0 50 100 150 200

KILOMÈTRES

DANSE GUERRIÈRE DES MAORIS
Avant de partir au combat, les guerriers maoris exécutaient une danse de guerre appelée *haka*. Durant cette danse, ils se donnaient l'air le plus effrayant possible.

REQUIN-BALEINE
Ce requin inoffensif est le plus grand poisson existant. Il nage la gueule grande ouverte pour attraper sa nourriture : du plancton et des petits poissons.

ÎLES SALOMON

Maison sur pilotis
Choiseul
Santa Isabel
Couscous tacheté
NOUVELLE-GÉORGIE
Malaita
HONIARA
Guadalcanal
Bois
Bananes
San Cristobal
Poisson-arlequin
Rennell
Mer de Corail
ÎLES SANTA CRUZ

MILES
0 100 200
0 100 200 300
KILOMÈTRES

ÎLES SAMOA

SAMOA
Noix de coco
Savaï
Salailua
Confection de vêtements tapa
APIA
Upolu
Grand dauphin
SAMOA AMÉRICAINES
Pago Pago
Préparation du coprah
Tau
Tutuila
ÎLES MANUA
Raie manta
Thons

MILES
0 25 50
0 25 50 75
KILOMÈTRES

VANUATU ET NOUVELLE-CALÉDONIE

VANUATU
ÎLES BANKS
Île Espíritu Santo
Palmier
Grand requin blanc
Luganville
Maewo
Oba
Île Pentecôte
Planche à voile
Ambrim
Malekula
Epi
Mer de Corail
Vate
NOUVELLE-CALÉDONIE (FRANCE)
PORT-VILA
Plongée sous-marine
Eromanga
Poisson-papillon
Tana
Volcan Yasour
ÎLES LOYAUTÉ
Noix de coco
Nickel
Pouembout
Tourisme
Nouméa

MILES
0 100 200
0 100 200 300
KILOMÈTRES

ÎLES SALOMON
ÎLES FIDJI
ÎLES SAMOA
VANUATU ET NOUVELLE-CALÉDONIE
TONGA
ÎLES DE LA SOCIÉTÉ
NOUVELLE-ZÉLANDE

ÎLES FIDJI

Canne à sucre
Vanua Levu
Taveuni
Koro
Tourisme
Cacao
Viti Levu
Mer de Koro
Marche sur des braises
Ngau
Lakemba
ÎLES LAU
SUVA
Frégate superbe
Moala
Kandavu
Noix de coco
Anges de mer

MILES
0 25 50 75
0 50 100 150
KILOMÈTRES

LOCALISATION

TONGA

ÎLES TONGATAPU
ÎLES HA'APAI
ÎLES NOMUKA
ÎLES VAVA'U
NUKU'ALOFA
Récif corallien
Tongatapu
Fua'amotu
Palais royal
'Ohonua
Tourisme
'Eua
Bananes
Espadon

MILES
0 10 20
0 10 20 30
KILOMÈTRES

ÎLES DE LA SOCIÉTÉ

Motu Iti
Bora Bora
Maupiti
Homard
POLYNÉSIE FRANÇAISE
Tahaa
Huahine
Tortue verte
Raïatea
Tourisme
Perle
Tetiaroa
Pirogue à balancier
ÎLES SOUS-LE-VENT
ÎLES DU VENT
Surfer en tenue traditionnelle
Paopao
Papeete
Moorea
Requin-baleine
Palmier
Maiao
Tahiti
Bananes
Taravao

MILES
0 25 50
0 25 50 75
KILOMÈTRES

Régions polaires

LES RÉGIONS QUI ENTOURENT le pôle Nord et le pôle Sud sont les plus froides et les plus venteuses de notre planète. Elles sont en permanence couvertes de neige et de glace, et, durant l'hiver, il y a peu ou pas de lumière solaire. L'Antarctique est un continent gelé environné d'océans. L'Arctique est une zone océanique gelée entourée de continents. En hiver, la glace de l'Arctique progresse vers le sud, atteignant l'Amérique du Nord, l'Europe et l'Asie. Les peuples de l'Arctique, Lapons (*Samet*) de Scandinavie et Inuis du Canada, de l'Alaska, du Groenland et de Russie, se sont adaptés aux conditions de vie. Territoire danois, le Groenland est la plus grande île du monde, recouverte en quasi-totalité d'une épaisse couche de glace. L'Antarctique est le seul continent

inhabité. Seuls des scientifiques y passent une partie de l'année dans des stations de recherche. Le continent antarctique est recouvert d'une épaisse calotte glaciaire (3 000 m en certains endroits). Le long de la côte, celle-ci forme d'énormes plaques à la surface de l'océan. En se fragmentant, la croûte de glace donne naissance à des icebergs. Sur le continent antarctique, la vie est presque absente, mais baleines, phoques et poissons abondent à proximité du littoral et, l'été, d'innombrables oiseaux de mer nichent en colonies le long des côtes et au voisinage des îles.

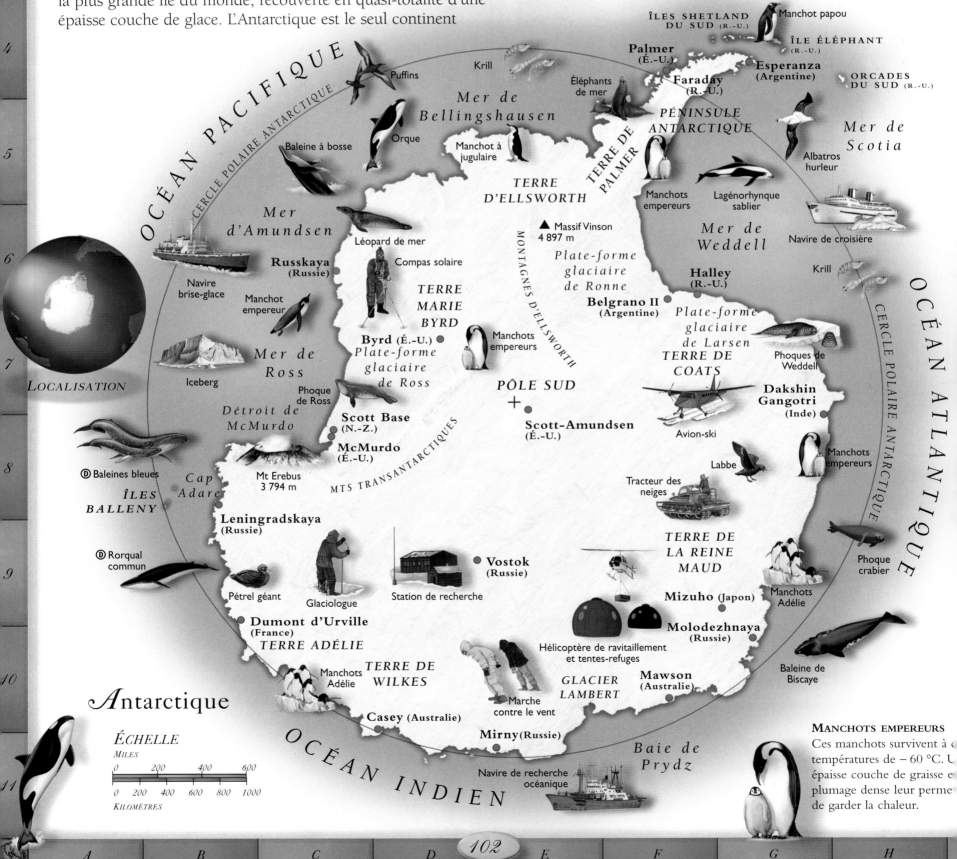

Antarctique

ÉCHELLE
MILES
0   200   400   600

0   200 400 600 800 1000
KILOMÈTRES

MANCHOTS EMPEREURS
Ces manchots survivent à des températures de − 60 °C. Une épaisse couche de graisse et un plumage dense leur permet de garder la chaleur.

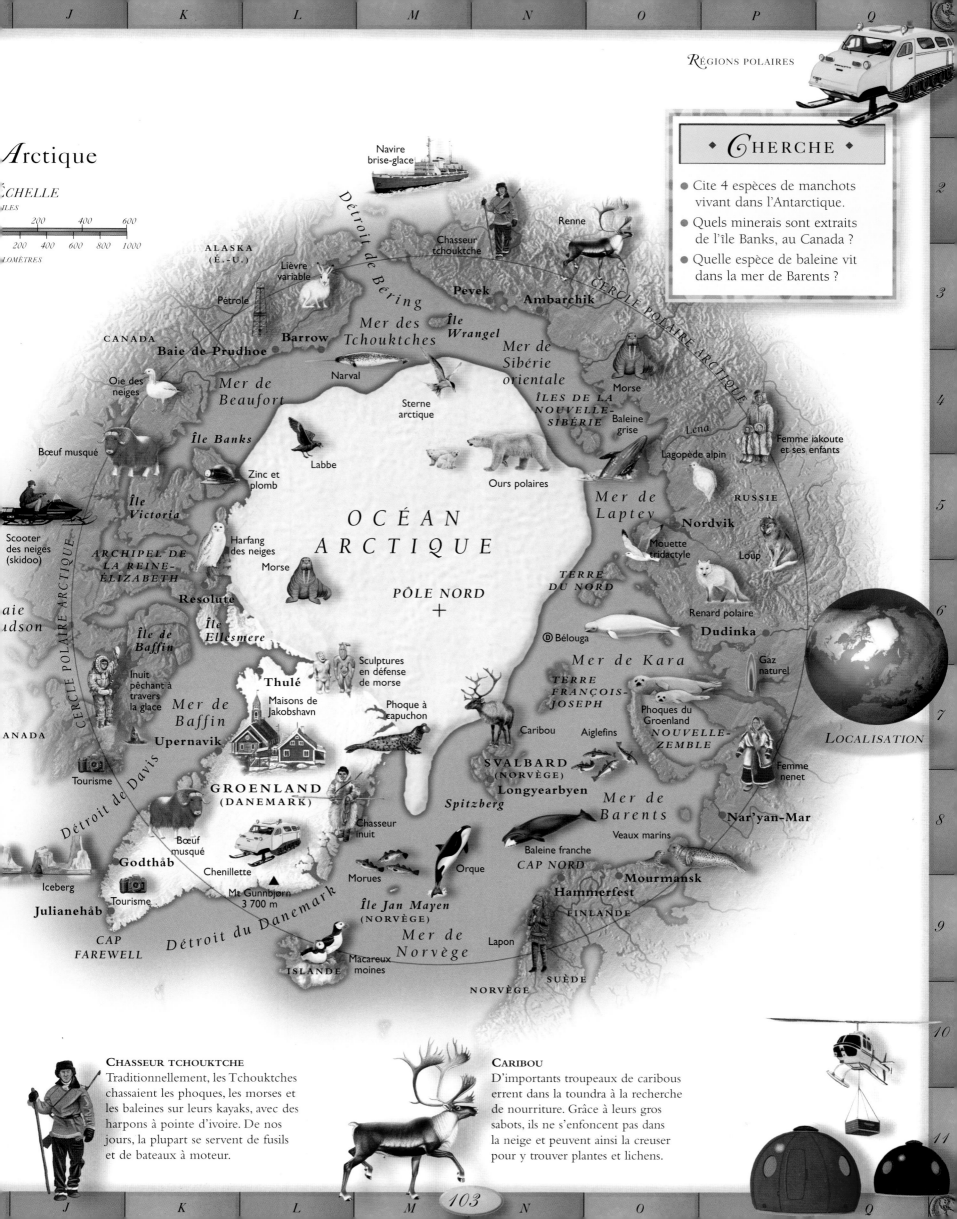

Arctique

ÉCHELLE

ILES

| 200 | 400 | 600 |

| 200 | 400 | 600 | 800 | 1000 |

KILOMÈTRES

Navire brise-glace

Chasseur tchouktche

Renne

ALASKA (É.-U.)

Lièvre variable

Pétrole

Pevek

Ambarchik

CERCLE POLAIRE ARCTIQUE

CANADA

Barrow

Baie de Prudhoe

Mer des Tchouktches

Île Wrangel

Mer de Sibérie orientale

Morse

Oie des neiges

Mer de Beaufort

Narval

ÎLES DE LA NOUVELLE-SIBÉRIE

Baleine grise

Lena

Femme iakoute et ses enfants

Sterne arctique

Île Banks

Labbe

Lagopède alpin

RUSSIE

Bœuf musqué

Zinc et plomb

Ours polaires

Mer de Laptev

Nordvik

Île Victoria

Détroit de Béring

Scooter des neiges (skidoo)

Harfang des neiges

Morse

OCÉAN ARCTIQUE

TERRE DU NORD

Loup

ARCHIPEL DE LA REINE-ÉLIZABETH

Mouette tridactyle

Renard polaire

Resolute

Morse

PÔLE NORD +

Dudinka

Ⓓ Bélouga

Île de Baffin

Île Ellesmere

CERCLE POLAIRE ARCTIQUE

Mer de Kara

Gaz naturel

LOCALISATION

Inuit pêchant à travers la glace

Sculptures en défense de morse

TERRE FRANÇOIS-JOSEPH

Mer de Baffin

Thulé

Maisons de Jakobshavn

Phoque à capuchon

Caribou

Aiglefins

Phoques du Groenland

NOUVELLE-ZEMBLE

CANADA

Upernavik

Caribou

SVALBARD (NORVÈGE)

Femme nenet

Tourisme

GROENLAND (DANEMARK)

Chasseur inuit

Longyearbyen

Mer de Barents

Nar'yan-Mar

Bœuf musqué

Chenillette

Spitzberg

Veaux marins

Godthåb

Baleine franche

CAP NORD

Mourmansk

Iceberg

Mt Gunnbjørn 3 700 m

Morues

Orque

Hammerfest

Tourisme

Julianehåb

Détroit de Davis

Île Jan Mayen (NORVÈGE)

Lapon

FINLANDE

CAP FAREWELL

Détroit du Danemark

Mer de Norvège

SUÈDE

Macareux moines

ISLANDE

NORVÈGE

CHASSEUR TCHOUKTCHE

Traditionnellement, les Tchouktches chassaient les phoques, les morses et les baleines sur leurs kayaks, avec des harpons à pointe d'ivoire. De nos jours, la plupart se servent de fusils et de bateaux à moteur.

CARIBOU

D'importants troupeaux de caribous errent dans la toundra à la recherche de nourriture. Grâce à leurs gros sabots, ils ne s'enfoncent pas dans la neige et peuvent ainsi la creuser pour y trouver plantes et lichens.

Données clés

AMÉRIQUE DU NORD ET CENTRALE

CANADA

SUPERFICIE : 9 970 610 km²
POPULATION : 33 390 141
CAPITALE : Ottawa
MONNAIE : 1 dollar canadien (CAD) = 100 cents
LANGUES OFFICIELLES : anglais, français
RELIGION PRINCIPALE : christianisme 82 %
EXPORTATIONS : céréales et autres produits alimentaires, papier journal, pâte de bois, bois de construction, pétrole brut, machines, gaz naturel, aluminium, moteurs et pièces détachées de voitures, matériel de télécommunications, électricité

ÉTATS-UNIS

SUPERFICIE : 9 629 091 km²
POPULATION : 301 139 947
CAPITALE : Washington, D. C.
MONNAIE : 1 dollar des États-Unis (USD) = 100 cents
LANGUE OFFICIELLE : anglais
AUTRE LANGUE : espagnol
RELIGIONS PRINCIPALES : christianisme 84 %, judaïsme 2 %
EXPORTATIONS : automobiles et autres véhicules, matières premières, biens de consommation, produits agricoles, fournitures industrielles

MEXIQUE

SUPERFICIE : 1 972 544 km²
POPULATION : 108 700 891
CAPITALE : Mexico
MONNAIE : 1 peso mexicain (MXN) = 100 centavos
LANGUE OFFICIELLE : espagnol
AUTRES LANGUES : langues indiennes
RELIGION PRINCIPALE : christianisme 95 %
EXPORTATIONS : pétrole brut, produits pétroliers, café, argent, machines, automobiles et autres véhicules, coton, matériel électronique

GUATEMALA

SUPERFICIE : 108 889 km²
POPULATION : 12 728 111
CAPITALE : Guatemala
MONNAIE : 1 quetzal (GTQ) = 100 centavos
LANGUE OFFICIELLE : espagnol
AUTRES LANGUES : 21 langues d'origine maya et 2 non mayas (le xinka et le garifuna)
RELIGIONS PRINCIPALES : christianisme 99 %, religions de tradition maya
EXPORTATIONS : café, bananes, coton, sucre, minerais, textiles, pétrole

BELIZE

SUPERFICIE : 22 966 km²
POPULATION : 294 385
CAPITALE : Belmopan
MONNAIE : 1 dollar de Belize (BZD) = 100 cents
LANGUE OFFICIELLE : anglais
AUTRES LANGUES : espagnol, langues mayas, créole
RELIGION PRINCIPALE : christianisme 92 %
EXPORTATIONS : sucre, mélasse, agrumes, bananes, vêtements, conserves de poissons, bois de construction

HONDURAS

SUPERFICIE : 112 087 km²
POPULATION : 7 483 763
CAPITALE : Tegucigalpa
MONNAIE : 1 lempira (HNL) = 100 centavos
LANGUE OFFICIELLE : espagnol
AUTRES LANGUES : langues indiennes
RELIGION PRINCIPALE : christianisme 97 %
EXPORTATIONS : sucre, café, textiles, vêtements, bois de construction et dérivés du bois

SALVADOR

SUPERFICIE : 21 393 km²
POPULATION : 6 943 608
CAPITALE : San Salvador
MONNAIE : 1 colón salvadorien (SVC) = 100 centavos
LANGUE OFFICIELLE : espagnol
AUTRE LANGUE : nahuatl
RELIGION PRINCIPALE : christianisme 92 %
EXPORTATIONS : café, canne à sucre, crevettes, matières premières

NICARAGUA

SUPERFICIE : 129 494 km²
POPULATION : 5 675 356
CAPITALE : Managua
MONNAIE : 1 córdoba oro (NIO) = 100 centavos
LANGUE OFFICIELLE : espagnol
AUTRES LANGUES : anglais, langues indiennes
RELIGION PRINCIPALE : christianisme 100 %
EXPORTATIONS : café, coton, sucre, bananes, fruits de mer, or, viande bovine, tabac

COSTA RICA

SUPERFICIE : 50 899 km²
POPULATION : 4 133 884
CAPITALE : San José
MONNAIE : 1 colón costaricain (CRC) = 100 céntimos
LANGUE OFFICIELLE : espagnol
AUTRE LANGUE : anglais
RELIGION PRINCIPALE : christianisme 92 %
EXPORTATIONS : café, bananes, sucre, textiles, ananas

PANAMÁ

SUPERFICIE : 77 177 km²
POPULATION : 3 242 173
CAPITALE : Panamá
MONNAIE : 1 balboa (PAB) = 100 centésimos
LANGUE OFFICIELLE : espagnol
AUTRES LANGUES : anglais, langues indigènes

PETIT LEXIQUE

Superficie : *étendue du territoire d'un pays, exprimée en kilomètres carrés (km²).*
1 km² équivaut à un carré de 1 km de côté.

Population : *ensemble des habitants d'un pays. Leur nombre est établi grâce au recensement, inventaire qui est plus ou moins fiable et régulier selon les pays.*

Capitale : *ville où siège le gouvernement d'un pays. Elle est également souvent un pôle économique, culturel et social important.*

Monnaie : *pièce (ou billet) émise par un État et servant aux échanges commerciaux,* *aux paiements, à l'épargne. Pour chaque État sont indiqués ici : l'unité monétaire, son symbole international et la ou les monnaies divisionnaires (divisions de l'unité monétaire).*

Langue officielle : *langue choisie par un pays pour être utilisée sur les papiers administratifs, les panneaux de signalisation…*

Religion principale : *religion pratiquée par le plus grand nombre d'habitants d'un pays.*

Exportations : *marchandises vendues par un pays à un autre pays.*

...LIGION PRINCIPALE : christianisme 100 %
...PORTATIONS : bananes, crevettes, sucre,
...é, fruits de mer (crevettes, homards),
...ements

...AHAMAS

...PERFICIE : 13 950 km²
...PULATION : 305 655
...PITALE : Nassau
...ONNAIE : 1 dollar des Bahamas (BSD) =
...0 cents
...NGUE OFFICIELLE : anglais
...TRE LANGUE : créole des Bahamas
...LIGION PRINCIPALE : christianisme 95 %
...PORTATIONS : produits pharmaceutiques,
...ent, rhum, fruits de mer (dont langoustes),
...oduits pétroliers raffinés

...UBA

...PERFICIE : 110 862 km²
...PULATION : 11 394 043
...PITALE : La Havane
...ONNAIE : 1 peso cubain (CUP) =
...0 centavos
...NGUE OFFICIELLE : espagnol
...LIGION PRINCIPALE : christianisme 85 %
...PORTATIONS : sucre, poissons et
...ustacés, agrumes, café, tabac,
...ckel, produits pharmaceutiques

...MAÏQUE

...PERFICIE : 10 990 km²
...PULATION : 2 780 132
...PITALE : Kingston
...ONNAIE : 1 dollar de la Jamaïque
...MD) = 100 cents
...NGUE OFFICIELLE : anglais
...TRE LANGUE : créole de la Jamaïque
...LIGION PRINCIPALE : christianisme 65 %
...PORTATIONS : bauxite, alumine, sucre,
...anes, rhum

...AÏTI

...PERFICIE : 27 749 km²
...PULATION : 8 706 497
...PITALE : Port-au-Prince
...ONNAIE : 1 gourde (HTG) = 100 centimes
...NGUES OFFICIELLES : français, créole haïtien
...LIGION PRINCIPALE : christianisme 96 %
...PORTATIONS : vêtements, café, sucre,
...oduits manufacturés, huiles,
...ngues

...ÉPUBLIQUE DOMINICAINE

...PERFICIE : 48 322 km²
...PULATION : 9 365 818
...PITALE : Saint-Domingue
...ONNAIE : 1 peso dominicain (DOP) =
...0 centavos
...NGUE OFFICIELLE : espagnol
...LIGION PRINCIPALE : christianisme 95 %
...PORTATIONS : minerais, café, cacao, or,
...bac

ANTIGUA-ET-BARBUDA

SUPERFICIE : 443 km²
POPULATION : 69 481
CAPITALE : Saint John's
MONNAIE : 1 dollar des Caraïbes orientales
(XCD) = 100 cents
LANGUE OFFICIELLE : anglais
AUTRE LANGUE : patois français
RELIGIONS PRINCIPALES : christianisme 97 %,
religions indigènes 3 %
EXPORTATIONS : produits pétroliers,
produits manufacturés, textiles, machines
et équipements de transport, produits
chimiques, produits alimentaires
et bétail

SAINT-KITTS-ET-NEVIS

SUPERFICIE : 269 km²
POPULATION : 39 349
CAPITALE : Basseterre
MONNAIE : 1 dollar des Caraïbes orientales
(XCD) = 100 cents
LANGUE OFFICIELLE : anglais
RELIGION PRINCIPALE : christianisme 86 %
EXPORTATIONS : machines et équipements de
transport, produits alimentaires, boissons,
électronique, tabac

DOMINIQUE

SUPERFICIE : 749 km²
POPULATION : 72 386
CAPITALE : Roseau
MONNAIE : 1 dollar des Caraïbes orientales
(XCD) = 100 cents
LANGUE OFFICIELLE : anglais
AUTRES LANGUES : français, créole martiniquais
RELIGION PRINCIPALE : christianisme 92 %
EXPORTATIONS : bananes, pamplemousses, oranges,
légumes, savon, épices, huile de coprah, produits
chimiques

SAINTE-LUCIE

SUPERFICIE : 616 km²
POPULATION : 170 649
CAPITALE : Castries
MONNAIE : 1 dollar des Caraïbes orientales
(XCD) = 100 cents
LANGUE OFFICIELLE : anglais
AUTRE LANGUE : patois français
RELIGION PRINCIPALE : christianisme 100 %
EXPORTATIONS : bananes, vêtements, cacao,
fruits et légumes, huile de coco, papier, boîtes
de carton

BARBADE

SUPERFICIE : 430 km²
POPULATION : 280 946
CAPITALE : Bridgetown
MONNAIE : 1 dollar de la Barbade (BBD) =
100 cents
LANGUE OFFICIELLE : anglais
AUTRE LANGUE : créole de la Barbade
RELIGION PRINCIPALE : christianisme 71 %
EXPORTATIONS : sucre, mélasse, rhum, autres
produits alimentaires et boissons, produits
chimiques, composants électroniques, vêtements

SAINT-VINCENT-ET-LES GRENADINES

SUPERFICIE : 389 km²
POPULATION : 118 149
CAPITALE : Kingstown
MONNAIE : 1 dollar des Caraïbes orientales
(XCD) = 100 cents
LANGUE OFFICIELLE : anglais
AUTRE LANGUE : patois français
RELIGION PRINCIPALE :
christianisme 75 %
EXPORTATIONS : bananes, patates douces, raquettes
de tennis, arrow-root

GRENADE

SUPERFICIE : 344 km²
POPULATION : 89 971
CAPITALE : Saint George's
MONNAIE : 1 dollar des Caraïbes orientales
(XCD) = 100 cents
LANGUE OFFICIELLE : anglais
AUTRE LANGUE : patois français
RELIGION PRINCIPALE : christianisme 100 %
EXPORTATIONS : bananes, cacao, condiments
(dont noix muscade, macis), fruits et légumes,
vêtements

TRINITÉ-ET-TOBAGO

SUPERFICIE : 5 128 km²
POPULATION : 1 056 608
CAPITALE : Port of Spain
MONNAIE : 1 dollar de Trinité-et-Tobago
(TTD) = 100 cents
LANGUE OFFICIELLE : anglais
AUTRES LANGUES : hindi, français, espagnol,
chinois
RELIGIONS PRINCIPALES : christianisme 44 %,
hindouisme 24 %, islam 6 %
EXPORTATIONS : pétrole et produits pétroliers,
produits chimiques, produits sidérurgiques,
engrais, sucre, cacao, café, agrumes, fleurs

AMÉRIQUE DU SUD

COLOMBIE
SUPERFICIE : 1 138 914 km²
POPULATION : 44 379 598
CAPITALE : Bogotá
MONNAIE : 1 peso colombien (COP) = 100 centavos
LANGUE OFFICIELLE : espagnol
RELIGION PRINCIPALE : christianisme 90 %
EXPORTATIONS : pétrole et produits dérivés, café, charbon, ferronickel, bananes, fleurs, textiles et vêtements

VENEZUELA
SUPERFICIE : 912 050 km²
POPULATION : 26 023 528
CAPITALE : Caracas
MONNAIE : 1 bolívar (VEB) = 100 céntimos
LANGUE OFFICIELLE : espagnol
AUTRES LANGUES : langues indigènes
RELIGION PRINCIPALE : christianisme 98 %
EXPORTATIONS : pétrole, bauxite et aluminium, acier, produits chimiques, produits agricoles, produits manufacturés de base

GUYANA

SUPERFICIE : 214 970 km²
POPULATION : 769 095
CAPITALE : Georgetown
MONNAIE : 1 dollar de Guyana (GYD) = 100 cents
LANGUE OFFICIELLE : anglais
AUTRES LANGUES : hindi, ourdou, créole et dialectes amérindiens
RELIGIONS PRINCIPALES : christianisme 50 %, hindouisme 33 %, islam 9 %
EXPORTATIONS : sucre, mélasse, bauxite, alumine, riz, crevettes

SURINAM

SUPERFICIE : 163 270 km²
POPULATION : 470 784
CAPITALE : Paramaribo
MONNAIE : 1 florin du Surinam (SRG) = 100 cents
LANGUE OFFICIELLE : néerlandais
AUTRES LANGUES : anglais, espagnol, sranang tongo, chinois, javanais, hindi
RELIGIONS PRINCIPALES : christianisme 48 %, hindouisme 27 %, islam 20 %, religions indigènes 5 %
EXPORTATIONS : aluminium, poissons, crevettes, bois de construction, riz, bananes, pétrole brut

ÉQUATEUR

SUPERFICIE : 283 561 km²
POPULATION : 13 755 680
CAPITALE : Quito
MONNAIE : 1 dollar des États-Unis (USD) = 100 cents
LANGUE OFFICIELLE : espagnol
AUTRES LANGUES : quechua, autres langues indigènes
RELIGION PRINCIPALE : christianisme 95 %
EXPORTATIONS : pétrole, bananes, produits de la pêche (crevettes et poissons), cacao, café, fleurs

PÉROU
SUPERFICIE : 1 285 216 km²
POPULATION : 28 674 757
CAPITALE : Lima
MONNAIE : 1 nouveau sol (PEN) = 100 céntimos
LANGUE OFFICIELLE : espagnol
AUTRES LANGUES : aymara, quechua
RELIGION PRINCIPALE : christianisme 90 %
EXPORTATIONS : cuivre, zinc, produits pétroliers, plomb, café, coton, poissons et produits dérivés, sucre

BRÉSIL
SUPERFICIE : 8 506 663 km²
POPULATION : 190 010 598
CAPITALE : Brasília
MONNAIE : 1 real brésilien (BRL) = 100 centavos
LANGUE OFFICIELLE : portugais
AUTRES LANGUES : espagnol, anglais, français
RELIGION PRINCIPALE : christianisme 80 %
EXPORTATIONS : minerai de fer, fibres de soja, café, sucre, chaussures, produits manufacturés

BOLIVIE
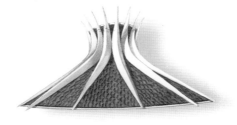
SUPERFICIE : 1 098 581 km²
POPULATION : 9 119 152
CAPITALES : La Paz (siège du gouvernement), Sucre (capitale constitutionnelle)
MONNAIE : 1 boliviano (BOB) = 100 centavos
LANGUE OFFICIELLE : espagnol
AUTRES LANGUES : quechua, aymara
RELIGION PRINCIPALE : christianisme 100 %
EXPORTATIONS : gaz naturel, soja, zinc, bijoux en or, bois de construction

CHILI
SUPERFICIE : 756 946 km²
POPULATION : 16 284 741
CAPITALE : Santiago
MONNAIE : 1 peso chilien (CLP) = 100 centavos
LANGUE OFFICIELLE : espagnol
AUTRES LANGUES : langues indigènes
RELIGION PRINCIPALE : christianisme 99 %
EXPORTATIONS : cuivre, autres métaux et minerais, bois de construction et produits dérivés, poissons, fruits, produits chimiques

PARAGUAY
SUPERFICIE : 406 741 km²
POPULATION : 6 669 086
CAPITALE : Asunción
MONNAIE : 1 guarani (PYG) = 100 céntimos
LANGUES OFFICIELLES : espagnol, guarani
RELIGION PRINCIPALE : christianisme 97 %
EXPORTATIONS : coton, soja, bois de construction, huiles végétales, viande et conserves, café, électricité, aliments pour bétail

ARGENTINE
SUPERFICIE : 2 766 884 km²
POPULATION : 40 301 927
CAPITALE : Buenos Aires
MONNAIE : 1 peso argentin (ARS) = 100 centavos
LANGUE OFFICIELLE : espagnol
AUTRES LANGUES : anglais, italien, allemand, français
RELIGIONS PRINCIPALES : christianisme 92 %, judaïsme 2 %
EXPORTATIONS : produits manufacturés, viande, blé, maïs, huiles végétales, carburants

URUGUAY
SUPERFICIE : 176 221 km²
POPULATION : 3 460 607
CAPITALE : Montevideo
MONNAIE : 1 nouveau peso uruguayen (UYU) = 100 centésimos
LANGUE OFFICIELLE : espagnol
AUTRE LANGUE : brazilero
RELIGIONS PRINCIPALES : christianisme 68 %, judaïsme 1 %
EXPORTATIONS : laine, textiles, viande (principalement bovine et ovine), cuir, riz

EUROPE

ROYAUME-UNI

SUPERFICIE : 244 820 km²
POPULATION : 60 776 238
CAPITALE : Londres
MONNAIE : 1 livre sterling (GBP) = 100 pence
LANGUE OFFICIELLE : anglais
AUTRES LANGUES : gallois, gaéliques écossais irlandais
RELIGIONS PRINCIPALES : christianisme 90 %, islam 3 %, sikhisme 1 %, hindouisme 1 %, judaïsme 1 %
EXPORTATIONS : produits manufacturés, machines, produits pétroliers raffinés (carburant), produits chimiques, produits alimentaires boissons, tabac

RÉPUBLIQUE D'IRLANDE

SUPERFICIE : 68 894 km²
POPULATION : 4 109 086
CAPITALE : Dublin
MONNAIE : 1 euro (EUR) = 100 centimes
LANGUES OFFICIELLES : anglais, irlandais (gaélique)
RELIGION PRINCIPALE : christianisme 94 %
EXPORTATIONS : produits chimiques, matériel informatique, machines industrielles, bétail, viande et produits laitiers, produits pharmaceutiques

PORTUGAL

SUPERFICIE : 91 642 km²
POPULATION : 10 642 836
CAPITALE : Lisbonne
MONNAIE : 1 euro (EUR) = 100 centimes
LANGUE OFFICIELLE : portugais
RELIGION PRINCIPALE : christianisme 98 %
EXPORTATIONS : vêtements, chaussures, machines-outils, bouchons (liège), papiers, peaux et fourrures, produits chimiques

ESPAGNE

SUPERFICIE : 504 742 km²
POPULATION : 40 448 191
CAPITALE : Madrid
MONNAIE : 1 euro (EUR) = 100 centimes
LANGUE OFFICIELLE : espagnol (castillan)
AUTRES LANGUES : catalan, galicien, basque
RELIGION PRINCIPALE : christianisme 99 %
EXPORTATIONS : automobiles et autres véhicules, produits manufacturés, produits alimentaires, machines, biens de consommation

ANDORRE

SUPERFICIE : 482 km²
POPULATION : 71 822
CAPITALE : Andorre-la-Vieille
MONNAIE : 1 euro (EUR) = 100 centimes
LANGUE OFFICIELLE : catalan
AUTRES LANGUES : français, espagnol (castillan)
RELIGION PRINCIPALE : christianisme 95 %
EXPORTATIONS : électricité, tabac, bois de construction, meubles

FRANCE

SUPERFICIE : 547 030 km²
POPULATION : 63 713 926
CAPITALE : Paris
MONNAIE : 1 euro (EUR) = 100 centimes
LANGUE OFFICIELLE : français
AUTRES LANGUES : occitan, breton, catalan, basque, arabe, corse, provençal, alsacien
RELIGIONS PRINCIPALES : christianisme 92 %, judaïsme 1 %, islam 3 %
EXPORTATIONS : machines et équipements de transport, produits chimiques, produits alimentaires, produits agricoles, fer et acier, textiles, vêtements, produits pharmaceutiques

MONACO

SUPERFICIE : 1,5 km²
POPULATION : 32 671
CAPITALE : Monaco
MONNAIE : 1 euro (EUR) = 100 centimes
LANGUE OFFICIELLE : français
AUTRES LANGUES : anglais, italien, monégasque
RELIGION PRINCIPALE : christianisme 95 %
EXPORTATIONS : produits pharmaceutiques, parfums, vêtements

PAYS-BAS

SUPERFICIE : 41 525 km²
POPULATION : 16 570 613
CAPITALES : Amsterdam ; La Haye (siège des pouvoirs publics et de la Cour)
MONNAIE : 1 euro (EUR) = 100 centimes
LANGUE OFFICIELLE : néerlandais
RELIGIONS PRINCIPALES : christianisme 52 %, islam 4 %
EXPORTATIONS : dérivés du métal, produits chimiques, produits alimentaires, tabac, produits agricoles, machines et biens d'équipement

BELGIQUE

SUPERFICIE : 30 513 km²
POPULATION : 10 392 226
CAPITALE : Bruxelles
MONNAIE : 1 euro (EUR) = 100 centimes
LANGUES OFFICIELLES : néerlandais (flamand), français (wallon), allemand
RELIGION PRINCIPALE : christianisme 100 %
EXPORTATIONS : fer et acier, machines et biens d'équipement, produits chimiques et pétroliers, diamants

LUXEMBOURG

SUPERFICIE : 2 587 km²
POPULATION : 480 222
CAPITALE : Luxembourg
MONNAIE : 1 euro (EUR) = 100 centimes
LANGUES OFFICIELLES : luxembourgeois, allemand, français
AUTRE LANGUE : anglais
RELIGIONS PRINCIPALES : christianisme 99 %, judaïsme 1 %
EXPORTATIONS : dérivés de l'acier, produits chimiques, dérivés du caoutchouc, verre, aluminium, machines et biens d'équipement

ALLEMAGNE

SUPERFICIE : 356 734 km²
POPULATION : 82 400 996
CAPITALE : Berlin
MONNAIE : 1 euro (EUR) = 100 centimes
LANGUE OFFICIELLE : allemand
RELIGIONS PRINCIPALES : christianisme 72 %, islam 2 %
EXPORTATIONS : machines et machines-outils, produits chimiques, automobiles et autres véhicules, dérivés du fer et de l'acier, textiles, produits agricoles, matières premières

SUISSE

SUPERFICIE : 41 287 km²
POPULATION : 7 554 661
CAPITALE : Berne
MONNAIE : 1 franc suisse (CHF) = 100 centimes
LANGUES OFFICIELLES : allemand, français, italien
AUTRE LANGUE : romanche
RELIGION PRINCIPALE : christianisme 86 %
EXPORTATIONS : machines, instruments de précision, dérivés du métal, produits alimentaires, textiles, produits chimiques

LIECHTENSTEIN

SUPERFICIE : 161 km²
POPULATION : 34 247
CAPITALE : Vaduz
MONNAIE : 1 franc suisse (CHF) = 100 centimes
LANGUE OFFICIELLE : allemand
RELIGION PRINCIPALE : christianisme 87 %
EXPORTATIONS : machines, prothèses dentaires, timbres, matériel d'optique et d'électronique, poteries

AUTRICHE

SUPERFICIE : 83 851 km²
POPULATION : 8 199 783
CAPITALE : Vienne
MONNAIE : 1 euro (EUR) = 100 centimes
LANGUE OFFICIELLE : allemand
RELIGION PRINCIPALE : christianisme 82 %
EXPORTATIONS : machines, équipements électriques, fer et acier, bois de charpente, textiles, papiers et dérivés, produits chimiques, produits alimentaires, dérivés métalliques

ITALIE

SUPERFICIE : 301 251 km²
POPULATION : 58 147 733
CAPITALE : Rome
MONNAIE : 1 euro (EUR) = 100 centimes
LANGUE OFFICIELLE : italien
AUTRES LANGUES : allemand, français, slovène
RELIGION PRINCIPALE : christianisme 98 %
EXPORTATIONS : textiles, vêtements, machines, automobiles et autres véhicules, équipements de transport, produits chimiques, produits alimentaires, minerais

SAINT-MARIN

SUPERFICIE : 62 km²
POPULATION : 29 615
CAPITALE : Saint-Marin
MONNAIE : 1 euro (EUR) = 100 centimes
LANGUE OFFICIELLE : italien
RELIGION PRINCIPALE : christianisme 95 %
EXPORTATIONS : pierre de construction, chaux, bois de construction, châtaignes, blé, vin, produits artisanaux, cuirs, céramiques

CITÉ DU VATICAN

SUPERFICIE : 0,44 km²
POPULATION : 821
CAPITALE : Cité du Vatican
MONNAIE : 1 euro (EUR) = 100 centimes
LANGUES OFFICIELLES : italien, latin, français
RELIGION PRINCIPALE : christianisme 100 %
EXPORTATIONS : aucune

MALTE

SUPERFICIE : 316 km²
POPULATION : 401 880
CAPITALE : La Valette
MONNAIE : 1 euro (EUR) = 100 centimes
LANGUES OFFICIELLES : maltais, anglais
RELIGION PRINCIPALE : christianisme 98 %
EXPORTATIONS : machines et équipements de transport, vêtements, chaussures

SLOVÉNIE

SUPERFICIE : 20 251 km²
POPULATION : 2 009 245
CAPITALE : Ljubljana
MONNAIE : 1 euro (EUR) = 100 cents
LANGUE OFFICIELLE : slovène
AUTRE LANGUE : serbo-croate
RELIGIONS PRINCIPALES : christianisme 72 %, islam 1 %
EXPORTATIONS : équipements de transport, meubles, machines

CROATIE

SUPERFICIE : 56 537 km²
POPULATION : 4 493 312
CAPITALE : Zagreb
MONNAIE : 1 kuna (HRK) = 100 lipas
LANGUE OFFICIELLE : croate
RELIGIONS PRINCIPALES : christianisme 88 %, islam 1 %
EXPORTATIONS : machines, produits chimiques, produits alimentaires, bétail

BOSNIE-HERZÉGOVINE

SUPERFICIE : 51 129 km²
POPULATION : 4 552 198
CAPITALE : Sarajevo
MONNAIE : mark convertible (BAM)
LANGUES OFFICIELLES : serbo-croate, bosniaque
RELIGION PRINCIPALE : christianisme 50 %, islam 40 %
EXPORTATIONS : bois de construction, meubles

SERBIE

SUPERFICIE : 88 361 km²
POPULATION : 10 150 265
CAPITALE : Belgrade
MONNAIE : 1 dinar serbe (RSD) = 100 paras
LANGUE OFFICIELLE : serbe
AUTRES LANGUES : albanais, hongrois, slovaque
RELIGIONS PRINCIPALES : christianisme 90 %, islam 3 %
EXPORTATIONS : produits manufacturés, machines

MONTÉNÉGRO

SUPERFICIE : 13 812 km²
POPULATION : 684 736
CAPITALE : Podgorica
MONNAIE : 1 euro (EUR) = 100 cents
LANGUE OFFICIELLE : monténégrin
RELIGIONS PRINCIPALES : christianisme 90 %, islam 3 %
EXPORTATIONS : produits manufacturés, bétail

ROUMANIE

SUPERFICIE : 237 500 km²
POPULATION : 22 276 056
CAPITALE : Bucarest
MONNAIE : 1 leu roumain (ROL) = 100 bani
LANGUE OFFICIELLE : roumain
AUTRES LANGUES : hongrois, allemand
RELIGION PRINCIPALE : christianisme 82 %
EXPORTATIONS : métaux et dérivés, textiles, machines et biens d'équipement

BULGARIE

SUPERFICIE : 110 912 km²
POPULATION : 7 322 858
CAPITALE : Sofia
MONNAIE : 1 nouveau lev (BGN) = 100 stotinki
LANGUE OFFICIELLE : bulgare
RELIGIONS PRINCIPALES : christianisme 86 %, islam 13 %, judaïsme 1 %
EXPORTATIONS : machines et biens d'équipement, carburants, minerais et matières premières, métaux, vêtements, chaussures

ALBANIE

SUPERFICIE : 28 749 km²
POPULATION : 3 600 523
CAPITALE : Tirana
MONNAIE : 1 lek (ALL) = 100 qindarka
LANGUE OFFICIELLE : albanais
AUTRE LANGUE : grec
RELIGIONS PRINCIPALES : islam 70 %, christianisme 30 %
EXPORTATIONS : asphalte, métaux non ferreux, chrome, cuivre, électricité, pétrole brut, fruits et légumes, tabac

MACÉDOINE

SUPERFICIE : 25 714 km²
POPULATION : 2 055 915
CAPITALE : Skopje
MONNAIE : 1 denar (MKD) = 100 deni
LANGUE OFFICIELLE : macédonien
AUTRES LANGUES : albanais, turc, serbo-croate
RELIGIONS PRINCIPALES : christianisme 67 %, islam 30 %
EXPORTATIONS : produits manufacturés, machines et équipements de transport, produits alimentaires, boissons, tabac, fer et acier

GRÈCE

SUPERFICIE : 131 945 km²
POPULATION : 10 706 290
CAPITALE : Athènes
MONNAIE : 1 euro (EUR) = 100 centimes
LANGUE OFFICIELLE : grec
AUTRES LANGUES : anglais, français
RELIGIONS PRINCIPALES : christianisme 98 %, islam 1 %
EXPORTATIONS : produits manufacturés, produits alimentaires, pétrole

ESTONIE

SUPERFICIE : 45 100 km²
POPULATION : 1 315 912
CAPITALE : Tallinn
MONNAIE : 1 couronne estonienne (EEK) = 100 senti
LANGUE OFFICIELLE : estonien
AUTRES LANGUES : russe, ukrainien, anglais
RELIGION PRINCIPALE : christianisme 99 %
EXPORTATIONS : textiles, produits alimentaires, machines, bois de construction

LETTONIE

SUPERFICIE : 64 589 km²
POPULATION : 2 259 810
CAPITALE : Riga
MONNAIE : 1 lats letton (LVL) = 100 santimi
LANGUE OFFICIELLE : letton
AUTRES LANGUES : lituanien, russe
RELIGION PRINCIPALE : christianisme 100 %
EXPORTATIONS : bois de construction, métaux dérivés, produits laitiers, meubles, textiles, machines et biens d'équipement

LITUANIE

SUPERFICIE : 65 201 km²
POPULATION : 3 575 439
CAPITALE : Vilnius
MONNAIE : 1 litas lituanien (LTL) = 100 centas
LANGUE OFFICIELLE : lituanien
AUTRES LANGUES : polonais, russe
RELIGION PRINCIPALE : christianisme 98 %
EXPORTATIONS : machines, minerais, produits chimiques, textiles et vêtements, produits alimentaires

BIÉLORUSSIE

SUPERFICIE : 207 599 km²
POPULATION : 9 724 723
CAPITALE : Minsk
MONNAIE : rouble biélorusse (BYR)
LANGUE OFFICIELLE : biélorusse
AUTRE LANGUE : russe
RELIGION PRINCIPALE : christianisme 80 %
EXPORTATIONS : machines et biens équipement, produits chimiques, produits alimentaires, métaux, textiles

POLOGNE

SUPERFICIE : 312 758 km²
POPULATION : 38 518 241
CAPITALE : Varsovie
MONNAIE : 1 złoty (PLN) = 100 groszy
LANGUE OFFICIELLE : polonais
RELIGION PRINCIPALE : christianisme 95 %
EXPORTATIONS : machines et équipements de transport, produits manufacturés, produits alimentaires, bétail, carburants

RÉPUBLIQUE TCHÈQUE

SUPERFICIE : 78 866 km²
POPULATION : 10 228 744
CAPITALE : Prague
MONNAIE : 1 couronne tchèque (CZK) = 100 haléřů
LANGUE OFFICIELLE : tchèque
RELIGION PRINCIPALE : christianisme 47 %
EXPORTATIONS : produits manufacturés, matières premières, carburants, machines et équipements de transport, produits chimiques, produits agricoles

SLOVAQUIE

SUPERFICIE : 49 011 km²
POPULATION : 5 447 502
CAPITALE : Bratislava
MONNAIE : 1 couronne slovaque (SKK) = 100 haléřů
LANGUE OFFICIELLE : slovaque
AUTRE LANGUE : hongrois
RELIGION PRINCIPALE : christianisme 73 %
EXPORTATIONS : machines et équipements de transport, produits chimiques, minerais et métaux, produits manufacturés, produits agricoles

UKRAINE

SUPERFICIE : 603 701 km²
POPULATION : 46 299 862
CAPITALE : Kiev
MONNAIE : 1 hryvnia (UAH) = 100 kopecks
LANGUE OFFICIELLE : ukrainien
AUTRES LANGUES : russe, roumain, polonais, hongrois
RELIGIONS PRINCIPALES : christianisme 90 %, judaïsme 2 %
EXPORTATIONS : métaux, produits chimiques, machines et biens d'équipements, grain, viande, carburants et produits pétroliers

HONGRIE

SUPERFICIE : 93 030 km²
POPULATION : 9 956 108
CAPITALE : Budapest
MONNAIE : forint (HUF)
LANGUE OFFICIELLE : hongrois
RELIGION PRINCIPALE : christianisme 93 %
EXPORTATIONS : matières premières, machines et équipements de transport, produits manufacturés, produits alimentaires, produits agricoles, carburants et énergie

MOLDAVIE

SUPERFICIE : 33 701 km²
POPULATION : 4 320 490
CAPITALE : Chișinău
MONNAIE : 1 leu moldave (MDL) = 100 bani
LANGUE OFFICIELLE : moldave
AUTRES LANGUES : russe, gagaouze
RELIGIONS PRINCIPALES : christianisme 98 %, judaïsme 2 %
EXPORTATIONS : produits alimentaires, vin, tabac, textiles, chaussures, machines, produits chimiques

ISLANDE

SUPERFICIE : 102 828 km²
POPULATION : 301 931
CAPITALE : Reykjavík
MONNAIE : 1 couronne islandaise (ISK) = 100 aurar
LANGUE OFFICIELLE : islandais
RELIGION PRINCIPALE : christianisme 99 %
EXPORTATIONS : poisson et conserves de poisson, laine, huile de morue, peaux de mouton, silicium ferreux

NORVÈGE

SUPERFICIE : 324 220 km²
POPULATION : 4 627 926
CAPITALE : Oslo
MONNAIE : 1 couronne norvégienne (NOK) = 100 öre
LANGUE OFFICIELLE : norvégien
AUTRES LANGUES : lapon, finlandais
RELIGION PRINCIPALE : christianisme 89 %
EXPORTATIONS : pétrole et produits pétroliers, métaux, poissons et conserves de poisson, produits chimiques, navires, machines et biens d'équipement, gaz naturel

SUÈDE

SUPERFICIE : 449 792 km²
POPULATION : 9 031 088
CAPITALE : Stockholm
MONNAIE : 1 couronne suédoise (SEK) = 100 öre
LANGUE OFFICIELLE : suédois
AUTRES LANGUES : lapon, finlandais
RELIGION PRINCIPALE : christianisme 96 %
EXPORTATIONS : biens d'équipement, cellulose, pâte de bois et bois, fer et acier, produits chimiques, pétrole et produits pétroliers, automobiles, navires

FINLANDE

SUPERFICIE : 337 032 km²
POPULATION : 5 238 460
CAPITALE : Helsinki
MONNAIE : 1 euro (EUR) = 100 centimes
LANGUES OFFICIELLES : finnois, suédois
AUTRES LANGUES : lapon, russe
RELIGION PRINCIPALE : christianisme 90 %
EXPORTATIONS : papier, pâte de bois, cellulose, machines et biens d'équipement, produits chimiques, métaux, bois de construction

DANEMARK

SUPERFICIE : 43 069 km²
POPULATION : 5 468 120
CAPITALE : Copenhague
MONNAIE : 1 couronne danoise (DKK) = 100 öre
LANGUE OFFICIELLE : danois
AUTRES LANGUES : allemand, dialecte frison
RELIGION PRINCIPALE : christianisme 98 %
EXPORTATIONS : viande et conserves, produits laitiers, navires, poissons, produits chimiques, machines et instruments, meubles, éoliennes

ASIE

RUSSIE

SUPERFICIE : 17 075 383 km²
POPULATION : 141 377 752
CAPITALE : Moscou
MONNAIE : 1 nouveau rouble russe (RUB) = 100 kopecks
LANGUE OFFICIELLE : russe
RELIGIONS PRINCIPALES : christianisme 75 %, islam, bouddhisme
EXPORTATIONS : pétrole et produits pétroliers, gaz naturel, bois de construction, pâte de bois, métaux, produits chimiques, produits manufacturés

TURQUIE

SUPERFICIE : 780 574 km²
POPULATION : 71 158 647
CAPITALE : Ankara
MONNAIE : 1 livre turque (TRL) = 100 kurus
LANGUE OFFICIELLE : turc
AUTRES LANGUES : kurde, arabe, arménien
RELIGION PRINCIPALE : islam 99 %
EXPORTATIONS : produits manufacturés, produits alimentaires, textiles et vêtements, équipements de transport

CHYPRE

SUPERFICIE : 9 251 km²
POPULATION : 788 457
CAPITALE : Nicosie
MONNAIE : 1 euro (EUR) = 100 centimes
LANGUES OFFICIELLES : grec, turc
AUTRE LANGUE : anglais
RELIGIONS PRINCIPALES : christianisme 78 %, islam 18 %
EXPORTATIONS : agrumes, pommes de terre, raisin, vin, ciment, textiles et vêtements, chaussures

GÉORGIE

SUPERFICIE : 69 699 km²
POPULATION : 4 646 003
CAPITALE : Tbilissi
MONNAIE : 1 lari (GEL) = 100 tetri
LANGUE OFFICIELLE : géorgien
AUTRES LANGUES : russe, arménien, azéri
RELIGIONS PRINCIPALES : christianisme 83 %, islam 11 %
EXPORTATIONS : agrumes, thé, vin, machines, métaux, textiles, produits chimiques, pétrole réexporté

ARMÉNIE

SUPERFICIE : 29 800 km²
POPULATION : 2 971 650
CAPITALE : Erevan
MONNAIE : 1 dram (AMD) = 100 lumma
LANGUE OFFICIELLE : arménien
AUTRES LANGUES : russe, azéri
RELIGION PRINCIPALE : christianisme 94 %
EXPORTATIONS : diamants, machines et biens d'équipement, eau-de-vie, minerais de cuivre et de fer

AZERBAÏDJAN

SUPERFICIE : 86 599 km²
POPULATION : 8 120 247
CAPITALE : Bakou
MONNAIE : 1 manat d'Azerbaïdjan (AZM) = 100 gopik
LANGUE OFFICIELLE : azéri
AUTRES LANGUES : russe, arménien
RELIGIONS PRINCIPALES : islam 94 %, christianisme 5 %
EXPORTATIONS : pétrole, gaz naturel, produits chimiques, matériel de forage, textiles, coton, produits alimentaires

KAZAKHSTAN

SUPERFICIE : 2 717 300 km²
POPULATION : 15 284 929
CAPITALE : Almaty (Alma-Ata)
MONNAIE : 1 tenge (KZT) = 100 tyine
LANGUES OFFICIELLES : kazakh, russe
RELIGIONS PRINCIPALES : islam 47 %, christianisme 46 %
EXPORTATIONS : pétrole, métaux, produits chimiques, blé, laine, coton, machines, métaux ferreux et non ferreux, viande et bétail, charbon

OUZBÉKISTAN

SUPERFICIE : 447 400 km²
POPULATION : 27 780 059
CAPITALE : Tachkent
MONNAIE : soum ouzbek (UZS)
LANGUE OFFICIELLE : ouzbek
AUTRES LANGUES : russe, tadjik
RELIGIONS PRINCIPALES : islam 88 %, christianisme 9 %
EXPORTATIONS : coton, or, gaz naturel, engrais, métaux, textiles, produits alimentaires, automobiles

TURKMÉNISTAN

SUPERFICIE : 488 098 km²
POPULATION : 5 097 028
CAPITALE : Achkhabad
MONNAIE : 1 manat du Turkménistan (TMM) = 100 tengés
LANGUE OFFICIELLE : turkmène
AUTRES LANGUES : russe, ouzbek
RELIGIONS PRINCIPALES : islam 89 %, christianisme 9 %
EXPORTATIONS : gaz naturel, coton, produits pétroliers, textiles, tapis

KIRGHIZISTAN

SUPERFICIE : 198 500 km²
POPULATION : 5 284 149
CAPITALE : Bichkek
MONNAIE : 1 som du Kirghizistan (KGS) = 100 tyin
LANGUES OFFICIELLES : kirghiz, russe
RELIGIONS PRINCIPALES : islam 75 %, christianisme 20 %
EXPORTATIONS : laine, produits chimiques, coton, métaux, chaussures, machines, tabac, pommes de terre, légumes, fruits, moutons et chèvres, bétail

TADJIKISTAN

SUPERFICIE : 143 100 km²
POPULATION : 7 076 598
CAPITALE : Douchanbe
MONNAIE : 1 somoni (TJS) = 100 dirham
LANGUE OFFICIELLE : tadjik
AUTRE LANGUE : russe
RELIGION PRINCIPALE : islam 85 %
EXPORTATIONS : coton, aluminium, fruits, huiles végétales, textiles, électricité

SYRIE

SUPERFICIE : 185 180 km²
POPULATION : 19 314 747
CAPITALE : Damas
MONNAIE : 1 livre syrienne (SYP) = 100 piastres
LANGUE OFFICIELLE : arabe
AUTRES LANGUES : kurde, arménien, araméen, circassien, français, anglais
RELIGIONS PRINCIPALES : islam 90 %, christianisme 10 %
EXPORTATIONS : pétrole, textiles, coton non traité, fruits et légumes, moutons vivants, phosphates

IRAQ

SUPERFICIE : 437 521 km²
POPULATION : 27 499 638
CAPITALE : Bagdad
MONNAIE : 1 dinar iraquien (IQD) = 5 riyals = dirhams = 1 000 fils
LANGUES OFFICIELLES : arabe, kurde (dans les régions kurdes)
AUTRES LANGUES : assyrien, arménien
RELIGIONS PRINCIPALES : islam 97 %, christianisme 3 %
EXPORTATIONS : pétrole brut et produits pétroliers raffinés, engrais, matières plastiques

IRAN

SUPERFICIE : 1 647 064 km²
POPULATION : 65 397 521
CAPITALE : Téhéran
MONNAIE : 1 rial iranien (IRR) = 100 dinars
LANGUE OFFICIELLE : farsi (persan)
AUTRES LANGUES : turc, kurde, luri
RELIGION PRINCIPALE : islam 99 %
EXPORTATIONS : pétrole, tapis, fruits, pistaches, et acier, produits chimiques

LIBAN

SUPERFICIE : 10 228 km²
POPULATION : 3 925 502
CAPITALE : Beyrouth
MONNAIE : 1 livre libanaise (LBP) = 100 piastres
LANGUE OFFICIELLE : arabe
AUTRES LANGUES : arménien, anglais, français
RELIGIONS PRINCIPALES : islam 70 %, christianisme 30 %
EXPORTATIONS : produits agricoles, produits chimiques, papier, textiles, métaux, bijoux, composants électroniques

ISRAËL

SUPERFICIE : 20 699 km²
POPULATION : 6 426 679
CAPITALE : Jérusalem
MONNAIE : 1 nouveau shekel israélien (ILS) = 100 nouveaux agorots
LANGUES OFFICIELLES : hébreu, arabe
AUTRE LANGUE : anglais
RELIGIONS PRINCIPALES : judaïsme 80 %, islam 15 %, christianisme 2 %
EXPORTATIONS : machines, diamants taillés, produits chimiques, textiles, produits agricoles, métaux, électronique, armement, logiciels informatiques

JORDANIE

SUPERFICIE : 92 300 km²
POPULATION : 6 053 193
CAPITALE : Amman
MONNAIE : 1 dinar jordanien (JOD) = 1 000 fils
LANGUE OFFICIELLE : arabe
AUTRE LANGUE : anglais
RELIGIONS PRINCIPALES : islam 92 %, christianisme 6 %
EXPORTATIONS : phosphates, engrais, potasse, produits agricoles (fruits et légumes), bétail, produits manufacturés

ARABIE SAOUDITE

SUPERFICIE : 1 960 582 km²
POPULATION : 27 601 038
CAPITALE : Riyad
MONNAIE : 1 riyal saoudien (SAR) = 100 halalas
LANGUE OFFICIELLE : arabe
RELIGION PRINCIPALE : islam 100 %
EXPORTATIONS : pétrole brut et produits pétroliers raffinés

KOWEÏT

SUPERFICIE : 17 819 km²
POPULATION : 2 505 559
CAPITALE : Koweït
MONNAIE : 1 dinar koweïtien (KWD) = 10 dirhams = 1 000 fils
LANGUE OFFICIELLE : arabe
AUTRE LANGUE : anglais
RELIGIONS PRINCIPALES : islam 85 %, christianisme 8 %, hindouisme et parsi 2 %
EXPORTATIONS : pétrole, fertilisants

BAHREÏN

SUPERFICIE : 661 km²
POPULATION : 708 573
CAPITALE : Manãma
MONNAIE : 1 dinar de Bahreïn (BHD) = 1 000 fils
LANGUE OFFICIELLE : arabe
AUTRES LANGUES : anglais, persan
RELIGION PRINCIPALE : islam 100 %
EXPORTATIONS : pétrole et produits pétroliers, aluminium

QATAR

SUPERFICIE : 11 395 km²
POPULATION : 907 229
CAPITALE : al-Dawha
MONNAIE : 1 riyal du Qatar (QAR) = 100 dirhams
LANGUE OFFICIELLE : arabe
AUTRE LANGUE : anglais
RELIGION PRINCIPALE : islam 95 %
EXPORTATIONS : produits pétroliers, acier, engrais

ÉMIRATS ARABES UNIS

SUPERFICIE : 82 880 km²
POPULATION : 4 444 011
CAPITALE : Abu Dhabi
MONNAIE : 1 dirham des Émirats (AED) = 100 fils
LANGUE OFFICIELLE : arabe
AUTRES LANGUES : persan, anglais, hindi, ourdou
RELIGION PRINCIPALE : islam 96 %
EXPORTATIONS : pétrole, gaz naturel, poisson séché, dattes

OMAN

SUPERFICIE : 212 380 km²
POPULATION : 3 204 897
CAPITALE : Mascate
MONNAIE : 1 rial omanais (OMR) = 1 000 baizas
LANGUE OFFICIELLE : arabe
AUTRES LANGUES : anglais, langues indiennes
RELIGIONS PRINCIPALES : islam 86 %, hindouisme 13 %
EXPORTATIONS : pétrole, poisson, métaux, textiles

YÉMEN

SUPERFICIE : 527 969 km²
POPULATION : 22 230 531
CAPITALE : Sanaa
MONNAIE : 1 rial yéménite (YER) = 40 bugshas = 100 fils
LANGUE OFFICIELLE : arabe
RELIGION PRINCIPALE : islam 99 %
EXPORTATIONS : coton, café, peaux, légumes, poissons séchés et salés

AFGHANISTAN

SUPERFICIE : 649 507 km²
POPULATION : 31 889 923
CAPITALE : Kaboul
MONNAIE : 1 afghāni (AFA) = 100 puli
LANGUES OFFICIELLES : afghan, persan (dari), pachto
AUTRES LANGUES : ouzbek, turkmène, baloutche
RELIGIONS PRINCIPALES : islam 99 %, hindouisme et judaïsme 1 %
EXPORTATIONS : opium, fruits, sésame, tapis tissés main, laine, coton, peaux, pierres précieuses et semi-précieuses

PAKISTAN

SUPERFICIE : 803 944 km²
POPULATION : 164 741 924
CAPITALE : Islāmābād
MONNAIE : 1 roupie pakistanaise (PKR) = 100 paisa
LANGUES OFFICIELLES : ourdou, anglais
AUTRES LANGUES : pendjabi, sindhi, siraiki, pachto, baloutche, hindko
RELIGION PRINCIPALE : islam 97 %
EXPORTATIONS : coton, textiles, vêtements, riz, cuir tramé, tapis, produits agricoles

INDE

SUPERFICIE : 3 287 590 km²
POPULATION : 1 129 866 154
CAPITALE : New Delhi
MONNAIE : 1 roupie indienne (INR) = 100 paisé
LANGUES OFFICIELLES : hindi, anglais, bengali, télougou, marathe, tamoul, ourdou, gujarati, malayalam, kannara, oriya, pendjabi, assamais, kashmiri, sindhi, sanskrit
AUTRES LANGUES : hindoustani, rajasthani
RELIGIONS PRINCIPALES : hindouisme 81 %, islam 12 %, christianisme 2 %, sikhisme 2 %
EXPORTATIONS : vêtements et textiles, pierres précieuses et bijoux, équipements industriels, produits chimiques, cuirs, coton filé, tissus

NÉPAL

SUPERFICIE : 140 798 km²
POPULATION : 28 901 790
CAPITALE : Katmandou
MONNAIE : 1 roupie népalaise (NPR) = 100 pice
LANGUE OFFICIELLE : népalais
RELIGIONS PRINCIPALES : hindouisme 86 %, bouddhisme 8 %, islam 4 %
EXPORTATIONS : tapis tissés main, vêtements, cuirs et articles en cuir, jute, tabac, objets artisanaux

BHOUTAN

SUPERFICIE : 47 000 km²
POPULATION : 2 327 849
CAPITALE : Thimbu
MONNAIE : 1 ngultrum (BTN) = 100 chetrums ; la roupie indienne est également légale au Bhoutan
LANGUE OFFICIELLE : dzongkha (tibétain)
AUTRES LANGUES : népalais, anglais
RELIGIONS PRINCIPALES : bouddhisme 75 %, hindouisme 25 %
EXPORTATIONS : bois de construction, produits artisanaux, ciment, fruits, électricité, pierres précieuses, gypse, épices

BANGLADESH

SUPERFICIE : 144 000 km²
POPULATION : 150 448 339
CAPITALE : Dacca
MONNAIE : 1 taka (BDT) = 100 paisa
LANGUE OFFICIELLE : bengali
AUTRE LANGUE : anglais
RELIGIONS PRINCIPALES : islam 83 %, hindouisme 16 %
EXPORTATIONS : vêtements et textiles, jute et produits dérivés, cuirs, poissons surgelés et fruits de mer, produits agricoles

MALDIVES

SUPERFICIE : 298 km²
POPULATION : 369 031
CAPITALE : Malé
MONNAIE : 1 rufiyaa ou roupie maldive (MVR) = 100 leris
LANGUE OFFICIELLE : divehi maldive
AUTRE LANGUE : anglais
RELIGION PRINCIPALE : islam 100 %
EXPORTATIONS : poissons, vêtements

SRI LANKA (EX-CEYLAN)

SUPERFICIE : 65 610 km²
POPULATION : 20 926 315
CAPITALE : Colombo
MONNAIE : 1 roupie de Sri Lanka (LKR) = 100 cents
LANGUES OFFICIELLES : cinghalais, tamoul
AUTRE LANGUE : anglais

RELIGIONS PRINCIPALES : bouddhisme 70 %, hindouisme 15 %, christianisme 8 %, islam 7 %
EXPORTATIONS : textiles, thé, diamants et autres pierres précieuses, produits pétroliers, caoutchouc, produits agricoles, produits de la pêche

BIRMANIE (OU MYANMAR)

SUPERFICIE : 678 034 km²
POPULATION : 47 373 958
CAPITALE : Yangon (Rangoon)
MONNAIE : 1 kyat (MMK) = 100 pyas
LANGUE OFFICIELLE : birman
AUTRES LANGUES : dialectes locaux
RELIGIONS PRINCIPALES : bouddhisme 89 %, islam 4 %, christianisme 4 %, animisme 1 %
EXPORTATIONS : vêtements, produits alimentaires, riz, pierres précieuses, bois de construction

LAOS

SUPERFICIE : 236 799 km²
POPULATION : 6 521 998
CAPITALE : Vientiane
MONNAIE : 1 kip (LAK) = 100 at
LANGUE OFFICIELLE : laotien
AUTRES LANGUES : français, anglais, dialectes locaux
RELIGIONS PRINCIPALES : bouddhisme 60 %, animisme 34 %, christianisme 2 %
EXPORTATIONS : électricité, bois et produits dérivés, café, étain, textiles et vêtements

VIÊT NAM

SUPERFICIE : 329 560 km²
POPULATION : 85 262 356
CAPITALE : Hanoi
MONNAIE : 1 nouveau dông (D) = 10 hâo = 100 xu
LANGUE OFFICIELLE : vietnamien
AUTRES LANGUES : français, chinois, anglais, khmer, langues des minorités ethniques
RELIGIONS PRINCIPALES : bouddhisme 55 %, christianisme 7 %, taoïsme, caodaïsme, islam
EXPORTATIONS : pétrole brut, riz, vêtements et chaussures, caoutchouc, thé, produits de la pêche, café

THAÏLANDE

SUPERFICIE : 513 998 km²
POPULATION : 65 068 149
CAPITALE : Bangkok
MONNAIE : 1 baht (THB) = 100 satang
LANGUE OFFICIELLE : thaï
AUTRES LANGUES : anglais, dialectes chinois, malais, dialectes locaux
RELIGIONS PRINCIPALES : bouddhisme 95 %, islam 4 %
EXPORTATIONS : ordinateurs et pièces détachées, textiles, circuits intégrés (électronique), riz

AMBODGE

PERFICIE : 181 036 km²
PULATION : 13 995 904
PITALE : Phnom Penh
ONNAIE : 1 nouveau riel (CR) = 100 sen
NGUE OFFICIELLE : khmer (cambodgien)
TRES LANGUES : français, anglais
LIGIONS PRINCIPALES : bouddhisme 95 %,
m 2 %
PORTATIONS : bois de construction, caoutchouc,
ements, riz, poissons

ALAISIE (OU MALAYSIA)

PERFICIE : 329 750 km²
PULATION : 24 821 286
PITALE : Kuala Lumpur
ONNAIE : 1 ringgit ou 1 dollar de Malaisie
YR) = 100 sen ou 100 cents
NGUE OFFICIELLE : malais (bahasa melayu)
TRES LANGUES : anglais, dialectes chinois,
moul, télougou, dialectes locaux
LIGIONS PRINCIPALES : islam 53 %,
uddhisme 17 %, confucianisme 12 %,
ristianisme 9 %, hindouisme 7 %
PORTATIONS : matériel électronique,
role, gaz naturel liquide, huile de palme,
is de construction et produits dérivés,
outchouc, textiles

HILIPPINES

PERFICIE : 299 536 km²
PULATION : 91 077 287
PITALE : Manille
ONNAIE : 1 peso philippin (PHP) = 100 centavos
NGUES OFFICIELLES : philippin, anglais
TRES LANGUES : langues indigènes
LIGIONS PRINCIPALES : christianisme 92 %,
am 5 %, bouddhisme 3 %
PORTATIONS : électronique, machines et
uipements de transport, textiles, produits
la noix de coco, cuivre, poissons

NGAPOUR

PERFICIE : 648 km²
PULATION : 4 553 009
PITALE : Singapour
ONNAIE : 1 dollar de Singapour (SGD) = 100 cents
NGUES OFFICIELLES : chinois, malais, tamoul,
glais
LIGIONS PRINCIPALES : bouddhisme 28 %,
am 15 %, christianisme 13 %, taoïsme 13 %,
ndouisme 5 %
PORTATIONS : matériel informatique,
oduits chimiques, pétrole, matériel
télécommunications

BRUNEI

SUPERFICIE : 5 765 km²
POPULATION : 374 577
CAPITALE : Bandar Seri Begawan
MONNAIE : 1 dollar de Brunei (BND) = 100 cents
LANGUE OFFICIELLE : malais
AUTRES LANGUES : anglais, chinois
RELIGIONS PRINCIPALES : islam 67 %,
bouddhisme 13 %, christianisme 10 %,
religions indigènes
EXPORTATIONS : pétrole brut, gaz naturel liquide,
produits pétroliers, machines et équipements
de transport, produits manufacturés

INDONÉSIE

SUPERFICIE : 1 919 440 km²
POPULATION : 234 693 997
CAPITALE : Djakarta
MONNAIE : 1 rupiah (IDR) = 100 sen
LANGUE OFFICIELLE : indonésien
AUTRES LANGUES : anglais, néerlandais, javanais,
malais, balinais, madurais et autres dialectes
RELIGIONS PRINCIPALES : islam 87 %,
christianisme 8 %, hindouisme 2 %,
bouddhisme 1 %
EXPORTATIONS : produits manufacturés,
pétrole et gaz, textiles, caoutchouc,
contreplaqué

TIMOR-ORIENTAL

SUPERFICIE : 19 000 km²
POPULATION : 1 084 971
CAPITALE : Dili
MONNAIE : 1 dollar des États-Unis (USD) = 100 cents
LANGUES OFFICIELLES : tétoum, portugais
AUTRES LANGUES : indonésien, anglais
RELIGIONS PRINCIPALES : christianisme 93 %,
islam 4 %
EXPORTATIONS : café, bois de santal, marbre

CHINE

SUPERFICIE : 9 596 960 km²
POPULATION : 1 321 851 888
CAPITALE : Pékin (ou Beijing)
MONNAIE : 1 yuan (CNY) = 10 chiao =
100 fen
LANGUE OFFICIELLE : chinois mandarin
AUTRES LANGUES : 8 dialectes (cantonais,
de Shanghaï, de Fuzhou…)
RELIGIONS PRINCIPALES : taoïsme 20 %,
bouddhisme 6 %, islam 3 %, christianisme 1 %
EXPORTATIONS : textiles et vêtements, chaussures,
jouets, machines et biens d'équipement,
charbon

MONGOLIE

SUPERFICIE : 1 565 000 km²
POPULATION : 2 951 786
CAPITALE : Oulan-Bator
MONNAIE : 1 togrog (MNT) = 100 mongo
LANGUE OFFICIELLE : khalkha (mongol)
AUTRES LANGUES : turc, russe, chinois
RELIGIONS PRINCIPALES : bouddhisme 95 %,
islam 4 %

EXPORTATIONS : cuivre, bétail, viande pour
animaux, cachemire, laine, peaux, métaux
non ferreux

CORÉE DU NORD

SUPERFICIE : 120 717 km²
POPULATION : 23 301 725
CAPITALE : Pyongyang
MONNAIE : 1 won de Corée du Nord
(KPW) = 100 cheun
LANGUE OFFICIELLE : coréen
RELIGIONS PRINCIPALES : ch'ondogyo 14 %,
bouddhisme 2 %, christianisme 1 %
EXPORTATIONS : minerais, produits métallurgiques,
produits agricoles et produits de la pêche,
produits manufacturés, machines et équipements
de transport

CORÉE DU SUD

SUPERFICIE : 98 477 km²
POPULATION : 49 044 790
CAPITALE : Séoul
MONNAIE : 1 won de Corée du Sud (KRW) =
100 chon
LANGUE OFFICIELLE : coréen
AUTRE LANGUE : anglais
RELIGIONS PRINCIPALES : christianisme 49 %,
bouddhisme 47 %, confucianisme 3 %
EXPORTATIONS : matériel électronique
et électrique, machines, automobiles, bateaux,
textiles, vêtements et accessoires, chaussures,
poisson

TAÏWAN

SUPERFICIE : 35 967 km²
POPULATION : 22 858 872
CAPITALE : Taipei
MONNAIE : 1 nouveau dollar de Taïwan
(TWD) = 100 cents
LANGUE OFFICIELLE : chinois mandarin
AUTRES LANGUES : taïwanais, dialectes hakka
RELIGIONS PRINCIPALES : bouddhisme 43 %,
taoïsme 21 %, christianisme 5 %,
confucianisme
EXPORTATIONS : machines électriques, matériel
électronique, textiles, métaux, plastiques,
produits chimiques

JAPON

SUPERFICIE : 377 835 km²
POPULATION : 127 433 494
CAPITALE : Tōkyō
MONNAIE : 1 yen (JPY) = 100 sen
LANGUE OFFICIELLE : japonais
RELIGIONS PRINCIPALES : shintoïsme
et bouddhisme 84 %, christianisme 1 %
EXPORTATIONS : machines, automobiles et
véhicules à moteur, matériel électronique
de grande consommation, produits
chimiques, semi-conducteurs
électriques

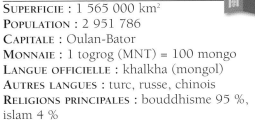

AFRIQUE

MAROC

SUPERFICIE : 446 550 km²
POPULATION : 33 757 175
CAPITALE : Rabat
MONNAIE : 1 dirham marocain (MAD) =
100 centimes
LANGUE OFFICIELLE : arabe
AUTRES LANGUES : berbère, français
RELIGIONS PRINCIPALES : islam 99 %,
christianisme 1 %
EXPORTATIONS : produits alimentaires, boissons,
biens de consommation, phosphates et fertilisants,
minéraux

ALGÉRIE

SUPERFICIE : 2 381 740 km²
POPULATION : 33 333 216
CAPITALE : Alger
MONNAIE : 1 dinar algérien (DZD) =
100 centimes
LANGUE OFFICIELLE : arabe
AUTRES LANGUES : français, dialectes berbères
RELIGIONS PRINCIPALES : islam 99 %,
christianisme et judaïsme 1 %
EXPORTATIONS : produits pétroliers,
gaz naturel

TUNISIE

SUPERFICIE : 164 149 km²
POPULATION : 10 276 158
CAPITALE : Tunis
MONNAIE : 1 dinar tunisien (TND) =
1 000 millimes
LANGUE OFFICIELLE : arabe
AUTRE LANGUE : français
RELIGIONS PRINCIPALES : islam 98 %,
christianisme 1 %, judaïsme 1 %
EXPORTATIONS : produits agricoles, produits
chimiques, textiles, équipements mécaniques,
phosphates

LIBYE

SUPERFICIE : 1 759 540 km²
POPULATION : 6 036 914
CAPITALE : Tripoli
MONNAIE : 1 dinar libyen (LYD) = 1 000 dirhams
LANGUE OFFICIELLE : arabe

AUTRES LANGUES : italien,
anglais
RELIGION PRINCIPALE :
islam 97 %
EXPORTATIONS : pétrole brut,
produits pétroliers raffinés

CAP-VERT

SUPERFICIE : 4 033 km²
POPULATION : 423 613
CAPITALE : Praia
MONNAIE : 1 escudo du Cap-Vert
(CVE) = 100 centavos
LANGUE OFFICIELLE : portugais
AUTRE LANGUE : créole du Cap-Vert (crioulo)
RELIGION PRINCIPALE : christianisme 97 %
EXPORTATIONS : poissons, bananes, peaux,
vêtements, carburants

ÉGYPTE

SUPERFICIE : 1 001 450 km²
POPULATION : 80 335 036
CAPITALE : Le Caire
MONNAIE : 1 livre égyptienne (EGP) = 100 piastres
LANGUE OFFICIELLE : arabe
AUTRES LANGUES : anglais, français
RELIGIONS PRINCIPALES : islam 94 %,
christianisme 6 %
EXPORTATIONS : pétrole et produits pétroliers,
coton, textiles, produits métallurgiques, produits
chimiques

MAURITANIE

SUPERFICIE : 1 030 807 km²
POPULATION : 3 270 065
CAPITALE : Nouakchott
MONNAIE : 1 ouguiya (MRO)= 5 khoums
LANGUE OFFICIELLE : arabe
AUTRES LANGUES : français, soninké,
wolof, peul
RELIGION PRINCIPALE : islam 100 %
EXPORTATIONS : minerai de fer, poissons
et conserves de poissons, or

MALI

SUPERFICIE : 1 239 709 km²
POPULATION : 11 995 402
CAPITALE : Bamako
MONNAIE : 1 franc CFA (XOF) =
100 centimes
LANGUE OFFICIELLE : français
AUTRES LANGUES : bambara, dialectes
régionaux
RELIGIONS PRINCIPALES : islam 90 %,
religions indigènes 9 %,
christianisme 1 %
EXPORTATIONS : coton, bétail,
uranium, poissons

BURKINA

SUPERFICIE : 274 201 km²
POPULATION : 14 326 203
CAPITALE : Ouagadougou
MONNAIE : 1 franc CFA (XOF) = 100 centimes
LANGUE OFFICIELLE : français
AUTRES LANGUES : malinké, dioula,
mossi, peul
RELIGIONS PRINCIPALES : islam 50 %,
religions indigènes 40 %, christianisme 10 %
EXPORTATIONS : coton, or, viande pour animaux,
manganèse

NIGER

SUPERFICIE : 1 188 999 km²
POPULATION : 12 894 865
CAPITALE : Niamey
MONNAIE : 1 franc CFA (XOF) = 100 centimes
LANGUE OFFICIELLE : français
AUTRES LANGUES : haoussa, djerma, peul, songhaï
et autres langues africaines
RELIGIONS PRINCIPALES : islam 80 %,
religions indigènes 14 %, christianisme 1 %
EXPORTATIONS : minerai d'uranium, bétail, tissus
de coton, légumes

TCHAD

SUPERFICIE : 1 283 998 km²
POPULATION : 9 885 661
CAPITALE : N'Djamena
MONNAIE : 1 franc CFA (XAF) = 100 centimes
LANGUES OFFICIELLES : français, arabe
AUTRES LANGUES : sara, sango, dialectes tribaux
RELIGIONS PRINCIPALES : islam 50 %,
christianisme 25 %, religions indigènes
et animisme 25 %
EXPORTATIONS : coton, bétail, textiles

SOUDAN

SUPERFICIE : 2 505 825 km²
POPULATION : 39 379 358
CAPITALE : Khartoum
MONNAIE : 1 dinar soudanais (SDD) =
1 000 girsh
LANGUE OFFICIELLE : arabe
AUTRES LANGUES : anglais, dinka, peul
et plus de 200 dialectes
RELIGIONS PRINCIPALES : islam 70 %,
religions indigènes 25 %, christianisme 5 %
EXPORTATIONS : pétrole, bétail, coton, sésame,
arachides

ÉRYTHRÉE

SUPERFICIE : 121 320 km²
POPULATION : 4 906 585
CAPITALE : Asmara
MONNAIE : 1 nakfa (ERN) = 100 cents
LANGUES OFFICIELLES : arabe, tigrigna
AUTRES LANGUES : dialectes régionaux
RELIGIONS PRINCIPALES : islam 50 %,
christianisme 50 %
EXPORTATIONS : bétail, sorgho, textiles, produits
alimentaires

ÉTHIOPIE

SUPERFICIE : 1 127 127 km²
POPULATION : 75 511 887
CAPITALE : Addis-Abeba
MONNAIE : 1 birr éthiopien (ETB) = 100 cents
LANGUES OFFICIELLES : amharique, tigrigna, oromigna, guaragigna, somali
AUTRES LANGUES : arabe, anglais
RELIGIONS PRINCIPALES : islam 45 %, christianisme 35 %, animisme 12 %
EXPORTATIONS : café, cuirs et peaux, graines oléagineuses, khat

DJIBOUTI

SUPERFICIE : 22 000 km²
POPULATION : 496 374
CAPITALE : Djibouti
MONNAIE : 1 franc de Djibouti (DJF) = 100 centimes
LANGUES OFFICIELLES : français, arabe
AUTRES LANGUES : somali, afar
RELIGIONS PRINCIPALES : islam 94 %, christianisme 6 %
EXPORTATIONS : peaux, sel, animaux vivants, produits alimentaires

SOMALIE

SUPERFICIE : 637 539 km²
POPULATION : 9 118 773
CAPITALE : Mogadiscio
MONNAIE : 1 shilling somali (SOS) = 100 centesimi
LANGUE OFFICIELLE : somali
AUTRES LANGUES : arabe, italien, anglais
RELIGION PRINCIPALE : islam 99 %
EXPORTATIONS : bananes, bétail, poissons, peaux, canne à sucre, gypse

SÉNÉGAL

SUPERFICIE : 196 190 km²
POPULATION : 12 521 851
CAPITALE : Dakar
MONNAIE : 1 franc CFA (XOF) = 100 centimes
LANGUE OFFICIELLE : français
AUTRES LANGUES : wolof, peul, jola, malinké
RELIGIONS PRINCIPALES : islam 92 %, religions indigènes 6 %, christianisme 2 %
EXPORTATIONS : poisson, arachides, produits pétroliers, phosphates, coton

GAMBIE

SUPERFICIE : 11 300 km²
POPULATION : 1 688 359
CAPITALE : Banjul
MONNAIE : 1 dalasi (GMD) = 100 bututs
LANGUE OFFICIELLE : anglais
AUTRES LANGUES : malinké, wolof, fula
RELIGIONS PRINCIPALES : islam 90 %, christianisme 9 %, religions indigènes 1 %
EXPORTATIONS : arachides et dérivés, poissons, cœurs de palmier, ouate de coton

GUINÉE-BISSAU

SUPERFICIE : 36 125 km²
POPULATION : 1 472 780
CAPITALE : Bissau
MONNAIE : 1 franc CFA (XOF) = 100 centimes
LANGUE OFFICIELLE : portugais
AUTRES LANGUES : crioulo, langues africaines
RELIGIONS PRINCIPALES : religions indigènes 50 %, islam 45 %, christianisme 5 %
EXPORTATIONS : noix de cajou, crevettes, cœurs de palmier, arachides, bois de construction

GUINÉE

SUPERFICIE : 245 856 km²
POPULATION : 9 947 814
CAPITALE : Conakry
MONNAIE : 1 franc guinéen (GNF) = 100 centimes
LANGUE OFFICIELLE : français
AUTRES LANGUES : peul, dioula, malinké...
RELIGIONS PRINCIPALES : islam 85 %, christianisme 8 %, religions indigènes 7 %
EXPORTATIONS : bauxite, alumine, diamants, or, café, poissons, produits agricoles

SIERRA LEONE

SUPERFICIE : 71 740 km²
POPULATION : 6 144 562
CAPITALE : Freetown
MONNAIE : 1 leone (SLL) = 100 cents
LANGUE OFFICIELLE : anglais
AUTRES LANGUES : mendé, temné, créole
RELIGIONS PRINCIPALES : islam 60 %, religions indigènes 30 %, christianisme 10 %
EXPORTATIONS : diamants, minerais (fer, bauxite, rutile), café, cacao, poissons

LIBERIA

SUPERFICIE : 111 370 km²
POPULATION : 3 195 931
CAPITALE : Monrovia
MONNAIE : 1 dollar libérien (LRD) = 100 cents
LANGUE OFFICIELLE : anglais
AUTRES LANGUES : dialectes tribaux
RELIGIONS PRINCIPALES : religions indigènes 40 %, christianisme 40 %, islam 20 %
EXPORTATIONS : minerai de fer, caoutchouc, bois exotique, café, cacao, diamants

CÔTE D'IVOIRE

SUPERFICIE : 322 463 km²
POPULATION : 18 013 409
CAPITALE : Abidjan (jusqu'en 1983), Yamoussoukro (depuis 1983)
MONNAIE : 1 franc CFA (XOF) = 100 centimes
LANGUE OFFICIELLE : français
AUTRES LANGUES : dioula, baoulé
RELIGIONS PRINCIPALES : christianisme 34 %, islam 27 %, animisme 15 %
EXPORTATIONS : cacao et dérivés, café et extraits, bois exotique, pétrole, coton, bananes, ananas, huile de palme, poissons

GHANA

SUPERFICIE : 238 539 km²
POPULATION : 22 931 299
CAPITALE : Accra
MONNAIE : 1 nouveau cedi (GHC) = 100 pesewas
LANGUE OFFICIELLE : anglais
AUTRES LANGUES : akan, éwé, houassa, mossi...
RELIGIONS PRINCIPALES : religions indigènes 38 %, islam 30 %, christianisme 24 %
EXPORTATIONS : cacao, or, bois exotique, thon, bauxite, aluminium, manganèse, diamants

TOGO

SUPERFICIE : 56 599 km²
POPULATION : 5 701 579
CAPITALE : Lomé
MONNAIE : 1 franc CFA (XOF) = 100 centimes
LANGUE OFFICIELLE : français
AUTRES LANGUES : éwé, kabié, peul, haoussa...
RELIGIONS PRINCIPALES : religions indigènes 59 %, christianisme 29 %, islam 12 %
EXPORTATIONS : phosphates, coton, cacao, café

BÉNIN

SUPERFICIE : 112 621 km²
POPULATION : 8 078 314
CAPITALES : Cotonou (siège du gouvernement),
Porto-Novo (officielle)
MONNAIE : 1 franc CFA (XOF) =
100 centimes
LANGUE OFFICIELLE : français
AUTRES LANGUES : fon, yorouba, dialectes tribaux
RELIGIONS PRINCIPALES : religions indigènes 50 %,
christianisme 30 %, islam 20 %
EXPORTATIONS : coton, cacao, huile
de palme

NIGERIA

SUPERFICIE : 923 773 km²
POPULATION : 135 031 164
CAPITALE : Abuja
MONNAIE : 1 naira (NGN) = 100 kobos
LANGUE OFFICIELLE : anglais
AUTRES LANGUES : haoussa, ibo, yorouba,
peul...
RELIGIONS PRINCIPALES : islam 50 %,
christianisme 40 %, religions indigènes 10 %
EXPORTATIONS : pétrole et produits pétroliers,
cacao, caoutchouc

CAMEROUN

SUPERFICIE : 475 501 km²
POPULATION : 18 060 382
CAPITALE : Yaoundé
MONNAIE : 1 franc CFA (XAF) =
100 centimes
LANGUES OFFICIELLES : anglais, français
AUTRES LANGUES : plus de 200 langues
et dialectes africains
RELIGIONS PRINCIPALES :
religions indigènes 40 %,
christianisme 40 %,
islam 20 %
EXPORTATIONS : pétrole brut,
produits pétroliers, bois de
construction,
fèves de cacao, aluminium,
café, coton

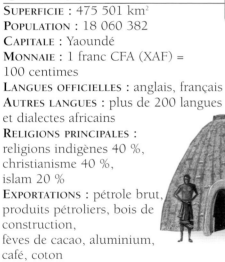

GUINÉE ÉQUATORIALE

SUPERFICIE : 28 037 km²
POPULATION : 555 201
CAPITALE : Malabo
MONNAIE : 1 franc CFA (XAF) = 100 centimes
LANGUES OFFICIELLES : espagnol, français
AUTRES LANGUES : anglais pidgin, fang, bubi,
ibo et autres dialectes locaux
RELIGION PRINCIPALE : christianisme 85 %
EXPORTATIONS : bois de construction, cacao,
pétrole

RÉPUBLIQUE CENTRAFRICAINE

SUPERFICIE : 622 984 km²
POPULATION : 4 369 038
CAPITALE : Bangui
MONNAIE : 1 franc CFA (XAF) =
100 centimes
LANGUE OFFICIELLE : français
AUTRES LANGUES : arabe, sango, sara,
peul, swahili
RELIGIONS PRINCIPALES :
christianisme 50 %, religions indigènes 24 %,
islam 15 %
EXPORTATIONS : diamants, bois exotique,
coton, café, tabac, or

SÃO TOMÉ ET PRÍNCIPE

SUPERFICIE : 963 km²
POPULATION : 199 579
CAPITALE : São Tomé
MONNAIE : 1 dobra (STD) =
100 centavos
LANGUE OFFICIELLE : portugais
RELIGION PRINCIPALE : christianisme 80 %
EXPORTATIONS : noix de coco, cacao,
coprah, café, huile de palme

GABON

SUPERFICIE : 267 667 km²
POPULATION : 1 454 867
CAPITALE : Libreville
MONNAIE : 1 franc CFA (XAF) =
100 centimes
LANGUE OFFICIELLE : français
AUTRES LANGUES : dialectes locaux
RELIGIONS PRINCIPALES : christianisme 60 %,
animisme 38 %, islam 1 %
EXPORTATIONS : pétrole, bois exotique, manganèse,
uranium

CONGO

SUPERFICIE : 342 002 km²
POPULATION : 3 800 610
CAPITALE : Brazzaville
MONNAIE : 1 franc CFA (XAF) =
100 centimes
LANGUE OFFICIELLE : français
AUTRES LANGUES : lingala,
monokutuba
RELIGIONS PRINCIPALES : christianisme 50 %,
animisme 48 %, islam 2 %
EXPORTATIONS : pétrole, bois exotique,
sucre, cacao, café, diamants

RÉPUBLIQUE DÉMOCRATIQUE DU CONGO (EX-ZAÏRE)

SUPERFICIE : 2 344 872 km²
POPULATION : 65 751 512
CAPITALE : Kinshasa
MONNAIE : 1 franc congolais (CDF) = 100 centimes
LANGUE OFFICIELLE : français
AUTRES LANGUES : lingala, kingwana, kikongo,
tshiluba

RELIGIONS PRINCIPALES : christianisme 70 %,
islam 10 %, kimbanguisme 10 %, religions
indigènes 10 %
EXPORTATIONS : cuivre, café, diamants, pétrole br

OUGANDA

SUPERFICIE : 236 037 km²
POPULATION : 30 262 610
CAPITALE : Kampala
MONNAIE : 1 shilling ougandais (UGX) =
100 cents
LANGUE OFFICIELLE : anglais
AUTRES LANGUES : ganda ou luganda, swahili
et autres langues africaines
RELIGIONS PRINCIPALES : christianisme 66 %,
religions indigènes 18 %, islam 16 %
EXPORTATIONS : café vert, coton brut, thé,
poissons, fer et acier

KENYA

SUPERFICIE : 582 646 km²
POPULATION : 36 913 721
CAPITALE : Nairobi
MONNAIE : 1 shilling du Kenya
(KES) = 100 cents
LANGUES OFFICIELLES : anglais,
kiswahili
AUTRES LANGUES : dioula,
baoulé…
RELIGIONS PRINCIPALES :
christianisme 66 %, religions
indigènes 26 %, islam 7 %
EXPORTATIONS : thé, café,
produits pétroliers, poissons

RWANDA

SUPERFICIE : 26 338 km²
POPULATION : 9 907 509
CAPITALE : Kigali
MONNAIE : 1 franc rwandais (RWF) = 100 centim
LANGUES OFFICIELLES : kinyarwanda (nationale),
français (officielle)
AUTRES LANGUES : swahili, anglais
RELIGIONS PRINCIPALES : christianisme 87 %,
religions indigènes 7 %, islam 2 %
EXPORTATIONS : café, thé, peaux, minerai d'étain

BURUNDI

SUPERFICIE : 27 866 km²
POPULATION : 8 390 505
CAPITALE : Bujumbura
MONNAIE : 1 franc du Burundi (BIF) =
100 centimes
LANGUES OFFICIELLES : rundi, français
AUTRE LANGUE : kiswahili
RELIGIONS PRINCIPALES : christianisme 67 %,
religions indigènes 23 %, islam 10 %
EXPORTATIONS : café, thé, coton, peaux, sucre

TANZANIE

SUPERFICIE : 945 091 km²
POPULATION : 39 384 223
CAPITALES : Dar es-Saalam, Dodoma
(capitale désignée depuis 1990)
MONNAIE : 1 shilling tanzanien (TZS) = 100 cents

LANGUES OFFICIELLES : swahili, anglais
AUTRES LANGUES : arabe, dialectes locaux
RELIGIONS PRINCIPALES : christianisme 45 %,
islam 35 %, religions indigènes 20 %
EXPORTATIONS : café, coton, tabac,
noix de cajou, minéraux

ANGOLA

SUPERFICIE : 1 246 699 km²
POPULATION : 12 263 596
CAPITALE : Luanda
MONNAIE : 1 kwanza (AOA) = 100 iwei
LANGUE OFFICIELLE : portugais
AUTRES LANGUES : bantou et autres langues
africaines
RELIGIONS PRINCIPALES : christianisme 53 %,
religions indigènes 47 %
EXPORTATIONS : pétrole brut, produits
pétroliers raffinés, diamants, gaz naturel,
café, agaves (fibres), sisal, poissons et
conserves de poissons, bois exotique,
coton

ZAMBIE

SUPERFICIE : 752 615 km²
POPULATION : 11 477 447
CAPITALE : Lusaka
MONNAIE : 1 kwacha (ZMK) = 100 ngwee
LANGUE OFFICIELLE : anglais
AUTRES LANGUES : bemba, nyanja tonga,
lozi, lunda
RELIGIONS PRINCIPALES : christianisme 62 %,
islam et hindouisme 36 %, religions indigènes 1 %
EXPORTATIONS : cuivre, cobalt, électricité,
tabac

ZIMBABWE

SUPERFICIE : 390 624 km²
POPULATION : 12 311 143
CAPITALE : Harare
MONNAIE : 1 dollar du Zimbabwe
(ZWD) = 100 cents
LANGUE OFFICIELLE : anglais
AUTRES LANGUES : shona, dialectes locaux
RELIGIONS PRINCIPALES : syncrétisme (en partie
christianisme, en partie religions indigènes) 50 %,
christianisme 25 %, religions indigènes 24 %,
islam 1 %
EXPORTATIONS : tabac, produits manufacturés,
métaux, coton, or

MALAWI

SUPERFICIE : 118 485 km²
POPULATION : 13 603 181
CAPITALE : Lilongwe
MONNAIE : 1 kwacha de Malawi
(MWK) = 100 tambalas
LANGUES OFFICIELLES : anglais, chichewa
AUTRES LANGUES : langues régionales
RELIGIONS PRINCIPALES : christianisme 75 %,
islam 20 %, religions indigènes 5 %
EXPORTATIONS : tabac, thé, sucre, coton, café,
arachides, bois exotique

MOZAMBIQUE

SUPERFICIE : 801 590 km²
POPULATION : 20 905 585
CAPITALE : Maputo
MONNAIE : 1 metical (MZM) = 100 centavos
LANGUE OFFICIELLE : portugais
AUTRES LANGUES : langues bantoues
RELIGIONS PRINCIPALES : religions indigènes 50 %,
christianisme 30 %, islam 20 %
EXPORTATIONS : crevettes, noix de cajou,
coton, sucre, agrumes, bois de construction,
électricité

NAMIBIE

SUPERFICIE : 825 418 km²
POPULATION : 2 055 080
CAPITALE : Windhoek
MONNAIE : 1 rand (ZAR) ou 1 dollar namibien
(NAD) = 100 cents
LANGUE OFFICIELLE : anglais
AUTRES LANGUES : afrikaans, allemand, herero,
oshivambo, nama
RELIGIONS PRINCIPALES : christianisme 85 %,
religions indigènes 15 %
EXPORTATIONS : diamants, métaux, bétail,
conserves de poissons

BOTSWANA

SUPERFICIE : 600 370 km²
POPULATION : 1 815 508
CAPITALE : Gaborone
MONNAIE : 1 pula (BWP) = 100 thebe
LANGUE OFFICIELLE : anglais
AUTRES LANGUES : tswana, langues bantoues
et khoisan
RELIGIONS PRINCIPALES : christianisme 50 %,
religions indigènes 50 %
EXPORTATIONS : diamants, cuivre et nickel,
viande

AFRIQUE DU SUD

SUPERFICIE : 1 219 912 km²
POPULATION : 43 997 828
CAPITALES : Pretoria (siège du gouvernement),
Le Cap (siège du Parlement)
MONNAIE : 1 rand (ZAR) = 100 cents
LANGUES OFFICIELLES : afrikaans, anglais
AUTRES LANGUES : zoulou, bantou, xhosa...
RELIGIONS PRINCIPALES : christianisme 68 %,
islam 2 %, hindouisme 1,5 %
EXPORTATIONS : or, diamants et autres
pierres précieuses, métaux, machines
et biens d'équipement

SWAZILAND

SUPERFICIE : 17 366 km²
POPULATION : 1 133 066
CAPITALES : Mbabane, Lobamba (royale et législative)
MONNAIE : 1 lilangeni (SZL) = 100 cents
LANGUE OFFICIELLE : anglais
AUTRES LANGUES : bantou, swazi
RELIGIONS PRINCIPALES : christianisme 60 %,
religions indigènes 30 %, islam 10 %
EXPORTATIONS : sucre, pâte de bois, coton

LESOTHO

SUPERFICIE : 30 344 km²
POPULATION : 2 125 262
CAPITALE : Maseru
MONNAIE : 1 loti (LSL) = 100 lisente
LANGUES OFFICIELLES : anglais, sotho
AUTRES LANGUES : zoulou, xhosa
RELIGIONS PRINCIPALES : christianisme 80 %,
religions indigènes 20 %
EXPORTATIONS : laine, mohair, produits
alimentaires et bétail, vêtements, chaussures,
véhicules de transport

COMORES

SUPERFICIE : 1 862 km²
POPULATION : 711 417
CAPITALE : Moroni
MONNAIE : 1 franc des Comores
(KMF) = 100 centimes
LANGUES OFFICIELLES : arabe, français, comorien
RELIGIONS PRINCIPALES : islam 98 %,
christianisme 2 %
EXPORTATIONS : vanille, clous de girofle, coprah

MADAGASCAR

SUPERFICIE : 587 042 km²
POPULATION : 19 448 815
CAPITALE : Antananarivo
MONNAIE : 1 franc malgache (MGF) =
100 centimes
LANGUES OFFICIELLES : français,
malgache
RELIGIONS PRINCIPALES : religions indigènes 52 %,
christianisme 41 %, islam 7 %
EXPORTATIONS : café, vanille, crustacés et
coquillages, minerai de chrome, sucre, produits
pétroliers, cotonnades

SEYCHELLES

SUPERFICIE : 455 km²
POPULATION : 81 895
CAPITALE : Victoria
MONNAIE : 1 roupie des Seychelles
(SCR) = 100 cents
LANGUES OFFICIELLES : anglais, français
AUTRE LANGUE : créole des Seychelles
RELIGION PRINCIPALE : christianisme 98 %
EXPORTATIONS : poissons, cannelle, coprah,
produits pétroliers

MAURICE

SUPERFICIE : 1 865 km²
POPULATION : 1 250 882
CAPITALE : Port-Louis
MONNAIE : 1 roupie de l'île Maurice
(MUR) = 100 cents
LANGUE OFFICIELLE : anglais
AUTRES LANGUES : créole de l'île Maurice,
français
RELIGIONS PRINCIPALES : hindouisme
52 %, christianisme 28 %, islam
17 %
EXPORTATIONS : textiles et
vêtements, sucre, fleurs coupées,
mélasse

AUSTRALIE ET OCÉANIE

AUSTRALIE

SUPERFICIE : 7 686 884 km²
POPULATION : 20 434 176
CAPITALE : Canberra
MONNAIE : 1 dollar australien (AUD) = 100 cents
LANGUE OFFICIELLE : anglais
AUTRES LANGUES : langues aborigènes
RELIGION PRINCIPALE : christianisme 76 %
EXPORTATIONS : charbon, or, viande, laine, blé, alumine, minerai de fer, machines et équipements de transport

PAPOUASIE-NOUVELLE-GUINÉE

SUPERFICIE : 462 840 km²
POPULATION : 5 795 887
CAPITALE : Port Moresby
MONNAIE : 1 kina (PGK) = 100 tosa
LANGUES OFFICIELLES : anglais, pidgin, motu
AUTRES LANGUES : langues indigènes (plus de 800)
RELIGIONS PRINCIPALES : christianisme 66 %, religions tribales (dont animisme) 34 %
EXPORTATIONS : or, minerai de cuivre, pétrole, bois de charpente, huile de palme, café, cacao, homards, langoustes

NOUVELLE-ZÉLANDE

SUPERFICIE : 268 676 km²
POPULATION : 4 115 771
CAPITALE : Wellington
MONNAIE : 1 dollar néozélandais (NZD) = 100 cents
LANGUES OFFICIELLES : anglais, maori
RELIGION PRINCIPALE : christianisme 67 %
EXPORTATIONS : laine, viande (agneau, bœuf), poissons, fromages, produits chimiques, produits forestiers, fruits et légumes, produits manufacturés

ÎLES SALOMON

SUPERFICIE : 28 450 km²
POPULATION : 566 842
CAPITALE : Honiara
MONNAIE : 1 dollar des îles Salomon (SBD) = 100 cents
LANGUE OFFICIELLE : pidgin mélanésien
AUTRES LANGUES : anglais et dialectes locaux
RELIGIONS PRINCIPALES : christianisme 96 %, religions indigènes 4 %
EXPORTATIONS : poisson, bois de construction, huile de palme, cacao, coprah

SAMOA

SUPERFICIE : 2 850 km²
POPULATION : 214 265
CAPITALE : Apia
MONNAIE : 1 tala, ou dollar des Samoa (WST) = 100 cents
LANGUES OFFICIELLES : samoan (polynésien), anglais
RELIGION PRINCIPALE : christianisme 99 %
EXPORTATIONS : huile et crème de coco, poissons, bière, coprah, taro

VANUATU

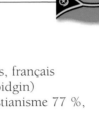

SUPERFICIE : 12 200 km²
POPULATION : 211 971
CAPITALE : Port-Vila
MONNAIE : vatu (VUV)
LANGUES OFFICIELLES : anglais, français
AUTRE LANGUE : bishlamar (pidgin)
RELIGIONS PRINCIPALES : christianisme 77 %, religions indigènes 8 %
EXPORTATIONS : coprah, viande bovine, cacao, bois de construction, café

ÎLES FIDJI

SUPERFICIE : 18 272 km²
POPULATION : 918 675
CAPITALE : Suva
MONNAIE : 1 dollar fidjien (FJD) = 100 cents
LANGUE OFFICIELLE : anglais
AUTRES LANGUES : fidjien, hindoustani
RELIGIONS PRINCIPALES : christianisme 52 %, hindouisme 38 %, islam 8 %
EXPORTATIONS : sucre, vêtements, or, manganèse, cuivre, bois de construction

TONGA

SUPERFICIE : 699 km²
POPULATION : 116 921
CAPITALE : Nuku'alofa
MONNAIE : 1 pa'anga (TOP) = 100 seniti
LANGUES OFFICIELLES : tongan, anglais
RELIGION PRINCIPALE : christianisme 70 %
EXPORTATIONS : courgettes, melons, vanille, poissons, racines alimentaires (ignames, manioc), huile de coco

KIRIBATI (EX-ÎLES GILBERT)

SUPERFICIE : 717 km²
POPULATION : 107 817
CAPITALE : Tarawa
MONNAIE : 1 dollar australien (AUD) = 100 cents
LANGUE OFFICIELLE : anglais
AUTRE LANGUE : kiribati
RELIGION PRINCIPALE : christianisme 94 %
EXPORTATIONS : coprah, noix de coco, goémon, poissons

ÎLES MARSHALL

SUPERFICIE : 181 km²
POPULATION : 61 815
CAPITALE : Majuro
MONNAIE : 1 dollar des États-Unis (USD) = 100 cen
LANGUE OFFICIELLE : anglais
AUTRES LANGUES : marshallais, japonais
RELIGION PRINCIPALE : christianisme 98 %
EXPORTATIONS : huile de coco, poissons, coquilles de troche (utilisées en bijouterie)

ÉTATS FÉDÉRÉS DE MICRONÉSIE

SUPERFICIE : 689 km²
POPULATION : 107 862
CAPITALE : Palikir
MONNAIE : 1 dollar des États-Unis (USD) = 100 cents
LANGUE OFFICIELLE : anglais
AUTRES LANGUES : langues indigènes
RELIGION PRINCIPALE : christianisme 97 %
EXPORTATIONS : poissons, vêtements, bananes, poivre noir

NAURU

SUPERFICIE : 22 km²
POPULATION : 13 528
CAPITALE : Yaren
MONNAIE : 1 dollar australien (AUD) = 100 cents
LANGUE OFFICIELLE : nauruan
AUTRE LANGUE : anglais
RELIGION PRINCIPALE : christianisme 100 %
EXPORTATIONS : phosphates

BELAU

SUPERFICIE : 495 km²
POPULATION : 20 842
CAPITALE : Koror
MONNAIE : 1 dollar des États-Unis (USD) = 100 cents
LANGUE OFFICIELLE : anglais
AUTRES LANGUES : palauan et langues indigènes
RELIGIONS PRINCIPALES : christianisme 67 %, religion modekngei 33 %
EXPORTATIONS : coquillages, thon, coquilles de troche (utilisées en bijouterie), coprah

TUVALU

SUPERFICIE : 23 km²
POPULATION : 11 992
CAPITALE : Funafuti
MONNAIE : 1 dollar de Tuvalu (TVD) ou 1 dollar australien (AUD) = 100 cents
LANGUES OFFICIELLES : tuvaluan, anglais
RELIGIONS PRINCIPALES : christianisme 98 %, baha'i 1 %
EXPORTATIONS : coprah

Territoires et dépendances

ES PAYS CITÉS CI-DESSOUS possèdent, en dehors
e leurs frontières, des zones d'influence
onnues sous le nom de territoires ou de
épendances. Les territoires sont gouvernés
rectement par le pays dont ils dépendent.
s dépendances en reçoivent protection et
sistance financière mais ont leur propre
ouvernement et leurs propres lois.

TATS-UNIS

UAM : océan Pacifique Nord ; 541 km² ;
opulation 173 456
ES MARIANNES DU NORD : océan Pacifique Nord ;
'7 km² ; population 84 546
ES MIDWAY : océan Pacifique central ; 5 km² ;
as de population permanente
ORTO RICO : mer des Antilles ; 9 104 km² ;
opulation 3 944 259
AMOA AMÉRICAINES : océan Pacifique Sud ;
'7 km² ; population 57 663
ES VIERGES AMÉRICAINES : mer des Antilles ;
-5 km² ; population 108 448
E DE WAKE : océan Pacifique Nord ; 7,7 km² ;
opulation 124

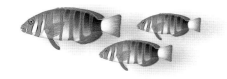

OYAUME-UNI

NGUILLA : mer des Antilles ; 91 km² ;
opulation 13 667
ERMUDES : océan Atlantique Nord ; 52 km² ;
opulation 66 163
ES CAÏMANS : mer des Antilles ; 306 km² ;
opulation 46 600
ES FALKLAND ET LEURS DÉPENDANCES
GÉORGIE DU SUD ET SANDWICH DU SUD) :
éan Atlantique Sud ; 12 173 km² ;
opulation 3 105
IBRALTAR : sud de l'Espagne ; 6 km² ;
opulation 27 967
UERNESEY : Manche ; 78 km² ;
opulation 65 573
RSEY : Manche ; 116 km² ; population 91 321
E DE MAN : mer d'Irlande ; 572 km² ;
opulation 75 831
ONTSERRAT : mer des Antilles ; 104 km² ;
opulation 9 538
ES PITCAIRN : océan Pacifique Sud ; 47 km² ;
opulation 48
AINTE-HÉLÈNE ET SES DÉPENDANCES
ASCENSION ET TRISTAN DA CUNHA) :
éan Atlantique Sud ; 410 km² ;
opulation 7 543

TERRITOIRES BRITANNIQUES DE L'OCÉAN INDIEN :
océan Indien ; 60 km² ; pas de population
permanente
ÎLES TURKS ET CAÏQUES : mer des Antilles ;
430 km² ; population 21 746
ÎLES VIERGES BRITANNIQUES : mer des Antilles ;
153 km² ; population 23 552

FRANCE

GUADELOUPE (DOM*) : mer des Antilles ;
1 507 km² ; population 452 776
GUYANE (DOM*) : nord de l'Amérique
du Sud ; 90 976 km² ; population 202 000
MARTINIQUE (DOM*) : mer des Antilles ;
1 101 km² ; population 399 000
MAYOTTE (COM*) : océan Indien, Afrique ;
373 km² ; population 208 783
NOUVELLE-CALÉDONIE (COM*) : océan Pacifique
Sud ; 19 081 km² ; population 221 943
POLYNÉSIE FRANÇAISE (COM*) : océan Pacifique
Sud ; 4 167 km² ; population 268 963
RÉUNION (DOM*) : océan Indien ; 2 510 km² ;
population 784 000
SAINT-PIERRE-ET-MIQUELON (COM*) : océan
Atlantique Nord ; 241 km² ; population 7 036
WALLIS-ET-FUTUNA (COM*) : océan Pacifique
Sud ; 275 km² ; population 16 309

* DOM : département d'outre-mer
* COM : collectivité d'outre-mer

PAYS-BAS

ANTILLES NÉERLANDAISES : mer des Antilles ;
961 km² ; population 214 258
ARUBA : mer des Antilles ; 179 km² ;
population 70 441

NORVÈGE

ÎLE BOUVET : océan Atlantique Sud ;
58,5 km² ; pas de population permanente
ÎLE JAN MAYEN : océan Atlantique Nord ;
373 km² ; pas de population permanente
SVALBARD : océan Arctique ; 62 052 km² ;
population 2 868

DANEMARK

ÎLES FÉROÉ : océan Atlantique Nord ;
1 399 km² ; population 47 511
GROENLAND : océan Atlantique Nord ;
2 166 086 km² ; population 56 344

AUSTRALIE

ÎLE CHRISTMAS : océan Indien ; 135 km² ;
population 1 402
ÎLES COCOS : océan Indien ; 23 km² ;
population 596
ÎLES HEARD ET MACDONALD : océan Indien ;
412 km² ; pas de population permanente
ÎLE NORFOLK : océan Pacifique Sud ;
34 km² ; population 2 114

NOUVELLE-ZÉLANDE

ÎLES COOK : océan Pacifique Sud ; 238 km² ;
population 21 750
NIUE : océan Pacifique Sud ; 259 km² ;
population 1 492
TOKELAU : océan Pacifique Sud ; 10 km² ;
population 1 449

TERRITOIRES REVENDIQUÉS

BANDE DE GAZA (PALESTINE) : Moyen-Orient ;
revendiquée par Israël et la Palestine, autonome
depuis 1994 ; 360 km² ; population 1 482 405
CACHEMIRE : Asie du Sud ; revendiqué
par l'Inde et le Pakistan ; 222 236 km² ;
population 10 000 000
RÉPUBLIQUE TURQUE DE CHYPRE DU NORD :
mer Méditerranée ; revendiquée par la Turquie
et Chypre ; 3 355 km² ; population 264 172
CISJORDANIE (PALESTINE) : Moyen-Orient ;
revendiquée par Israël et la Palestine,
sous autorité palestinienne ; 5 860 km² ;
population 2 535 927
SAHARA OCCIDENTAL (MAROC) : Afrique du Nord-
Ouest ; revendiqué par le Maroc et les
mouvements séparatistes sahraouis ;
266 001 km² ; population 282 617

Glossaire

affluent Cours d'eau qui se jette dans un autre cours d'eau plus important que lui.

agglomération Ensemble urbain composé d'une ville et de ses banlieues.

agriculture Ensemble des activités visant à agir sur le milieu naturel pour qu'il devienne propice à la production des végétaux et à l'élevage des animaux dont l'homme se nourrit.

alizés Vents qui soufflent régulièrement des deux tropiques vers l'équateur.

altitude Hauteur d'un point au-dessus du niveau moyen des mers.

Antarctique Continent désertique et recouvert en permanence d'une épaisse couche de glace, situé dans la zone polaire sud.

archipel Groupe d'îles.

Arctique Mer gelée située à l'intérieur du cercle polaire, autour du pôle Nord.

aride S'oppose à humide. Un climat aride est un climat sec. La végétation qui se développe sous un tel climat est rare et limitée par l'insuffisance des pluies.

atmosphère Couche de gaz qui entoure la Terre.

atoll Île tropicale en forme d'anneau, entourant une lagune. Un atoll est formé par l'accumulation de coraux sur un relief volcanique sous-marin.

axe des pôles Ligne imaginaire inclinée passant au centre de la Terre et reliant les deux pôles, autour de laquelle s'effectue le mouvement de rotation de la planète.

■

baie Partie d'une côte où la mer s'avance dans la terre.

barrage Construction établie en travers d'un cours d'eau afin d'accumuler des réserves d'eau nécessaires à l'irrigation ou à la production d'électricité.

bassin 1) Vaste dépression en forme de cuvette. 2) Région drainée par une rivière et ses affluents.

boussole Instrument d'orientation renfermant une aiguille mobile aimantée dont la pointe indique le nord.

■

calotte glaciaire Voir inlandsis.

canal Cours d'eau artificiel creusé par l'homme et utilisé pour la navigation ou l'irrigation.

canyon Vallée profonde et étroite creusée par un cours d'eau dans une chaîne de montagnes.

cap Partie d'une côte en forme de pointe, qui s'avance dans la mer.

capitale Ville où est installé le gouvernement d'un État.

cartographe Personne qui réalise des cartes géographiques.

cartographie Technique de réalisation de cartes géographiques.

cercle polaire Ligne imaginaire parallèle à l'équateur, située à 66° 5′ nord (Arctique) et 66° 5′ sud (Antarctique).

climat Ensemble des types de temps qui se succèdent habituellement dans une région au cours de l'année.

combustible fossile Matière résultant de la décomposition d'organismes marins au fond d'anciennes mers (pétrole, gaz naturel) ou de végétaux enfouis dans les profondeurs de la Terre (charbon) et qui peut brûler.

conifère Arbre à feuilles persistantes ayant pour fruits des cônes (pin, sapin, épicéa). Synonyme : résineux.

continent Vaste étendue de terre limitée par un ou plusieurs océans. Il y a 6 continents : Afrique, Amérique, Antarctique, Asie, Europe et Océanie.

corail Petit organisme marin à squelette calcaire, vivant en colonies fixées au fond des mers chaudes.

crique Petite baie abritée dans une côte rocheuse.

croûte terrestre Partie superficielle du globe terrestre. La croûte terrestre est morcelée en une dizaine de plaques.

■

déforestation Destruction de la forêt pour en exploiter le sol et le bois.

delta Accumulation d'argiles et de sables déposés par un fleuve à son embouchure. Un delta comporte plusieurs bras ; il a souvent la forme d'un triangle.

densité de population Nombre moyen d'habitants vivant sur un kilomètre carré.

dépression Partie effondrée du terrain située au-dessous du niveau de la mer.

dérive des continents Théorie selon laquelle les continents se déplacent lentement à la surface du globe.

désert Région très sèche, sans végétation et inhabitée.

détroit Bras de mer compris entre deux terres.

échelle Rapport entre une longueur et sa représentation sur une carte ou un plan.

écosystème Ensemble des animaux et des végétaux qui vivent dans un milieu précis et forment un équilibre.

équateur Ligne imaginaire située à égale distance des deux pôles, séparant le globe en deux hémisphères égaux, Nord et Sud.

érosion Ensemble des forces, telles que l'eau et le vent, qui provoquent une usure du relief.

espèce Ensemble d'animaux ou de végétaux possédant des caractères communs qui les distinguent des autres.

estuaire Embouchure d'un cours d'eau en forme d'entonnoir.

État Territoire délimité sur lequel un pouvoir politique exerce son autorité.

ethnie Groupe humain dont les membres ont en commun un certain nombre de caractères de civilisation (langue, coutumes, croyances).

étoile Astre qui émet de la lumière.

exploitation offshore Forage pétrolier en mer.

exportations Vente de biens et de services à un pays étranger.

■

fédération Union de plusieurs États au sein d'un État fédéral dirigé par un gouvernement central.

fertile Se dit d'une terre dont le sol est capable de produire beaucoup de végétaux utiles à l'homme.

feuillu Arbre à larges feuilles, souvent caduques (qui tombent en hiver et repoussent au printemps), comme le chêne, le hêtre ou l'orme. Les arbres à feuilles persistantes (conifères) ne perdent jamais leurs feuilles, qui restent toujours vertes.

fjord Vallée d'origine glaciaire, profonde et étroite, envahie par la mer.

forêt dense Forêt épaisse, haute, sombre et toujours verte, qui pousse dans les régions équatoriales chaudes et humides. Synonyme : forêt vierge.

fossile Débris ou empreinte d'animaux ou de plantes préhistoriques conservés dans les couches sédimentaires de l'écorce terrestre.

frontière Limite séparant deux États ou deux territoires.

fuseau horaire Chacune des 24 zones égales établies à partir des méridiens divisant la surface de la Terre, à l'intérieur desquelles l'heure, par convention, est la même.

■

geyser Source d'eau chaude qui jaillit du sol à intervalles plus ou moins réguliers.

glacier Vaste masse de glace qui se forme en montagne ou dans les régions polaires par accumulation et tassement d'épaisses couches de neige.

golfe Partie d'une côte, plus ou moins largement ouverte, où la mer avance loin à l'intérieur des terres.

gorge Vallée étroite et encaissée.

Greenwich Voir méridien.

■

hémisphère Moitié du globe terrestre partagé en deux par l'équateur.

hydroélectricité Électricité produite en utilisant la force de l'eau fournie par une chute d'eau ou le courant d'une rivière.

■

iceberg Bloc de glace d'eau douce détaché d'un glacier littoral, qui flotte sur la mer et se déplace au gré des courants.

e Terre complètement entourée par l'eau.

immigrant Personne ayant quitté son pays d'origine pour s'installer dans un pays d'accueil.

indépendant Se dit d'un pays qui n'est sous la domination d'aucun autre.

industrie Ensemble des activités économiques qui transforment des produits naturels en produits fabriqués.

industrie de base Industrie qui assure la transformation des matières premières et fournit des produits bruts (fer, acier) aux autres industries.

industrie de pointe Industrie faisant appel à la recherche et aux techniques les plus récentes pour la fabrication de produits très élaborés (ordinateur, avion, satellite).

inlandsis Immense couche de glace épaisse recouvrant de vastes étendues, comme les régions polaires.

irrigation Technique permettant d'alimenter en eau des plantes cultivées là où les pluies sont insuffisantes.

isthme Étroite bande de terre comprise entre deux mers.

■

lac de retenue Lac artificiel formé par un barrage.

lagon Étendue d'eau salée et peu profonde, qui est séparée de la mer par une barrière de récifs coralliens.

lagune Étendue d'eau salée isolée de la mer par une étroite bande de sable appelée cordon littoral.

latitude Distance entre un point de la Terre et l'équateur, mesurée en degrés. On l'établit à partir des parallèles, vers le nord ou vers le sud.

littoral Zone de contact entre la mer ou l'océan et la terre ferme.

longitude Distance entre un point de la Terre et le méridien de Greenwich, mesurée en degrés. On l'établit à partir des méridiens, vers l'est ou vers l'ouest.

■

marécage Terrain, ou région, recouvert d'eau stagnante et peu profonde envahie par une végétation aquatique.

matière première Matière extraite du sous-sol ou du sol et utilisée par l'industrie pour fabriquer des produits (bois, laine, minerais, pétrole, etc.).

méridien Chacun des demi-cercles imaginaires allant du pôle Nord au pôle Sud, numérotés de 0° à 180°. L'un d'entre eux est appelé méridien origine, ou méridien de Greenwich (0°).

migration Déplacement de populations ou d'animaux d'une région (ou d'un pays) à l'autre, parfois sur de longues distances.

minerai Roche souterraine contenant un métal ou un autre élément minéral utilisable par l'industrie (fer, bauxite, craie, argile, cuivre, argent, etc.).

■

niveau de la mer Niveau zéro à partir duquel on établit les altitudes.

nomade Personne qui n'a pas d'habitat fixe et se déplace sans cesse, ne restant jamais longtemps au même endroit.

■

oasis Endroit dans le désert où la végétation pousse grâce à la présence d'un point d'eau.

océan Très vaste étendue d'eau salée séparant les continents.

Océanie Le plus petit des continents, formé de trois grandes îles (Australie, Nouvelle-Guinée et Nouvelle-Zélande) et de milliers d'îles de tailles diverses.

orbite Trajectoire courbe décrite par un corps céleste autour d'un autre corps céleste.

■

parallèle Chacun des cercles imaginaires parallèles à l'équateur et numérotés de 0° à 90° vers le nord et de 0° à 90° vers le sud.

pays en développement Pays dont l'industrie et l'agriculture ne suffisent pas à nourrir correctement la population. Synonyme : tiers-monde.

péninsule Étendue de terre entourée par la mer de tous les côtés, sauf un.

plaine Région plane, de faible altitude, aux vallées peu marquées.

plaque Fragment rigide de l'écorce terrestre comprenant généralement un continent et une portion d'océan.

plateau Région plate et élevée, aux vallées encaissées.

pluies acides Pluies chargées d'ions acides provenant de la pollution industrielle.

pôles Points du globe terrestre correspondant aux extrémités d'un axe imaginaire autour duquel tourne la Terre. Le pôle Nord, ou Arctique, est un océan glacé, le pôle Sud, ou Antarctique, un continent glacé entouré de mers froides.

prairie Vaste étendue d'herbe naturelle, sans labours ni semis.

principauté Petit État indépendant dirigé par un prince (ou une princesse).

■

récif Rocher (ou groupe de rochers) proche des côtes, dont le sommet se trouve juste à la surface de l'eau.

relief Ensemble des irrégularités, creux et bosses de la surface de la Terre.

république État dirigé par une assemblée et un président élus qui représentent l'ensemble du peuple.

rose des vents Sur une carte, schéma représentant les quatre points cardinaux et des points intermédiaires ; le nord y est indiqué par une flèche.

rural Qui se rapporte à la campagne et à ceux qui y habitent.

■

savane Vaste étendue de hautes herbes et d'arbres clairsemés, caractéristique des régions tropicales présentant une saison sèche et une saison humide.

séisme Secousses violentes qui ébranlent la surface de la Terre.

steppe Végétation composée de petites touffes d'herbes espacées et d'arbustes épineux, poussant dans les régions semi-arides de climat continental.

sylviculture Exploitation rationnelle des ressources forestières (déboisement, entretien).

■

taïga Forêt des milieux tempérés continentaux à hivers froids composée de résineux (pins, sapins) et de bouleaux.

technologie Ensemble des procédés techniques et des machines caractérisant une industrie ou l'ensemble des activités d'un pays.

tempéré Ni trop chaud, ni trop froid. Les régions tempérées se situent dans les deux hémisphères, entre la zone intertropicale et la zone polaire.

territoire Espace délimité sur lequel vit un groupe humain. Dans un pays, c'est l'État qui exerce son autorité et défend cet espace. Certains territoires sont administrés par des pays lointains.

territoire dépendant Région ou territoire administrés par un autre État.

textiles Tissu fabriqué à partir de matières naturelles (laine, coton, lin), artificielles (rayonne) ou synthétiques (Nylon).

tropiques Cercles imaginaires situés à 23° 27' de part et d'autre de l'équateur (tropique du Cancer au Nord, du Capricorne au Sud) et qui lui sont parallèles. Ils délimitent la zone intertropicale, chaude et humide.

toundra Végétation pauvre et rase (mousses, lichens, bruyère) de la zone arctique, dont le sol est gelé en profondeur une partie de l'année.

■

urbanisation Concentration de plus en plus importante de la population d'un pays dans les villes.

■

vallée Espace allongé entre deux zones plus élevées. Le fond d'une vallée est souvent occupé par un cours d'eau.

végétation Ensemble des plantes et des végétaux poussant dans une région.

versant Pente d'une montagne ou d'une vallée.

volcan Montagne en forme de cône présentant à son sommet une ouverture percée par des éruptions de laves, de cendres et de pierres venues des profondeurs de la Terre et s'échappant par une fissure de l'écorce terrestre.

Index

D

E

F

G

Remerciements

Weldon Owen tient à remercier les personnes suivantes pour l'aide apportée à la création de cet ouvrage :
Helen Bateman, Anthony Burton, Alastair Campbell, Jo Collard, Melanie Corfield, Simon Corfield, Sharon Dalgleish, Libby Frederico, Kathy Gammon, Kathy Gerrard, Janine Googan, Greg Hassall, Lynn Humphries, Chris Jackson, Megan Johnston, Ralph Kelly, Jennifer Le Gras, Rosemary McDonald, Kylie Mulquin, Edwina Riddell, Nicholas Rowland, Rachel Smith, Julie Stanton, Dawn Titmus, Greg Tobin, Wendy van Buuren, Michael Wyatt, Erin Zaunbrecher, Andreas Schueller, Kelly Booth

Sources cartographiques : U.S. Central Intelligence Agency ; International Boundaries Research Unit, Durham University, United Kingdom ; Map Illustrations, Australie ; U.S. Geographer General

Crédits photographiques : couverture, panda : photo Getty Images/© **Cyril Ruoso**/JH Editorial/Minden Pictures ; 14 en bas à gauche, **David Weintraub**/The Photo Library/Sydney ; 14 en bas au centre, **Stephen Wilkes**/The Image Bank ; 14 en bas à droite, **Mats Wibe Lund**/Icelandic Photo ; 15 au centre à droite, **David Hardy**/SPL/The Photo Library/Sydney ; 15 en bas à gauche, **Francois Gohier**/Ardea London ; 15 en bas au centre, **B. McDairmant**/Ardea London ; 15 en bas à droite, **International Photo Library** ; 16 en haut à droite, **Robert Harding** Picture Library ; 16 en bas, **David W. Hamilton**/The Image Bank ; 17 en haut à gauche, **Jeffrey C. Drewitz**/The Photo Library/Sydney ; 17 en haut au centre gauche, **Sobel/Klonsky**/The Image Bank ; 17 en haut au centre, **Horizon International** ; 17 en haut au centre droit, **Staffan Widstrand**/Bruce Coleman Limited ; 17 en haut à droite, **Christer Fredriksson**/Bruce Coleman Limited ; 19 en haut au centre, **Alain Compost**/Bruce Coleman Limited ; 28 au centre à gauche, AFP/AAP ; 29 en haut au centre, AP/AAP Amy Sanchetta ; 29 au centre en bas, AFP/AAP Vidon.

Régions
polaires
102

Pays
nordiques
72

nordi

Royaume-Uni
et république
d'Irlande
56

Benel
62

Europe : le Centre-Oues

France 60

Espagne et Portugal
58

Ita

Afriqu
le No
92

Canada occidental
et Alaska
34

Canada : l'Est
36

États-Unis :
le Centre
42

États-Unis :
le Nord-Est
38

États-Unis :
l'Ouest
44

États-Unis :
le Sud
40

Mexique,
Amérique centrale
et Antilles
46

Amérique du Sud :
le Nord
50

Amérique
du Sud : le Sud
52